新思潮文档

总主编 金惠敏

媒介哲学

主编 王岳川

河南大学出版社

图书在版编目(CIP)数据

媒介哲学/王岳川主编. — 开封:河南大学出版社,2004.4
(新思潮文档/金惠敏主编)
ISBN 7-81091-205-4

Ⅰ.媒… Ⅱ.王… Ⅲ.传播媒介-哲学-文集
Ⅳ.G206.2-53

中国版本图书馆 CIP 数据核字(2004)第 029404 号

出 版 人	王刘纯
责任编辑	靳路遥
责任校对	张文礼
责任印制	苗 卉
装帧设计	张 胜

出 版	河南大学出版社		
	地址:河南省开封市明伦街 85 号	邮编:475001	
	电话:0378—2864669(行管部) 0378—2825001(营销部)		
	网址:www.hupress.com E-mail:bangong@hupress.com		
经 销	河南省新华书店		
排 版	河南大学出版社印务公司		
印 刷	河南第一新华印刷厂		
版 次	2004 年 9 月第 1 版	印 次	2004 年 9 月第 1 次印刷
开 本	650mm×960mm 1/16	印 张	21.75
字 数	322 千字	印 数	1—3000 册

ISBN7—81091—205—4/I·205　　　定　价:25.00 元

(本书如有印装质量问题请与河南大学出版社营销部联系调换)

目 录

金惠敏　总序 …………………………………………………（1）

王岳川　导言 …………………………………………………（1）

第一编　传媒与消费社会

张　法　麦克卢汉的媒介哲学与美学 ……………………（3）
王岳川　波德里亚：消费社会传媒的哲学反思 …………（16）
喻国明　影响力经济
　　　　——对传媒产业本质的一种诠释 ………………（42）
熊澄宇　信息网络化与社会建构 …………………………（52）
张荣翼　当代流行文化的五大特征 ………………………（59）
戴锦华　救赎与消费 ………………………………………（68）
南　帆　广告与欲望修辞学 ………………………………（81）
孟繁华　传媒与社会主义文化领导权 ……………………（96）

第二编　传媒与公共空间

陈卫星　关于传播的断面思维 ……………………………（115）
陶东风　大众传播·民主政治·公共空间 ………………（128）
章戈浩　传播政治经济学的核心理论与学术地形图 ……（144）
孙海峰　虚拟与现实
　　　　——数字仿真的实在性问题 ……………………（155）
欧阳友权　互联网的哲学追问与人文诉求 ………………（172）
聂庆璞　媒介嬗变中的文明演进 …………………………（189）
金元浦　文化研究的视野：大众传播与接受 ……………（201）
肖　鹰　青春偶像与大众传播 ……………………………（206）

第三编　传媒与文化话语

金惠敏	图像增殖与文学的当前危机
	——"第二媒介时代"的文学和文学研究……………（215）
周　宪	视觉文化：从传统到现代 ……………………………（235）
尹　鸿	传媒研究的专业化、人文化、多样化…………………（253）
黄鸣奋	从网络文学到网际艺术：世纪之交的走向 …………（261）
韩毓海	"开放大众传媒"：当代中国小剧场戏剧实践 ……（267）
蓝爱国	人民影像传统及其重构………………………………（270）
凌　燕	中国电视的双重生命
	——变革中的中国电视体制矛盾与话语冲突……（280）
俞　虹	分众时代电视社会影响力分析………………………（297）
王岳川	后记……………………………………………………（307）

金惠敏

总　序

　　20世纪90年代以前我们曾经自信地划出了一个相对于"文革"的"新时期",那确乎是群情激扬、光辉灿烂的峥嵘岁月。不过今天从思想史或者思想创新的角度看,"新时期"之"新"似乎仅具有拨乱"返"正的意义,是严格字面意义上的"文艺复兴",它远承"五四"精神,近接50年代的"百花齐放,百家争鸣",其关注的主题如人道主义、人性论、主体性、异化、马克思手稿、美的本质、现实主义等等,均是大半个世纪以来时而低抑、时而高亢的老话题,而且,"左"、"右"对垒,阵线分明。"右"者坚信只要冲破"左"的禁锢,前景就是一片光明;而"左"者则认定,"右"将毫无疑问地导致动乱、无序和资本主义复辟。那时的"思想解放"其实只有两条路好走:要么解放,要么就仍然禁锢着。这种水火不相容的思想对抗从另一个意义上说就是单纯而幼稚、激情而盲目,远称不上理性而深刻的"思想解放"。

　　进入90年代,思想界急剧分化,乱云飞渡,思潮翻涌。当我们感觉"新时期"这个概念已经无法表述我们当前的思想状况时,思想的"新时期"才真正到来。思维创新的佳境不是二元对立、非此即彼,它总是晦暗不明,难分难解,相互渗透,多种可能性并存。具体说,90年代的思想界不再是明朗的"左"与"右",它呈现出思想作为一种精神活动的原生态,即使那些看起来不共戴天的学说如现代性与后现代性、自由主义与新左派也不再能够划出个左右来,更兼以无从捉对厮杀的新儒家、全球化、知识分子、文化研究、身体注视、传媒哲学等等,一个问题甚至可能以其他所有的问题为其语境。

但是如果将思想还原为现实,那么可以说所有这一切都是现代化运动以及当前的全球化与古老中国相遇的产物。对于西方世界来说,其思想界的主要议题是如何让传统发扬光大,如伽达默尔哲学解释学就是让传统自己说话,而在中国则除了这层任务之外,更加之以如何与西方这个"他者"相对话。"传统"与"他者"可能就是当今最大的哲学问题。

将这些90年代以来的思想文本归档整理,决不意味着它们已经成熟或者完成使命。应该承认,这些思想还嫌稚嫩,更谈不上形成什么定论。但是,它们是我们走过或达到的一个个里程碑,是当今中国知识界的思想实录,更蕴涵着无限的发展契机。如果我们还想继续前进的话,那么这些文本之作为历史资料的参照意义甚或作为思想地图的指示作用将都是不言而喻的。

知我者,罪我者,我们一概表示感谢。

惶惶然,谨此为序。

2003年8月29日
北京花园村

王岳川

导　言

全球化问题多年来一直牵动着中国学术界的神经，知识分子在为自己定位的同时，总是在思考问题背后的问题，并进而警惕问题的偏向性：一是以西方中心话语为方向，将中国现代化看成全盘西化，成为分享第一世界学术强势的权力知识分子；二是以一种狭隘的民族主义为理由膨胀为一种极端的后殖民敏感性，受个体经验和本土经验限制而过分强调对西方的抗拒，在一种不切实际的变形的自我巨型想像中，成为一种新冷战思维的播撒者。这两种方式，看似不同其实有内在的相通性，即都是对自己的民族文化和身份重建丧失了信心，本质化了的本土文化独特性，从而成为当代世界文化的消费者而非创造者。

在新世纪，东西方正在由文化对抗进入文化对话，由二元话语对立进入多元话语互动。面对全球经济一体化的滚滚浪潮，中国在信息传播等科技领域应该进入现代化，但在文化思想领域应该站在更高的世界主义和人类性角度，以东方智慧在文化领域发展新世纪世界文化良知。现代化应该以"人为目的"。而且各国应该有自己的现代化模式，当代中国应该呼吁"发现东方"的理念而向整个人类体现"东方智慧"。① 因为人类的未来只能是东西方文化的真正对话和互动。换言之，人类在经历前现代的手写文明、现代的印刷文明之后，进入到后现代媒体文明中，应进一步对这一文明进程和传媒文明的正负面效应进行哲学文化学的批判和反思，才能使全球化语境中的当代传媒哲学思想和批判精神得以凸现。

---

① 参见王岳川《发现东方》，北京图书馆出版社2003年。

一　公共传媒空间中的身体资本

20世纪思想史上一流的思想家,都注重对现代人的"精神"和"身体"的内在关系加以研究,因为这是对大众媒体产生的心理文化根源的必要的洞悉。

就综合性反思身心关系、个人社会关系、文化自然等关系而言,可以说从西美尔、梅洛—庞蒂以来,有很多思想家对其加以关注。尤其是当代思想家布迪厄对"身体"视域的深度分析,打开了一种全新的理论视角和关注世界人生的新路径。如他对身体的塑型和挤压所做的深刻揭示,对文化资本的积累和文化控制对人的性情、心性、趣味和能力的习性获得,和更新社会的基本价值尺度方面,都有重要的论述,而他关于"身体资本"相对于其他资本是一种"刚性存在",以及身体资本合法化与制度化的问题,更值得深加关注。

从身体性入手审视"自我"问题,可以说是20世纪的一个基本学术角度。但是仅仅研究"自我"是不行的,因为"自我"和"他者"之间有着非常复杂的关系,只有从二者的关系入手进行分析,弄清"自我"和"他者"不仅有古典哲学的自我和他者(康德、费希特等),而且有心理科学的自我和他者(弗洛伊德、荣格、拉康等),还有解构的自我和他者(德里达、福柯、巴特、德勒兹等),甚至还有社会理论的自我和他者(布迪厄、吉登斯等),才能看到真正的问题所在。

一、身体感与现代城市处境

对"精神理性"的关注日渐让位于对"感性肉身"的关注,"生命"变成了一个本体论的重要范畴。从世纪之初的尼采、狄尔泰、西美尔、柏格森的生命哲学到以后的存在主义哲学以及福柯和拉康哲学,都将生命作为理性化本质飘散以后的意义空白的填充物,于是,现代性标明这样一个事实:感性肉体取代了理性逻各斯,肉体的解放成为"现代性运动"中的重大母题。

在西美尔看来,现代人深深陷入一个飞速发展而不可知的世界中,处在多种文化元素交错的语境中,这些文化元素对他而言并非没有意义,但也没有什么根本性的意义。文化元素挤压着人,因为人不可能完全清理和吸收它们,同时,人又不可能完全地对抗它们,因为它是人类文化发展所无法摆脱的境遇,也是人自己处身的周遭环境。现代人失去了人与自然、人与自我的传统式的内在和谐,而进入一种"自我"本质的重新定位。人具有自己的"处身性",人的本质不再是一些抽象的形式原则,而是充满肉体欲望和现代感觉的"生命"。

人体中的面部是内部统一最表面的尺度,同时也是在精神上获得完整的整体美的关键。因为从面部最丰富的精神性表现中,可以看出人的心灵变化。面部结构不可能脱离精神,因为它就是精神的直观表现。人的形象是心灵和生理冲动合力所造成,那种忽略面部的精神性而只是注重肉体的表现性,将是心灵和肉体的双重衰退。面容是精神的体现,也是个性的象征,它与躯体有着明显的区别。面部很容易表现出柔情、胆怯、微笑、憎恨诸感情谱系,它是"观察内心世界的几何图",是心性所能臻达的最高的表现域,也是艺术最具有审美特性的地方。而身体相对于面部,尤其相对于眼睛而言,却居于较次要的地位,尽管它也可以通过动作和造型来表达情感,如手的造型等,但仍然是不足以与面部相比拟的。因为面部与躯体就犹如心灵和现象、隐秘和暴露那样存在着本质差异。

但是,今天的现代或后现代艺术已经从"面容之美"的表现走向了"躯体之力"的表现,从精神意象的呈现走向了欲望肉体的展示。身体成为肉体性、享受性和存在性的证明,脸逐渐被肉体所取代。也许,这一切早被西美尔在世纪之初就言中了。"身体距离"在现代人中日益强调,甚至有"加大人与其对象的距离"的倾向。人在现代生活的距离感中渴望获取一份相对独立的空间,这种强调距离使现代人害怕过分接触"他者",而出现一种"畏触感"。这种身体的"畏触感",正表现出心灵的"畏触感"。[①] 身体的距离感,使人在社会生活中穿上了厚厚的铠甲而将孤独变成了自己的身份证。这种现代心理特征,与其说是人与客观对象之间的距离扩大,不如说是在精神、在人和人之间的交流方面出现了最明显的离心形式。身体的痛苦和走向死亡的"震撼",使得一切神话话语在现代人的神经的高度敏感和麻木无感情的两极间很难再度兴奋起

---

① 西美尔《门与桥》,上海三联书店1991年,第231页。

来,心灵由于金钱的强势牵扯,已经很难能对真正的精神价值做出切实的判断。"现代感觉"终于在金钱经济支配的大城市生活中树立起来,它在推动现代人去涉猎私人权力和私人空间当中,却开始挤压了公共空间和公共权力,随着这种身体空间感和生命时间感的进一步加固,由身体状态的审视所引发的现代文化的"悲剧性",已经在实际的人的旋律中发出了不和谐音。

二、现代传媒中的身体资本

法国现代思想家梅洛—庞蒂(Maurice Merlean-Ponty),张扬"身体"的重要性。他认为,思想就是常识、作用与变形,但惟一的条件是进行一种实验性的控制,而各类飘忽不定的意志和愿望就从这里生发。这意味着身体世界是艺术奥秘的谜底,因为身体既是能见的,又是所见的。我的身体之眼注视着一切事物,它也能注视自己,并在它当时所见之中,认出它表现的另一面。所以,身体在看之时能自视,在触摸之时能自触,是自为的"见"与"感"。身体领会自身构成自身,并把自身改造为思想的形式,这也许就是"身体的悖论"。因此,当艺术家创作时,他是在实践一种独特的"知觉理论",现代艺术家让事物从他身体里面走进去,灵魂又从眼睛中飘出来,到那些事物上面去游荡,因为他要在那上面不断验证他那超人的内在视力。艺术的"变形",是艺术家"肉身"的确定和他们对外在世界把握的统一。只有通过这种变形,才能把握世界变化的瞬间,并把这种瞬间投向自我心灵。我们通过这种变形,可以直观物质本身的无声意蕴和那梦幻般深沉的宇宙精神。

物体是思想空间的蔓延,是思想向事情本身的伸展。身体空间是思想居住的空间,思想所支配的身体,对思想而言并非对象中的一个,思想并不从中提取空间的全部剩余作为附带的前提。进一步说,思想并不依附自我,而是依据身体来思考,即把思想统一于身体的自然法则中。肉体对于灵魂而言,是灵魂诞生的空间和所有其他现有空间的存在方式。现象学"知觉论"意味着,肉体穿透我们,囊括我们,使我们在新维度中去思考。艺术的深度是一个全新的课题,是新的灵感和新艺术思想的生长点。正因为肉体和艺术具有一种不解之缘,所以艺术总是一个有关光线、色彩、质感的逻各斯,一个超概念的普遍存在的表现,一个通过表现肉体而传达不可言说思想的话语谱系。

不妨说,关注知觉的重要意义在于身体的"知觉"与对象的意义的"感性遭遇"。这使得我们能够明了现象学式的注视身体的社会存在意义,因为"我以我的整个存在一种总体方法去知觉,我把握事物的独特结构,存在这种独特的方式就在瞬间向我呈现出来"①。于是,肉体通过感觉知觉的综合活动去把握感性世界,并把世界明确地表达为一种呈现的身体性意义。

三、欲望生产与个体肉体

当代哲学家德勒兹和居塔里以"欲望生产"的理论,为当代人描绘出一幅新的生存图景:欲望和任何生产一样,创造现实、人的存在的世界。人成为欲望的主体,获得了不仅在对外部环境关系上,而且在对自己固有本性关系上的生存方式。"欲望"生产和社会生产都是由力比多决定的。"欲望生产"既把人的欲望,也把物质生产实践非理性化。"欲望生产"在现代甚至后现代社会中有一个重要的特征,就是"无器官的躯体"及其衔接部分的主体。欲望首先是生存的欲望、行动和创造的欲望,然而欲望同时也是死亡、停止的欲望,这就导致了无器官的躯体的产生,不仅人的躯体有着一种欲望,同样社会生产中也有一种无器官的躯体,它不断地产生专制制度、资本剥削、拜金主义这些"躯体"。人的"欲望生产"在个体、自然和社会方面有着深刻的内在联系。因此,人是一种无意识的欲望主体,在实现自身的可能性时,无意识地"消耗"着历史,从而获得自身存在的社会参数。

四、身体资本与文化资本

在现代性社会,人们的思想、哲学和诗学对身体的关注,日渐为一些空洞的逻辑性话语所掩盖,因此,身体视域的隐没和回归,就已然成为现代法国社会学家布迪厄(Pierre Bourdieu)的工作平台。

"身体"的发展与其所处的社会地位有着不可分的关系,对身体的运用、塑型,恰好显示了这种身体背后的权力压迫和文化资本的隐蔽性存在。身体是一种资本,而且是一种作为价值承载者的资本,积聚着社会的权力和社会不平等的差异性。或许,正是在身

---

① Maurice Merlean-Ponty, *Sense and Non-Sense*, Evanston, Ⅲ: Northwestern University Press, 1964, p. 50.

体成为资本的这种现代性图景中,身体资本可以转化为经济资本,也可以转化为一种文化资本。在这个意义上,身体是资本,也是象征的符号;身体是工具,也是自身控制和被控制、被支配的"他者"(other),身体还是一种话语的形式,在现代性的状况之中,在身体和社会之间,具有多种不平等的权力关系。① 身体的延伸和成长是通过个体在社会中所处的地位,及其习性和场域所形成的文化圈而体现出其阶层的痕迹的。习性被场域所塑型,而场域的一些特性又在身体上体现出来。身体往往可以置换成经济资本,因为人们通过购买、传递、交换等,可以使身体因习性、地位和品位不同,体现出谦恭或倨傲等不同的姿态。这正好成了当今"文化研究"的关注点。今天的文化艺术无一不与经济资本和身体形态发生紧密联系而体现了社会支配关系。

应该说,身体在现代社会当中,空前地遭遇到时间和空间的分裂,遭遇到欲望的冲击和现实社会权力的压抑,感受到边缘化情绪性体验。因此,个人身心与制度的断裂,理性与社会的断裂,造成了现代人身体的多种流动变化的踪迹。于是,重生命感觉性,重灵肉分离性,重精神游戏性,成为了当代审美文化和媒体的中心。尤其是大众传媒直接刺激和消费身体性的东西,使得远距离的身体控制成为可能。于是,大众文艺节目、体育盛典和政治狂欢等大众化的节日,成为今日现代高度发展时期的身体欲望话语的再生产。这样,身体与自我问题,身体与他者问题,变成今日的社会文化研究的重要问题。肉体已取代了灵魂,灵魂在肉体中沉睡,已然成为今日艺术所关注的救赎与解放的问题。

以上思想家的看法,尽管侧重点不同,入思的角度有异,但其共同点在于,强调身体在现代社会的重要性,将身体的存在与精神性存在的界限清晰地勾画出来。

二 全球化知识话语与本土身份立场

面对全球化问题,世界重量级的思想家都对这一问题提出了

---

① Pierre Bourdieu, *In other Words: Essays Toward a Reflexive Sociology*. 1990.

自己的看法,值得关注。德国哲学家哈贝马斯相当关注全球化问题,他认为,整个世界为达到全球化目的,要承受社会的不公正性以及社会的破裂,同时还要承受道德标准的败落和文化基础结构的败落。他坚持清理全球化负面效应——"全球化代价":"缓慢走过'泪水之谷'到底要持续多长时间?它需要多少牺牲品?为达此目的会有多少边缘化的命运停留在这条道路的路边并得不到注意?有多少不能再被创造的文明成就会因此而陷于创造性的摧毁?"① 同样,美国解构哲学家 J. 希利斯·米勒也认为:"全球化既是已经发生的事情,同时也是正在发生的事情,也许到完成还非常遥远。我们大家一直都在全球化,今天人们都感到全球化已经达到了一个双曲线阶段。在文化、政治和经济生活的许多领域里,都可以确证他是一个独特的决定因素。"② 著名思想家哈维尔在哈佛大学的讲演则强调:现在的问题是"拯救人类",也就是要把现代文明当成多元文化和多极文明来理解。要把注意力转移到人类文化尤其是我们自己的文化精神根源,要从这些根源吸取力量勇敢地创造世界新秩序。在各民族和各种文明、文化及宗教之间共存的问题上,需要呼唤超民族或宗教社群的出现。③ 在社会学家阿明看来,必须抛弃自由主义乌托邦,改变越来越不平等的趋势,民族国家应该负起发展的责任来。在遭遇全球化的挑战中知识分子应该重新进行意识形态和社会思考,逐步解除全球化危机。④ 美国思想家福山对全球化持一种乐观态度,他不同意全球化将导致普适文化的发展的说法。认为经济现代化必然伴随着一系列文化属性,包括更大程度的个人主义。关于全球的讨论中有些人过高地估计了全球化导致同质化的效应,事实可能恰恰相反。实际的自由贸易制度和经济互相依赖,事实上将使人们以从前不可想像的

---

① 哈贝马斯《全球化压力下的欧洲民族国家》(访华讲演录之四)。
② 米勒《全球化对中国文学研究的影响》,《文学评论》,1997 年第 4 期。
③ 哈维尔《全球化的祸福》(在哈佛大学的演讲)。
④ Samir Amin, *Capitalism in the Age of Globalization: The Management of Contemporary Society*, Zed Books, 1997.

方式凸显其文化差异。①

西方学者的看法可以促使我们对全球化问题加以思考,并在全球化思潮中看到,在"知识型"转型背景下,中国知识界出现了观念上的分歧,已使中国知识分子的共识性受到了前所未有的挑战,而"差异性"成为了全球化与本土化、公共性与私人性、形而上与形而中的关键词。在我看来,在全球化时代,任何民族都不可能不接受外来文化影响,而只能在多元文化对话和交流的框架中,既保持自身文化的相对独立性,又使自身文化保持持续敞开性和长久交汇性。这不仅成为第三世界与第一世界"对话"的文化策略,而且有可能使边缘文化得以重新认识自我及其民族文化前景。我认为,在全球化的问题上,应该明确以下基本价值立场。

一、超越全球化与本土化的对峙

全球化理论对东方和西方之间复杂文化关系的揭示,将有助于中国知识界对现实语境的再认识,并将对中国文化价值重建的方向定位提供一个清晰的坐标。近些年这种不断增长的全球化过程具有技术的全球化、经济(跨国公司)的全球化和新信息网络技术全球化等新特征。全球化导致许多新的、跨国的、具有巨大潜力的社会组织和各种新的社会群体,并走向后政治组合形式。事实上,"全球化"和"本土化"是后冷战时期两种相辅相成、相对立又相统一的重要现象。我们一方面要看到二者间的差异,另一方面也要看到二者的冲突和融合。本土化和全球化其实从来都是彼此依存,而作为文明载体的民族自身发展是在冲突中融合而成,同时又在融合中产生新的冲突并进而达到更新更高的融合。所以,从宏观上和微观上说,"文明的冲突"和"文明的融合"具有普遍性,单独抽出任何一维作为未来世界图景来阐释其发展轨迹,认为未来世界是"文明的冲突"或是"天下大同",无疑都是有其盲点的。

我主张"文化对话论"。既不是完全抹杀各民族自身的特性,走向所谓的"全球化",融合为一体,形成新的单一的文化(西方化);也不是完全走向所谓的"本土化"和冲突论,而将人类未来看

---

① 《经济全球化与文化:与福山博士的谈话》,《秋风》2001 年第 2 期。另可参考福朗西斯·福山《历史的终结及最后之人》,黄胜强、许铭原译,中国社会科学出版社 2003 年。

成一种可怕的互相冲突、彼此殊死搏斗的世界末日图景。我们只能通过对话求同存异,并借此在本土化和全球化之间达到微妙的谐调,在冲突论与融合论之间获得一个良性的参照系。

二、确立全球化语境中的中国问题意识

几千年来,中国文化一直处于世界领先的位置,而在近代中国遭遇到"两千年未有之变局",从而彻底改写了中国在全球化中的位置,并连带地重新编码了中国文化的心态,即从世界领先的位置降到后发展国家的位置,使得文化心态上总是在古今中西之间摇摆,或者崇洋,或者自卑,或者赶超,或者闭关。使中国文化在现代性转型中成为一个政治哲学问题,一个国格尊严或民族存亡的问题。当然,在新世纪,中国学界对这个问题有更开放的心态和新的看法:对中学西学不再是二元对立的,而是学不分古今中西;对西方的器物类、制度类的先进体系能够"拿来主义"式地接受,而对思想和宗教信仰问题也能够展开多元文化对话。

由于全球化对中国而言既是一次难得的机会也是一个巨大的挑战,这意味着可能会失去一些东西,甚至是一些难以割舍的东西。同时,又不得不接受一些东西,甚至是一些很难认同的东西。因此,对中国而言,全球化问题不是变得简单了,而是更加复杂了。因为不少人将全球现代化看成是一个世俗化进程,进而将世俗化仅仅看成是一种个体生命欲望的张扬。尤其是在世纪之交的中国文坛,用"汉语写作"所面对的汉语读者群"在国内"这一特殊语境中,其问题就更为复杂和难以把握。在我看来,如何从更大的跨国或世界文化视野审视自我的"文化身份"和"精神禀赋",展示个我的真正存在意义和生命归宿,如何从"自我身体"和"他者身体"入手进行深度描述,即不仅从"自我"的中国人视域去看世界,而且也从"他者"的眼光来看"中国"问题,才可以真切地查明自我的文化身份,并对当今世界东西方问题的认识有新的推进。尽管在全球化中不少人是双语写作,但母语的优先形式自不待言,这或许会导致某种身份错杂和问题的双重开启或双重遮蔽。在对私人空间或身体欲望重视的同时,同样有个"度"的问题,丧失了这个"度",就会从有效的意义逆转成为丧失了合法性的无意义行为。

三、坚持全球化语境中的话语身份立场

西方文化话语往往通过扭曲第三世界人性的方式而获得自身

的话语中心地位,也就是说,个体必得放弃第三世界民族语言身份而换取他民族文化身份,这种由被动到主动的姿态使当代学者不断询问和不断寻找自我身份。这种身份意识的关键就在于受制于西方话语权力秩序而产生西方中心的幻觉,其优越的感觉隐藏一种跨越的暴力和本土意义解读中深刻的文化危机。

在全球化时代,我们在认真思考多元文化问题的同时,还需进一步对后殖民状态中西方对中国文化身份的凝视和歧视加以拒斥和批判,并对其根本片面性进行认真审理和批判。不妨说,全球化理论和实践的健康发展,取决于一种正常的文化心态,即既不以一种冷战式的二元对立思维去看这个走向多元的世界,也不以一种多元即无元的心态对一切价值加以解构,而走向绝对的个体欲望和个体差异性。而是在全球文化转型的语境中,重视民族文化中的差异性和特殊性的同时,又超越这一层面而透视到人类某方面所具有的普适性和共通性,使我们在新理性指导下,重新阐释被歪曲了的民族寓言,重新确立被压抑的中国文化形象。在反后殖民话语的同时,过分鼓动民族主义和东西方差异性,却有可能使宽容精神和远景胸怀消失在紧张对峙或者消费性大众文化中。甚至张扬民族差异而差异却不复存在,张扬民族精神而消费策略却使民族精神隐没不彰。如何避免这种反西化、反现代化导致的第三世界的相对贫困,如何在多元历史和多元权力的世界新形式下,使"第三世界"的文化不成为一种"后历史",并在保持自我相对的差异性的同时,而获得具有普遍意义的全球标准的认同,确实是非常值得冷静深思的事情。

民族主义是后殖民时代的热门话题。民族主义在张扬民族的正义和民族精神方面有着重要的功能,它不仅可以在有效的范围内团结民族的知识精英和民众,对西方的文化政治凝视和种族阶级歧视做出反弹性批判,而且可以对自身的文化策略和话语机制进行有效的改写,对新的世界格局中的中国形象加以定位。但是,如果一味张扬民族主义而对抗世界主义,则有可能走向事情的反面,即对整个世界的发展趋势做出错误的判断,对自身文化形象加以夸张性申述,从而重新走向冷战意识,走向自身的封闭和精神的盲目扩张。因此,对其正负面效应做出公正的评价,是当代真正知识分子的重要工作。无论是自由主义、保守主义,还是激进主义知识分子,都只能从中国的当代实际出发,面对中国开放的新世纪图景,进行切实地有效的文化分析,从而确立自身的话语身份立场。

在全球化的多元文化色彩和"政治正确"意向中,中国知识分子在对第一世界和第三世界文化的研究中,注意到后殖民主义在批判资本主义生产和消费关系时,往往强调第三世界对第一世界的"文化拿来主义",而没有清醒地意识到新世纪中国"文化输出主义"的重要性。这事实上提出了全球化语境中的中国知识分子的立场问题。在我看来,中国学者的批评精神不可或缺,本土学者应从自己的喉咙发声,用自己的方式介入第一世界的话语中心,使处于边缘的第三世界知识分子的文化理论介入对中心主义的警惕,对于抵制第一世界思想家的文化帝国主义霸权话语,使其得以考虑不同历史文化和社会差异所制约的观念处理全球问题,审理以西方现代性作为全球发展惟一标准或道路的知识佞妄,有着不可缺乏的纠偏功能。尤其在全球消费主义成为中心的时代,更需要弄清传媒文化消费的基本特征。

三 传媒文化消费的基本特征与价值剖析

一、单一线性传播与立体网络传播的差异性

后传播时代或"无纸工业文明"时代。这个全球化时代,纸质媒体将逐渐消失,人们阅读将通过网络进行。今天,很多电子阅读器只要插进小硬盘或者一个软件,在手掌大的一本阅读器上就可以设定阅读界面、阅读色彩、阅读方式、字体大小,里面储存的书相当于整整一书架。这种后传播时代的资讯保存和提取方式,使阅读变得随意方便,可以使思想网络般地传播,并可以轻易传播到海外。但是,这种网络阅读也带来了一些问题:

作家写作的未终结性。人们写一篇文章,可以随时随地的根据不同的心境添加,文章成为永远都不可能完成的一个文本。同时网络上储存的文本,可以被不同的人从不同的角度、不同的世界、不同的空间加以理解,并可以不断地提出反问、批评、修正。因此,批判也变成了一个永远没有完结的过程。

由于BBS的帖子使得每一个人都可以发言、发声,所以文本的"经"的地位、文本"阐释"的知识精英地位和权威性正在消失。

每一个人都可以发言,每一个人都可以对任何解释加以怀疑,没有任何解释是终极的,每一种解释都要接受其他解释的挑战,使得意义变成一种散漫性的,而终难归于惟一的"吾道一言以蔽之"的所谓终极结论。

传播时代每一个人都可以写出几百万、上千万的文字,这其中除了有部分精品外,相当多的是情绪化的、语病迭出的、胡写乱涂的文化垃圾。文化垃圾的泛滥使得今天产生优秀的思想,或者使优秀思想文本浮出这类文化垃圾的水面变得非常艰难。这表明,后传播时代是文化垃圾和精英思想并存,它在消解了"经典"地位的同时已经宣布:一切都要经过时间的检验,一切都要化进人类阅读的心灵当中,由一个人的思想变成千万人的思想,这种思想才会不断地传播并且存在下去。

"人类文化"其实是文明发展中不断升华生成的"文化人类",只有跨入人类的生活、生命、精神中的文化深层,文字和文化才会不断地传承和再体验下去。科学的历程为人类产生、保存、收藏文化做出了很大的贡献,反过来人类对这些文化的传播保存又推进了科学的进一步发展。愿它们良性互动,而使明天的文化和精神变得更加灿烂和清洁。

二、主体的泛化与虚拟化

作为现代性艺术家的主体已不再是主体中心,"主体消失"、"作者死亡"(罗兰·巴特)的说法在解构主义者那里成为后现代习以为常的景观。如今,一些小说创作包括财经小说,大都是抄袭或者捉刀——出钱建一个"小说生产工厂",聚集诸多枪手。一些跨国的电视电影制作也是这样,主体被泛化或者虚拟化,艺术家变成一种雇用艺术家或匿名艺术家。主体的淡化与过去的追求完美,像《红楼梦》中说的"满纸荒唐言,一把辛酸泪,都云作者痴,谁解其中味"那种"增删五次"、充满十年血和泪的写作已经不再存在。电视操作的流程成为这样:某个意向确立了本子路数,要求在 70 天之内出片子,于是就像工厂一样地加急生产。这与过去那种精雕细磨,"十年铸剑","百炼钢化为绕指柔"的艺术创作完全不同。当后现代传媒时期一天铸一"虚拟之剑"时,大抵只能将主体精神和形象虚拟化。这种虚拟化表明主体不再具有超越性,它变得世俗化而重视肉身存在,这在影视逗乐中是每每使人感伤的事情。作家的权威被消解,主体性已淡化、虚拟化,读者的接受成为了文化生产和文化消费的平台。

三、数码复制和零距离传播

在后现代大众传媒时代,整个世界对技术主义的向往和对人文思潮的冷淡,使知识分子少了些浪漫诗性的形而上学之思,而多了一些务实特别是对当代人生存具体层面的关注,研究当代人缺乏交流、闭锁心灵和充满误解误读的现状。文化工业与媒体工业成为精神平面的地基。那些有价值的文化在今天只能与媒体话语权力相联系才能存活,传媒话语权力成为文化价值有无的标准,生存与死亡成为文化工业的意识形态策略。媒体本来是一个工作平台,结果今天的平台变成了一切——媒体成为文化工业的垄断者、权力的拥有者(包括播出者、发行者)。思想大师在传媒中心中越来越边缘化,离人们的生活越来越远。今天的人们行为的指南由谁发出? 是出资人、制片人和策划人在左右着人们的人生指南。从《编辑部的故事》,到现实的生活《一地鸡毛》,他们告诉人们很多朴素的真理。再加上电脑网络的版主,出版社的策划,电视台的主持人等等。传媒成为当代人的人生指南,成为世俗生活的标杆,告诉人们应该过怎样的日常世俗化生活。流行的思想成为"正确的"思想,进而封闭了过去思想的导师。"五四"时期,胡适、陈独秀、蔡元培一言既出,天下风行。今天人们谁听? 今天的专家教授如果反抗媒体话语权力,将在传媒上逐渐丧失自己的声音。文化工业也就是媒体工业,在我看来,传媒是一个话语平台,我们可以在批判媚俗的思想交锋中,通过这个平台将精英文化和前沿思想在更广阔的空间传播。在这个"新类象时代",全球媒体和按照类象符码形成的社会组织,正在取代生产的地位而成为社会的组织原则。在这个由模型、符码和控制论所支配的信息与符号时代,文化艺术成为消费者社会心理实现和标示其社会地位、文化品味、区别生活水准高下的文化符号。媒体重新界定着传播的形式和内容,并打破了表层与深层意义二元对立的深度模式。各种信息图像的纷至沓来,人们在购买消费、感受世界、关注问题或参加社会活动中,越来越多地受传媒的同步性信息的制约,镜头的意向性代替了个体的价值判断。在这种全球化的传媒意识形态中,应该改变知识分子的精神导向性变弱的趋势,纠正网络和电视板块导向成为人们的"人生指南"的现状,使思想的传播有正确的通道和接受途径。

四、艺术的技术化与市场化

艺术的技术化是艺术的产业化。单一的技术已经基本过时,文化传播方式、制作方式、消费方式都已经技术化了。传统艺术的价值观功利观,是一种安贫乐道、清净无为的观念,如今遭到现代性强有力的冲击。今日艺术在传媒权力的压迫下,日益强调艺术的商业性存在。这种以商业面目出现的艺术,在媚俗化和低俗化方面是有目共睹的,有人认为这是艺术气息的消散,有人认为是艺术的平面化或艺术与传媒的合谋。这方面阿多尔诺、本雅明、马尔库塞对文化工业中的负面效应批评得非常深刻,但这种文化商业化和商品文化化的趋势仍然出现。在技术化和市场化中,艺术的雅俗问题成为争论的焦点,"雅"正在让位于"俗"。其内在原因在于:现代学术性的知识分子是"解经者",而原创性的思想家是"创经者"。学术体制中的知识分子惟一存在的价值是"解释",工作语言是书面语,以保持工作的专业性和超越性。但是,今天知识分子书面语正在失效,日常口语正在调侃和改写知识分子的生命仪式——书面语。从此,书面语不再高居圣坛。因此,如何在文化传媒中坚持书面语的知识分子性,坚持文化传播的高雅性和精神超越性尤为重要。

五、消费社会的文化消费主义

消费本身成为幸福生活的现世写照,成为人们互相攀比互相吹嘘的话语平台。社会物质不再是匮乏的而是过剩的,思想不再是珍贵的而是老生常谈的,节约不再是美德而是过时的陈词,社会财富这块大蛋糕等着人们疯狂地分而割之,"据为己有"成为"丰盛社会"的个体原则。消费社会的运作结构善于将人们漫无边际的欲望投射到具体产品消费上去,使社会身份同消费品结合起来,消费构成一个欲望满足的对象系统,成为获得身份的商品符码体系和符号信仰的过程。加上广告的轰炸诱导,当代人不断膨胀自己的欲望,更多地占有更多地消费更多地享受成为消费社会中虚假的人生指南,甚至消费活动本身也成为人获得自由的精神假象。在消费体系中,广告明白无误地诱导和训导人们该怎样安顿自己的肉身,获得躯体感官的享乐。并由此使得大众彼此的模仿攀比,进入一个高消费的跟潮的消费主义状态。大众在模仿他者偶像之中"挪用"他者的形象,这种消费式的模仿将权力视觉化,或者将话语权力的表征表面化和消费化。

六、从精神审美到现实功利

前现代时,文化是审美,对文字有一种惊天地泣鬼神的神秘感——"吟安一个字,捻断数茎须"。古典绘画像《蒙娜丽莎》,像米开朗基罗画的很多巨型油画和壁画,都精美绝伦,美不胜收。到了现代时期,文化成为了审丑,现代艺术成为审丑的艺术。诸如杜尚的画,还有立体派等就变得很丑。现代艺术成为审丑的艺术,因为人类在现代社会遭遇到异化的恐怖,遭遇到一种生存的挤压。而后现代社会连审丑这种反抗性都没有了,艺术是消费。后现代装置作品和行为艺术展示丑的同时又展示俗,所以像苏富比拍卖行等变成了画家最喜欢谈的问题。1990年以前画家们总是说自己在想构图,在想系列,在想画的灵魂。1992年以后的商品大潮中,开始想他的画的定价,在想画怎么拍卖个好价钱,被拍出了一幅画就感觉了不得,更想拍出天价。在大众消费时代,人们不再谈艺术的审美价值,而津津乐道它的价格。价格成为人的身份、人的尊严,也成了人的师承的未来。

大众传媒时代的确修正着我们的文化精神和艺术气质,并在改变我们的艺术生产和消费方式。回避这一转型是不可能的。我们只能校正传媒的方向,将传媒与艺术的关系厘定在一个有效的公共空间和思想话语领域中,使新思想的诞生和优秀文艺的传播成为可能。

七、艺术的技术化与商业化

艺术的技术化是艺术的产业化。它的传播方式、制作方式、消费方式都已经技术化,而成为一种商业性的存在。西方马克思主义者阿多尔诺、本雅明、马尔库塞批评说,这是文化的堕落,是艺术的平面化或艺术的沉沦化。但是批评之声逐渐消失,而文化商品化的状态却愈演愈烈。同时当代文化的雅俗问题,已经出现雅败于俗的趋势。原因在于知识分子是书面语文本的解经者,其存在价值是可以对传统经典加以解释。但今天王朔们出现以后,书面语的价值已经大打折扣,起码在知识层面上,电子版的版主、图书经销人认为书面语已经贬值,这意味着文化工业崛起之时,知识分子的声音正在逐渐消失。

八、超越现代性后现代性的生态文化

在网络媒体成为主流的文化传播中,当代中国文化中的世俗化倾向越来越占主导地位,而精英文化却在日常理性中日渐衰颓。如何在经济全球化中为中国文化和人的精神发展定位,成为知识分子的迫切工作。知识分子是问题的提出者,他需要对时代不断提出问题、反省问题,把怀疑和追问放到优先的地位。在我看来,真正的知识分子应该在"形而中"、"形而上"和"形而下"三个层面对社会现实加以关注。就"形而中"层面而言,知识分子强调一切社会制度下文化都与人的欲望有关,讨论各种欲望及其压抑和敞开问题就触及人的全面发展、片面发展、片断性异化、社会制度、社会公正,以及社会发展方向是否正确,人类远景是否辉煌,人们日常生活的价值,人与人之间的新型关系,人与社会的生态学联系形态等;进入"形而上"层面,将引发关于死亡的看法以及此岸彼岸的宗教问题的思考,对理性的设限和对禁忌的设立,以及关于生命终极意义问题的追问;进入"形而下"层面,则关注社会边缘群体,诸如下岗女工、边缘人、社会底层处境的思考等。

四 多元价值的媒体神话反省

思想者的传媒剖析,为我们的文化研究提供了一个基础,使我们有可能从文化的表层进入一种有深度意义的发掘之中。停留在传媒批判的"世界一体化"和"欲望膨胀化"分析是不够的,我们必须更进一层分析传媒与意识形态权力话语的内在关系,分析当代传媒在消解理想而张扬消费主义上起到了怎样的作用,并进而剥离大众传媒在消解政治、文化神话的同时所塑型的金钱神话的实质,使人生意义失落的真相显现出来。

后现代信息社会,具有现代社会和前现代社会所不具有的一些特点:价值的多元相对化,传媒的消费性和隐性霸权,时尚趣味的游移不定,别出心裁的自我表演,影视无节制的集体偷窥欲望,爆炒社会和文艺明星花边新闻,时髦效应主导社会价值的取向,无节制的集体模仿等等。这些问题已经日益明显并失范,而且有一种难以遏制的趋势。

一、媒体与权力话语的关系

20世纪下半叶,后现代主义在消解意识形态话语时,自己却不期然地成为最具有话语权力的意识形态。今日大众传媒所禀有的意识形态性,使其不再揭露现实生活中的本质虚伪性,而是不断通过极为便捷的信息通道操纵大众生活并掩盖生活真相。从而将电脑化的思维方式和现代消费的价值标准强加给所有的社会阶层和个人,以"金钱神话"的意识权力话语方式控制大众的思想,使"钱"成为意义匮乏时代惟一闪光的现代神话。

现代传媒塑造虚假的金钱神话和消费的目的,在于使生活在各种现实压力下的大众,获得一种迷醉和谐的假象,通过复制一个个温馨的金钱神话和现代化神话,使人们忍受当下的精神心理压抑或下岗的苦闷,并把这种受经济权力和话语支配的生活当做自由愉悦的生活,把意识的灌输和强制当做自我自觉的意识,把只重金钱的消费社会所强加于个体的控制误认为是个人自由的必然体现。于是在大众传媒的诱导下,人们的生活和精神出现了有利于操纵的标准化和统一化,使人们逐渐抛弃了超越物质享受的价值观念,丢弃一度拥有的或追求的创造性和个体性,走向迎合潮流、惟新是求地趋向"时尚"。因此,研究大众传媒必须回到文化生产方式的所有权或控制权上来,才能切实地进入对文化的意识权力话语的分析批判。

随着"精英文化"的衰败,大众文化全面控制整个文化界面。当过去那种形而上的乌托邦无济于世,那种狂热的政治神话在现实中露出了非人化的面目时,意识形态开始转型,即由政治意识形态转向科技意识形态,再转为金钱意识形态甚至消费意识形态。于是,金钱和消费的政治化与意识权力中心化一经生产出来,就开始寻求并俘虏自己的理解者,使任何抛弃旧有意识形态话语而认同消费主义和金钱至上的现代人,通过电视和广告不断强化,将生活阐释成当代消费意识形态的形象解读。这种将外在的要求性变成为内在的主动性的过程,成为一个极有遮蔽性的当代问题。

跨国传媒的意识形态化造成了东方对西方"文化霸权"的潜移默化的认同。它意味着在后现代主义张扬多元主义的旗号下人们却追新求新而导致"新的一元",这种消费主义的一元性排斥其他生活方式和存在方式。这种传媒文化的膨胀和过剩生产,消费主义和犬儒主义精神日益成为民族精神中的癌症,使一种丧失了思想的生活状态成为当代精神的常态。当代人在欲望肉身对精神的"翻身"中,以大奇大怪的形式去变态地表现那不可自抑的感觉之流。由传媒所代表的文艺"类象"表明,当代文化以自我"身体"暴露的方式回缩到冷漠绝缘的"纯客观描述",从而使当代传媒性格更为乖张而漂浮。

二、全球一体化的文化意识编码

在传媒所掀起的"沉重的肉身"对"沉重的精神"的颠覆中,整个文化精神改观了:消解形而上的意义而张扬身体欲望,反对永恒乌托邦而酷好当下生命状态,弃置精神价值而侈谈原始本能。大众文化在传媒广告的牵引下,已经从文化的价值层面向游戏层面回溯:由文化批判而形式结构,由形式结构而直觉表现,由直觉表现而对象模仿。这种精神价值的转型表明人的精神世界已经被消费意识和虚无主义所填充。

在经济对个体日益增长的压力下,人们只好日益关注自己的钱包和自身的身体,而对"未来希望"之类的东西将信将疑,那种虔敬之心和美好情怀为失落之心和现实之困所取代。而流行文化反过来强调了这种现世生活的世俗合法性,于是,流行艺术借助传媒开始了轻贱谑浪的"侃"的文字游戏人生和世界,去掉了人们所剩无几的价值关怀,使生命升华之境开始错位,使无聊的"肥皂剧"统管了人们感性生活的方方面面。时代缺乏高屋建瓴的人文精神导向和稳定的趣味情怀,怂恿不健全的好奇心和发财路径,在广告化的生活场景中泛滥媚俗的人生喟叹和惟功利的个人胸襟。而正常的文化批判被无批判的吹捧所湮没,追求一时的出名或生财成为当代文化景观中"短期效应"的全部目的。

无疑,传媒所代表的新的意识形态有着很强的侵蚀性。它在给人们感官刺激中不知不觉地"洗脑"。然而,在其影响下追名逐利的芸芸众生似乎又走上玩世主义的新迷途,即在思想观念上是无政府的个人主义,在生活趣味上则是追新逐俗的精神矮化。于是对理想的非难和对人类尊严的亵渎成为今日的时髦,否定精神信念而刺激感官享乐成为不少传媒的"动情点"。我不认为这是任何意义上的进步,不管它是打着什么样的"现代性"或"后现代性"的标识。

如今,尤其值得注意的是,大众传媒压抑人类精神是值得珍视的那部分潜能的状况。在这个张扬形式而压缩内容,热衷能指而消解所指(意义)的时代,一切误导都迅速地通过传媒传到社会每一个角落。这种文化生产的链条不同于往昔,它已由局部范围的方式变为全球文化的扩张,这种芜杂的信息和资讯传播的全球渗透,使电视成为有效的社会控制,成为个人消费和对未来策划的意识塑型,从而使媒介甚至广告形式都可以独立地复制主流意识形态。大众传播与意识权力互渗互谋,目的在于出售现代消费观念和生命价值观念体系,复制与再生产资本主义的种种生产关系。于是人与传媒互相刺激:媒介生产人的欲望,充满的欲望使人对广告加以欲望式的诠释。这样意识圈与经济圈构成恶性循环,使人被牢牢地编入广告与行销体系的运转逻辑之中。

因此,在今天,有必要更进一层认识到大众传媒的新意识形态属性,使人们重新禀有批判意识和自由意识,并更深一层地透过消费主义和玩世主义而发现真正有价值的生命理想和价值关怀。

三、幻觉剧场与名牌政治

沉醉在传媒"类象"构成的"幻觉剧场"中是危险的,同样,在"话语膨胀"中抛弃精神价值和本真情怀,只认同金钱带来的快感,而使文化日渐向日常生活话语靠近,同样是危险的。

传媒生产的幻觉剧场。90年代传媒危机是总体性的,不仅在节目的发送方式和接收方式上,而且在艺术观念、审美心态上都以生产"幻觉剧场"为目的。艺术这一以个性对抗共性,以自由对抗法则的精灵,却在日益精密化、科学化、信息化的社会中被技术化和程式化了,从而使艺术独立不羁的个性和自由精神被剥离并同一在社会传媒的总体性过程中。这种遭到同化的"文化工业"和大众传媒反过来操纵了当代人的生活体验,并逐步纳入了市场的轨道,使生命体验连带人的心性情怀也打上了商品的烙印。

在文字逐渐为镜头画面所取代,在阅读逐渐为凝视电视所转换的今天,人已不可能逃离画面从独特的角度去看和听,并透过表面看到深层而得出自己的结论。人只有一种看的方式,那就是电视镜头提供给你看的方式。而且,这种看的方式是编排定的甚至不掺杂情感的。广而言之,这个信息叠加的时代,电脑多媒体、电视机、报刊将成千上万的信息,强制地塞入每颗大脑。在市场经济的制约下,"化大众"的深度模式已被"大众化"的平面模式所取代,采编播人员不断根据大众需要推出千篇一律的实用性、娱乐性和大众性的节目,从而使大众在不用动脑筋的乐与笑中,放松(或放弃)了理性批判和世界重建的意愿,放逐了对生活世界的反省。

如今,大众看世界的方式凝固为屏幕的"窗口",凡是上面播出的就立即家喻户晓,凡是上面找不到踪影的则似乎从来就没有发生过。无疑,这种获取信息的类象化、狭窄化、幻觉化,使商品市场经济导演的文化观、价值观趋同化。这一循环态势意味着"平面化时代"正在到来。因为,被媒体所聚焦则成为名人、名流、明星,而不被其关注,则有等于无。市场和传媒已成为存在与不存在、名与不名的场所和价值尺度。炒文化终于使文化中最可贵的"超越性"、"可能性"变成了"享受性"和"现世性"。

名牌政治的大众时代。文化传媒空间使人们乐意生活在一个虚拟空间,这使当今社会在消费热潮中进一步淡漠了人际关系和真实身份,而在虚幻的自我身份想像中以"追"名人和名牌为"时尚"。追求名牌并不主要追求其使用价值,而是在购买名牌商品时所体会到的出人头地的满足感和心理幻象,是以一种社会权力方式对人与自我、人与世界的关系进行重新编码。人们在对"暴富起来"的想像性自我想像时,被这种文化商品或商品文化金色包装所"震惊"。这种心理的失重使其立即放弃了原有的价值尺度,进而仅仅认同这种名牌的中心化品质。

消费主义风行使超前消费日益名牌化、政治化(中心化)。文化由心性的塑型转成为时尚的包装和营销,任何歌星、影星、丑星不经过名牌式的广告包装,就有被大众遗忘的危险。现代传媒的包装术,在明星的私生活、文稿拍卖与竞价的新闻镜头、作品发行之前的"炒新闻"的策略,甚至笔墨官司直到法庭裁决等等,更是有意制造"热点",刺激新的偶像"炒卖点"。于是,这个世界在镜头过度曝光中成为"太透明"时,人们便在目不暇接的明星图像晕眩中,丧失了判断力。于是,"跟着潮流,别落下",已然成为当今追逐时髦的新一代的心理和精神写照。可以说,传媒正是在"造星"和"追星"的现代幻象剧场中,前所未有地"变态"地运行着。

当然,电视及其传播系统本身是中性的,与意义无涉,但电视内容和电视播出与消费的方式却关涉意义与价值问题。出问题的不是传媒本身,而是操作传媒的人。当电视热衷于事件表面的喧哗和广告的竞相角逐（甚至数亿元的竞标）时，价值判断和意义本位却日益萎缩。传媒在以画面刺激人的感官时，成功地瓦解了意义以及对意义的追寻和反思。意义的失落是大众媒体溶解消散作用的负面效应，即拒斥深度意义，增强享乐消费主义的必然结果。于是，在意义消隐的终点，是一个正在到来的"大众时代"（the massage）。这个大众时代是一个以反思和情怀为"多事"的时代，它通过电视只看社会的日常景观和暴力场面，却不问这景观预示着什么？这一场面掩盖或暗示了什么？

人们前所未有地面临视屏取代书本"无纸工业时代"的迅速到来。就社会文化心理而言，现代传媒在平息人们的真血性、真情怀并冷却意义的价值生成中，在"炒文化"的信息盲目叠加中，不期然地抚平了现代人"生活在表面"的失重和创伤，使其遗忘竞争生活的严峻性以及经济动荡中"思考"的重要性。于是，今天的知识成为了电视的知识竞赛的周末表演版，今天的大众趣味是在无目的的"忙碌"中获取流行的"文化快餐"。当人们已经在消费主义潮流中感到惟一缺乏的是"钱"而不是精神时，感到扭曲的是知识而不是自己时，传媒的消费和消解功能就成功地实现了。

无疑，后现代时期的生产和消费方式，已经制造出一种新的人的感性消费形式，人们不得不在这种新的生活方式中形成"新的习性"。于是，全球化语境中，新的电子群体或电脑空间群体的发展，新的人类存在感和电脑时空感，成为大众传媒时代对当代人的塑型的必然结果。对此，我们只能说，经过消费时代的人类本性拓展，将成为新世纪思想者思考的重要问题。

五 消费时代的传媒哲学思考

一、消费主义文化意识形态的传播

就现代而言，进入大众传媒就进入了公共空间。如何在这公共空间中获得自己的合法性，成为一个当代性问题。如果说，在"印刷资本主义"风靡之时，文化就走出了贵族的城堡，进入到大众生活之中，大众文学作为一种新型权力话语进入世界逻辑中，并有效地排除了人与人之间，以及群体与群体之间面对面的直接交流的需要，从而使得文化传播成为一种世俗性的便捷方式。伴随着数码复制的新传媒方式的出现,一种新的大众生活交流方式已然来临,同时也将新的问题摆在了我们面前。

当代理论家莱斯理·斯克莱尔在近来发表的重要文章《文化帝国主义与在第三世界的消费主义文化意识形态》中认为:广告,这种消费主义的文化意识形态传播的主要渠道,常常将自己装扮成教育的,至少是提供信息的正面行为。这里存在两个问题:第三世界的大众媒体问题。对第三世界大众媒体及其与广告的关系的研究,正适于着手研究消费主义的文化意识形态的运行方式。这一研究是在文化和媒体帝国主义的理论框架之内进行的。广告的类型在国家和国家之间尽管有些微差别,在每日出版和定期出版的媒体、电台、电视以及露天宣传栏广告之间也有些差异,但是商品和服务广告的绝大多数都是与消费相关的,而无关于生产。媒体帝国主义在逻辑上是由文化帝国主义所导出的。如果允许美国或者西方对文化的控制,那么它显然是通过对大众媒体的控制来达到,因为它制造了使人服从于"霸权文化"的条件,并且限制了对它进行有效抵抗的可能性。

对文化和媒体帝国主义理论的审理主要有几种层面。即通常被认为是"美国文化和媒体帝国主义"的东西事实上只是一种高级的专业活动;认为它在不同的国家有非常不同的发展过程,在国家间模式的差异要比全球的模式更重要;认为所有国家都有自身的文化和媒体力量,它抵消了美国的文化商品的外部影响;认为美国的媒体既可以阻碍国家的独立也可以促进国家的独立。资本主义在全球化成为美国化的同义语。这样,资本主义的重构,就是资本主义的美国化,消费主义的文化意识形态正是它的基本逻辑。但是把文化媒体帝国主义与美国甚或美帝国主义等同起来,是一种神秘化误区,因为这意味着如果美国的影响能被屏蔽,那么文化和媒体帝国主义就会终结。

在我看来,这些看法无非说明,以美国为首的西方文化对全球传媒的运作和控制。事实上,资本主义的全球文化扩张已经失控,全球化已然成为一种蔓延之势。因而,文化媒体帝国主义正在制造当今世界新的一元话语——全球化话语。全球资本主义化中的跨国媒体问题。全球资本主义即消费主义文化意识形态的扩张。一般而言,跨国公司生产信息,地方媒体负责传播信息,但是从根本上说是跨国公司控制着整个系统,它通过操纵金融领域,主要是广告业,给地方媒体系统强加上一个"生产－财经"的"钳形攻势",尽管这也容易导致民族主义和公众力量的有敌意的反弹。

新的传媒技术加速"跨国化"的过程,但也使得其他新的传媒形式产生,这些只能以跨国化的对立面,即民族主义/大众特色这一极来定义。以通讯自身来定义它们(如规模、技术、政治)是有偏颇的,因为它们在自己的活动范围内都很少能战胜大众媒体。它们的真实意义是:找到传媒的"反霸权空间"。在世界各地,一直都有少数人批评本土版本的消费主义及其背后的文化意识形态,但是只是在最近,消费主义才被理解为一个全球问题。这样提出问题,已经不再是对消费主义本身的直接抨击,而是作为第三世界国家对上文所述的文化和媒体帝国主义的抗议。这样做的一个结果之一就是呼唤一个新的世界信息秩序。

二、全球话语中的传播网络

当代学者阿里夫·德里克在《世界体系分析和全球资本主义》[①]中强调:在文化上,随着"技术理性"占据支配地位,反启蒙的宗教价值开始复兴,同时还伴随着成为"时尚"的"消费拜物教"。就其社会和生态后果来说,技术理性似乎也并不那么合理,哪怕技术理性和人类福祉之间有着某种联系。作为现代化理论核心的目的论已经过时,并入资本主义的世界体系不再意味着自发地接受欧美社会的价值或把欧美式的现代化作为自己的榜样。因此,全球资本主义传播网络具有显著的特征。首先是"无中心化",即将任何国家或地区作为全球资本主义的中心变得日益困难,"高技术联盟"使全球化成为世界性播撒式的;其次,联系这个网络的媒介是跨国公司,跨国公司已经取代国家市场而成为经济活动的中心;再次,生产的跨国化不仅是全球前所未有的统一的根源,也是全球前所未有的分散化的根源。全球在经济上、社会上和文化上的同质化的同时也存在着一个平行的分散化过程;最后,全球化使资本主义的生产方式在历史上真正成为全球的抽象模式,而脱离了其特定的欧洲历史渊源或地域模式。与经济和政策的分散化一致,

---

① 阿里夫·德里克《世界体系分析和全球资本主义》,《战略与管理》1997年第1期。

文化也分散化。如果给它一个积极的伪装,就是"多元文化主义"。《后殖民气息:全球资本主义时代的第三世界批评》①进一步指出,后殖民的抱负在于实现文化话语的真正全球化,其策略在于:把中心地带的欧美文化批评的那些问题和思想取向扩展到全球范围;把以往处于政治的和意识形态殖民主义边缘的声音和主体性引进到欧美文化批评中来,它们现在要求能够在中心听到自己的声音。事实上,后殖民的宗旨是取消中心与边缘的区别,以及所有那些被认为是殖民(主义)思维方式之遗产的"二元主义",从而在全球范围内揭示出各个社会复杂的异质性和偶然性。如果说后殖民话语的语言标志着它的意识形态取向,杂交性所产生的矛盾则表现为后殖民知识分子在第一世界学术体制内的定位,不管后殖民知识分子如何强调定位的杂交性和可置换性,不同的位置在权力结构中并非全都处于平等地位。在后殖民话语中,当前的全球状态仅仅表现为第三世界出身的第一世界知识分子的主体性与认识论规划,它按照后殖民知识分子的自我形象来构造世界,这不是无权者而是新权贵的表现。而在这种新的权力关系中,利用当代传媒可以说是后殖民知识分子扩展自己的话语的一个重要的途径。

三、消费时代媒体悖论

当代世界正在进入后现代时代,这意味着消费中心主义和文化商品化问题成为一个全球性的问题。著名法国思想家让一波德里亚(Jean Baudrillard)从后现代消费社会理论角度对当代传媒消费现象加以透视,认为日常经济活动带来了公共环境的破坏,噪音、空气和水污染、自然的破坏和大型公共设施的建造,以及汽车的全球化后果,引起了巨大的技术上、心理上和人力上的赤字。这种现代性的生活,有可能在生活漩涡中感到世界的庞大和自身的渺小。生活的日常性逐渐演变为一种生活的挫折感并导致一种得过且过的犬儒主义流行。于是,一方面人在国民生产总值的增长中感到幸福生活为期不远,另一方面这种"增长"的神话"掩盖一种

---

① 阿里夫·德里克《后殖民气息:全球资本主义时代的第三世界批评》,《文化与公共性》,三联书店 1998 年。

集体迷恋的巫术"。① 经济学家成为这个世界的权力运作人,他们一会儿坚持丰盛必将到来的神话,转眼之间又哀叹未来社会的物质匮乏和浪费,使得人生的意义在日常生活的低水平满足中,遗漏了最为重要的中心问题。

传媒消费主义已然成为时代精神和个体享乐的问题。在后现代高速发展的经济战车中,人们基于对社会个体身份和历史虚无的理解,不再将理想主义作为自己的存身之道,而是将消费主义作为达到世俗幸福的捷径。于是消费成为获得身份建构自身以及建构与他人关系的关键环节,甚至成为支撑现行体制和团体机构生存发展的润滑剂。消费不再是为了刺激再生产,而是在名牌政治化和时尚崇尚克隆中呈现当代崇洋心态——商品拜物教和西方中心观念。"消费"观念与"西方"名牌政治,终于成为一个铜币的两面。事实上,消费社会已经进入一种文化身份的符号争斗中。商品权力话语消解了高雅文化的壁垒而与通俗文化合谋,轻而易举地通过大众传媒侵入到当代文化的神经,将日常生活作为市场需求和世俗文化模式设定为当下社会文化的普遍原则,并企图将消费主义作为当代人生活的合法性底线。于是在哲学"元话语"失效和中心性、同一性话语消失后,人们在焦虑、绝望中寻找到挽救信仰危机的方法。然而传统美学趣味和深度的消失使得"表征紊乱"成为时代的症结,本能欲望的满足和怂恿成为消费时代的焦虑。因而后现代消费时代问题的袒露性,显示出这个时代的复杂性,并对当代问题的深层面揭开了重要的一角。

从形而上学理想化到大众传媒时代世俗化的进程,可以看到西方最前沿的历史文化轨迹和精神蜕变脉络。这一脉络表明,从现代社会进入后现代社会以后,每个人的生活维度都不再是单维的,而是集体网络关系中的一员,具有相互交往的深层因素和变异的可能性。这种身份和认同是相互作用的,一个人虽然具有多重身份,但最主要的身份是通过社会交往社会传播获得社会认同。社会认同是随着时间的流逝、政治身份的变化以及与他人合作方式的空间转换而相对固定的某种文化属性,这种文化社会身份不

---

① 波德里亚《消费社会》,刘成富、全志刚译,南京大学出版社2000年,第21页。

是一成不变的,因为身份认同是通过社会过程形成的,随着社会关系的重新组合,在共同语境中不断获得修正和重塑。大众传媒加速了对传统价值颠覆的个体日程,相当多的人进行了自我反叛,个体认同产生了不可忽略的危机。揭示这种危机并开创新的问题领域以化解这种后工业社会中的消费主义症结,成为当代文化研究理论的努力方向。

在我看来,无论是跨国关系问题的来源和结果,还是传媒消费文化问题的转移和遮盖,都逃离不了全球化语境。在这一语境中,我们不能仅仅拿来而成为消费主义倾销地,而是从中国本位立场出发,认真清理传媒消费主义的弊端,从而以第三世界身份强调差异性、边缘性、少数话语,向第一世界表达中国思想的基本模式,把握全球化构成中的处于低势位的"转型期中国"或"发展中的中国"所具有的流动衍化性。通过对文化消费与消费文化问题的清理,使知识者在话语转型中体认到这种境遇所提出的挑战式机遇,并转变僵化观念抵达多元性对话,从而将务实性思考推进到中国问题与全球化问题前沿,进而为全球化中的传媒消费文化研究做出自己的文化批判。

通过上述论述,我们可以理解当代传媒所面对的全球化语境的"类象化空间"、消费主义意识形态的传播、全球话语中的传媒权力播撒化等困扰思想者的当代前沿学术问题。这些问题的核心,是"公共空间"中"自我处身性"问题。对此,应该承认:"高度现代化下的自我并非是一个小小的自我,在广大的安全领域中,它是有时以微妙,有时以赤裸裸的激荡方式与泛化的焦虑交织在一起的那种经验。躁动、预期和失望的情感,可能会与对一定形式的社会和技术机构的可靠性信任一起,混在个体的经验中。"[①]可以说,自我、身体、感觉、私人性等当今热门话题,与全球化中的后现代传媒有着重要联系,甚至直接就是其结果或表征。这无疑使得对大众传媒的认识,更加复杂更加需要细心厘定。

---

① 安东尼·吉登斯《现代性自我认同》,三联书店1998年,第213页。

六　网络文化与中国思想传播

中国网络不可能逃离全球网络,只能连成一个整体。这意味着中国网络正在走向成熟,不再背对世界,不再沉醉过去。在传播中阐释中国,说明了中国文化在世界格局中不再是肢体文化,而是头脑文化。在我看来,网络文化有以下几个基本特征:

网络文化是后现代平面文化的典型。它表现在三个方面:一是多元性,二是众声喧哗性,三是非权威性。后现代主义是对现代主义的清算,它主要消除现代主义的二元对立、霸权主义、中心主义而将一种傲慢的知识态度还原为一种平等的知识对话,将一种中心主义的自大迷恋还原为平等对话中的新意义产生,将一种过分精英主义的态度还原为普世性的大众文化,其中有值得我们吸取的东西。但是,也有过分偏激的东西。应该在学者思想引导、集团经济合作几方面形成良性系统。网络文化应该是整合现代性与后现代性文化的优良因子,再叠加上传统文化的文明碎片,创下未来文化的新的形态。

网络文化在国家的政治结构变化中起重要作用。目前,网络还处于中低水平的运作上,在真正的民主制度建立前沿思想探讨和高峰对话方面还不足。但是,网络文化提供了一个可贵的平台,那就是最大可能的平民化、圆桌会议化、多元多种声音化。这种形式提供了一种新的民主的可能性,这种可能性有赖于网络文化自身的理性和节制,以及网络法规的健全。网络民主内涵意味着文化霸权主义、单边主义、独断声音的消失,而使对话主义、多边主义、多音对话成为常态。这对于制度创新无疑是具有重要意义的。

电脑网络传媒对大众文化有推波助澜的作用。当然其对人文社会景观有提升和降位的双重可能性,这种变化可以使文化的精英立场丧失部分空间,但也可以使真正的学术思想获得一个平台,人们面对自己的问题会因信息过多而造成某种困惑,甚至由于争论不休而导致权威消失,而造成文化断裂。但是,不管怎么说,网络使平民的声音能够发出,使得多元对话成为可能。每个人都可以发出自己的声音,但每个人都不可能成为绝对的声音,而先要学会倾听别人的声音。因此,我们在某种文化断裂中也可以修复我们的文化裂痕。

网络在中国呈几何级数增长。信息不对称和不平衡状态的出现,意味着关键性的信息在网上传递时,第一世界在英语信息占百分之九十的情况下,将传送与获悉超量的信息而获得快速的进步,而第三世界在本土信息占百分之几的情况下,传送与获取信息相比处于绝对劣势。因此,"好者更好,差者更差"的杠杆原理出现,使得第三世界在信息方面处于低谷。改变这一处境的方法是学术精英要进入与西方的正面对话,思考全球范围内的前沿问题,同时,将本民族的文化、思想、信息用英语的方式送出,同时,尽可能地增加本民族的文化信息传送量和文化含金量,从模仿抄袭西方文化到创立自身的全新文化,使西方对东方或中国文化具有全新的认识,在具有魅力的前提下,逐渐地获得信息对等交流的机会。

当然,网络文化也有其弊端,具体表现在:在网络虚拟空间中,人际关系处于一种彼此信息不对等的状态,使某些人可以在隐蔽自己身份的情况下说出内心真实的语言和私人的语言。其正面价值是可以随心所欲打开心扉,或发人深思、或启人心扉、或揭露时弊,其负面价值在于产生恶意攻击、揭露隐私、编造谎言。同时,人因超负荷的信息堵塞而导致信息膨胀焦虑症和信息紊乱综合症,使整个社会出现了信息过剩和人性遮蔽。网络文化的发展需要清洁的语言、明晰的逻辑、令人感动的叙事、对他人存有善心的期待,这样才能够凸显网络文化的品味和趣味。一切丧失品味和趣味的对话和攻击都近乎无聊,一切无聊的话题无论多么津津有味地谈论都只能是苍白,一切苍白都只能说明对网络责任的逃脱。

通过网络传播中国文化的关键在于,不相信中国将永远落后,不相信中国文化永远低人一等,不相信西方文化会成为全球文化,不相信中国文化的未来只是英美 pop 文化的集散地。因此,文化传播是一种文化互动,在减少文化敌视中的文化过滤,是在文化过滤中获得中西文化双赢,是在文化双赢中达到东西方文化的常态和谐,一切文化侵略、文化敌视、文化霸权都将不再合法,一切有效的文化整合、平等的文化心态、文化平视的努力都值得尊重。

上层文化和底层文化从来都是多重联系的,从来都是不可割断的。底层的民间文化往往有刚健清新的东西,上层文化也有油滑和暮气沉沉的东西。两者只有在不断摩擦、砥砺、整合中对自我加以扬弃,如此而已。如何使网络文化法制化、有序化,成为大众文化,具有美学意义和价值是关键。换言之,网络大众文化的价值在于每一位网友真诚的维护与有意义的言说。

　　网络的法制化是很难操作的,一方面网络的开放性和自由性是网络文化具有美学意义和价值的关键,另一方面网络需要有序化和法制化。这意味着,我们是在相反相成的矛盾中前进的,没有不要法律的自由,也没有丧失节制的所谓的开放。因此,如果在自由与法制、开放与节制、感性与理性之间做不到某种平衡,人的精神性的存在也就是不可能的。很有必要重新审视和制定法令和标准,而且越快越好。文化创新同制度创新和科技创新同样重要。东西方文化对话和平衡是人类从核大战的噩梦中逃脱的惟一的通道。世界大战将没有赢家,这意味着只能通过文化的交流与互动使人类得以和平生存下去,而这种和平而非冷战的生存,其质量赖以彼此的理解和对差异的尊重。中国网络张扬"视听全球",说明中国成熟了,不再背对世界,不再沉醉过去;"传播中国"说明了中国文化在世界格局中不再是肢体文化,而是头脑文化。

　　网络的发展实现了大众的狂欢,在个性极端张扬的同时,也带来了很多问题,群魔乱舞和娱乐场所化确实令人堪忧,尤其是对青少年而言,因为文字的阅读要经过思想的领悟,而网络图像的阅读则带来肉身的快感,于是快感将战胜领悟,青少年将在快感中忘掉思想和文化而沉浸在图像的娱悦中。最好的办法是杜绝网上黄毒,增加文化含金量,强调大众文化中的精英文化因素,并使精英文化具有某种超前的价值存在和观众审美共识,只有这样,群魔乱舞才会变成感性理性统一,娱乐场所才会成为文化空间。

　　在我看来,网络文化将在未来世界中具有越来越重要的分量,我们要学会适应它,充实它。在这个平台上,没有人会愚蠢到去反对它,也没有人会轻飘到仅仅去娱乐它。它的重量将在未来的岁月中逐渐显示出来,而这种重量是传承的文化的重量,是交流的对话思想的重量,同样也是文化论战的前卫意识的重量。希望这个平台成为人类沟通你我他的平台,同时也是使每个个体提升自己心性的平台。

七 公共空间中的当代媒体反思

电视传媒的负面效应正在加速意义的消解工作,在这个意义上,后乌托邦已然在大众传媒的网络时代中来临。然而,面对着一系列问题的现实态度,不是拒斥当代传媒,而是深入探讨大众传播中文化策略问题,探讨意识话语权力和接受心态的互相制约问题,探讨因传媒而加速并扩大的第一世界对第三世界的文化"后殖民主义"问题。通过这一可行性方式,也许我们能够清醒而健康地直面"意义"而对话,实现真正的多元多维的心性交流。

就传媒的文化场效应而言,它提供关注身体的舒适,保持自我与他者的心灵和身体的双重距离,使身体像梦一样地在转型性断裂的社会"软着陆"的条件。换言之,现代传媒和娱乐机制提供了一套如做戏一般脱离自身生存的"场",而使人投身于重金属摇滚中,投身于卡拉OK的无情的抒情中,投身于体育运动看台上的山呼海啸的狂热和暴力斗殴中,投身于股市风波那理智丧失和欲望的无限膨胀中。"身体"已然成为这个时代最大的自恋话题。90年代由于社会的进一步世俗化和市民化,"身体"的私人空间获得了前所未有的解放。当"灵魂"成为可疑可笑之时,"身体"就直接成为现代化权力持续不断加工和消费的对象。私人化"身体"不再成为政治解放的现实场所,而是成为经济开放享受的最终栖居地。

在对私人空间或身体欲望重视的同时,同样有个"度"的问题,丧失了这个"度",就会从有效的意义逆转成为丧失了合法性的无意义行为。自我的身体性是存在的真正行为主体和意义主体。关于身体欲望话语,当代影视无疑是有新的开拓的,但或许从身体和性爱看人性,以及表现这种欲望的疯狂和冲突还不够。因为问题还在于,对"身体"和"欲望"的过分强调,可能会逾出对生命本体生命感觉的正当伸张的限度,走向绝对化私人系统的不可沟通性。如何从更大的跨国或世界文化视野审视自我的"文化身份"和"精神禀赋",以及个我的真正存在意义和生命归宿,似乎还可以再讨论,甚至还可以从"自我身体"和"他者身体"入手进行深度描述,或许别有洞天。当代影视传媒(包括广告)对自我的身体性作为行为主体意义的强调,甚至对"身体感"和"性"的过分张扬,既重要又危险。重要在于这是对生命本体的正当伸张,危险在于容易绝对化而为人(欲望者)张目。

正是对性、暴力的玩味,对犬儒主义生活方式的认同,使当代传媒在日益多元化的同时,又往往使人面对选择而无能为力。媒体的暴力问题从而变得尖锐起来。对媒介的暴力、词语的暴力、权力消费的暴力,最好抱以充分的警惕性。对此,阿帕杜莱认为:"以好莱坞和香港电影工业为中介,创造了新的雄风与暴力文化(cultures of masculinity and violence),它们反过来又刺激了国家政治和国际政治中愈演愈烈的暴力。这种暴力推动了遍及全世界的不道德的武器贸易的迅速发展。在电影里,在公司和国家的保安部门,在恐怖主义活动中,在警察和军事行动中,世界的每一个角落里都有 AK—47 和 Uzi 枪,这对我们是一个有用的提示,技术装备表面上的统一性掩盖着日趋复杂的形势,暴力形象和在某个想像的世界中建构共同体的渴望,就是在这样的形势下搭上钩的。"①"媒介的暴力",即媒介就是一切。媒介不仅表现暴力,而且因为独霸而自身成为整合调节人和整个社会的权力,当它成为人和社会的惟一中介时,就成为媒介暴力的一元独霸。而传媒的意识形态已造成新的"文化霸权",它意味消费观念和生命价值体系。词语暴力,尤其是野性的词语暴力、媚态词语暴力、性词语暴力、肉欲词语暴力、"床"词语暴力,和对"家园"的排斥、对精神的排斥、对人的排斥的词语暴力,尤须加以警惕。银幕的暴力,同样须加置疑。电影无疑是充满魅力的,银屏无疑是充满感性的,肥皂剧无疑是在进行无情的抒情的,所以许多人把时间消磨在这上面,不知不觉"被格式化"了一种生活方式,一种价值尺度和为人处世态度。这种银屏单向注入的暴力是潜移默化的,批评者必得用批评的武器划破银屏或感性诱惑,看到银屏背后的"欲望生产和再生产"的潜台词。

面对这种欲望和话语暴力,已经有学者在面对并思考"全球化的陷阱"的问题。因为,在全球化将全球各国纳入到统一网络形成的全新的政治文化结构之中的时候,民族国家体制正经受政治经济的严峻考验,民族国家的意识形态、国家体制和政党等,都将产

---

① 阿帕杜莱《全球文化经济中的断裂与差异》,载汪晖等主编《文化与公共性》,三联书店 1998 年,第 540 页。

生空前的断裂。当然,文化尤其是大众传媒,在世界一体化的进程中,同样将日益丧失其文化的独特身份,而走向一种世界性。我以为,这并不可怕,走回头路是不可能,也是行不通的。全球化进程已经全面进入了人类生活的方方面面,甚至成为人类新生活的支撑点。人类只能在新的道路上发现自己的问题,寻找自己文化的根,清理欲望和暴力的根源并加以揭底,从而超越全球化所带来的平面化和类同化弊端。这意味着,我们必须在理性主义坍落的"后乌托邦"时代追问总体生命的价值归依何处,追问现代传媒的中介作用下人与人的沟通和对话何以可能,追问当代人在精神消解的世界上怎样为现实塑型与进行自我塑型,追问大众传播怎样走出"大众化"的低谷而迈上"化大众"的新境界。

大众文化与大众传媒无疑有其现实土壤和阐释接受者,这是不可忽略的。在跨国资本运作的国际化语境中,媒体尤其是卫视,使整个世界变成了地球村。因此大众媒体在今日的重要性是毋庸置疑的。但是这并不意味着,我们就必须全盘接受其所有正负面效应,相反,作为反思理论者的"文化身份"和价值追求,其超越性思维和批判性眼光是十分重要的。对大众文化绝不能不加分析地完全拥抱,批判的品格就在于对任何问题都不能完全合二为一,而是要保持相当距离。距离正是产生正确辨识的可能性前提,丧失了距离只可能得到痛苦和谬误。因而,对大众文化,我在"同情的理解"和对其现实合法性加以肯定的前提下,对其负面效应给予审理和批评,使其在公共空间的正当合理交流中,具有自身真切的现实合法性。

听一听吉登斯的言述不无意义:"我们返回到通过自我和身体的内在参照系统而得以集中起来的自我认同问题。由于收到现代性抽象系统的深入渗透,自我和身体变成了多种多样的新生活方式选择的落脚点。就其受现代性的核心观点支配的程度而论,自我的投射还仍是一种受控制的自我,它只是受一种'可信性'的道德所引导的。然而,正如其所关心的一样,对于最亲密的人的感受性来说,这一投射就变成了朝向一种对日常生活重新道德化的一个根本的推力。生活政治在议事日程上的实质问题,集中在整体的人(personhood)和个体性(individuality)的权力上,而这返回来又与这类自我认同的存在维度相联结。"①

　　后现代后殖民化使当代中国已经进入消费社会行列,消费自由逐渐成为经济文化和政治体制再生产、社会和个人协调整合,以及个体与个体行为之间的关键性话语。在这个多元时代,在迅速全球化的传媒霸权中,我们将尽力避免文化相对主义的绝对化表述,尽可能地促进有关公共领域的知识话语建构,使当代人在真实的文化对话和跨文化沟通中避免公共性空间的丧失,而终究能达成某种基本原则意义上的共识。

---

①　安东尼·吉登斯《现代性自我认同》,三联书店 1998 年,第 264—265 页。

第一编

传媒与消费社会

张　法

麦克卢汉的媒介哲学与美学

麦克卢汉（Herbert Marsgall Mcluhan，1911—1980）关于以电态媒介为主导的文化是一种新型文化的思想，使后现代之"后"得到了一种质的说明。因此要解释一个与现代不同的"后"，除了用利奥塔的"非宏大叙事"思想，引波德里亚的"消费社会"概念，麦克卢汉的"电态媒介主导"论也是非常重要的。不像利奥塔以后现代的主角登台，也不像波德里亚，半路变换旗帜，麦克卢汉从未自称后现代。但他所宣称的"电态文化"却是理解后现代普遍性的一个不可或缺的方面。《机器新娘：工业人的民俗》（1951）、《谷登堡星汉璀璨：印刷人的诞生》（1962）、《理解媒介——论人的延伸》（1964）、《文学之声》（二卷，1964/1965）、《语言·声象·视象探微》（1967）等，是麦克卢汉的主要著作，此外还有与他人合写的著作多种，如《通过消失点：诗画中的空间》（与哈里·帕克合著，1967）、《从陈词到原型》（与威尔弗雷德·华生合著，1970）、《作为课堂的城市：理解语言和媒介》（与哈钦和埃克里·麦克卢汉合著，1977）等，这些著作的名称，已经呈现了麦克卢汉的主要思路：以媒介为主线，来理解人类文化的演进；以电态媒介为基础，来理解新的时代变化。因此，与利奥塔和波德里亚一样，麦克卢汉的思想也是一种宏大叙事，其实，无论你怎样反对宏大叙事，只要你把后现代作为一个新时代来把握，就必然是一种宏大叙事。下面从三个方面来谈麦克卢汉的思想：一是媒介本体论；二是媒介历史观；三是媒介美学观。

一　媒介本体论

西方思想家自古希腊以来都有一种思维模式，这就是找一个最后的基点，整个世界由这一基点推出。古希腊的第一个哲学家泰勒斯是如此，他说，宇宙的本源是水。最高的成就者柏拉图也是如此，他说，宇宙的本源是理式。近代哲学家培根、笛卡儿同样是去找一个最后的不可怀疑的基点，前者依靠"经验"，后者拿出"我思"。现代，弗洛伊德的无意识、海德格尔的存在、列维·斯特劳斯的深层结构，是同一套路。这个最后的基点，就是能够推出所有原理的第一原理，就是能够说明所有现象是如此现象的本体。反对这种本体的后现代思想家同样要运用这一本体论的形式，操后现代话语的波德里亚用"符号原则"作为其解说一切的"本体"，不使用后现代一词而具有典型的后现代精神的德里达，用"分延"作为批判一切的"本体"。正是在这一意义上，麦克卢汉也占有一种本体，这就是媒介。在他看来，文化中一切的变化，都是媒介的结果。都可以从媒介中得到理解。因此《理解媒介》是麦克卢汉一举成名的著作，也是他的本体论宣言。

在一般的理解中，媒介就是一种介于两个之间的传达工具，正如这一词的中文含义，媒即二人之间的中介，介即将一方介绍给另一方，从社会文化上讲，媒介一般专指如文字、报纸、广播、电视这类的传播工具。但在麦克卢汉那里，媒介有更广泛且更专门的含义。用他自己的话来说，"媒介"在他这里，是广义的。在《理解媒介》中，他专列了26种媒介来讲解：

语词、书面词、道路、数字、纸路、服装、住宅、货币、时钟、印刷品、滑稽漫画、印刷词、轮子、自行车、飞机、照片、报纸、汽车、广告、游戏、电报、打字机、电话、唱机、电影、广播电台、电视、武器、自动化。

按照这一思路，媒介的数目还可以增加，如自行车、汽车可各算一项，火车、轮船为什么又不能算上一项呢？有的可以并类，在住宅中，麦克卢汉就包括了城市、教堂等内容，因此"住宅"一项，更正确些表述，应为"建筑"。类别还可以扩大，如重要的计算机就还没有进入其中。应该把哪些媒介作为人类文化中最重要的媒介，这些媒介应该怎样排列,并不太重要,重要的是通过对各项媒介的解释,突出媒介的基本理论。这一理论,不妨归纳为三点。

一、媒介是基础性技术。媒介意味着技术,它的内涵包括了以前称为技术的东西。这就是说,以前作为技术来理解的东西,现在应当作为媒介来理解。并且对技术应当按照媒介的方式来分类。理解了这一点,就知道,媒介一词,从以前分类学中的一个小概念在麦克卢汉这里变成了一个具有基础性的大概念。整个文化世界,从经济(货币)到生活(电话),从语言(口语和文字)到艺术(漫画与电影),从工具(汽车)到军事(武器),从商业(广告)到娱乐(唱机)……都要从媒介的角度来予以把握。上述事物,首先要作为媒介来理解,然后才作为事物来理解。在他人的理论中,经济是基础,技术又是经济的基础,不同的技术工具形成了不同的社会形态,石器、铜器、铁器,生长出不同的社会形态,手工、水磨、蒸汽机意味着不同的生产力阶段。在麦克卢汉这里,技术工具还要从媒介的观点来重新理解、把握、分类。用媒介来总括技术与以前的技术理论不同之处,一方面在于把媒介中的本质性东西作为最基本的东西,如从印刷术的原则来理解其他的现代技术形态,从电脑的原则来理解后现代社会,这与从其他角度来看技术得出的性质是不一样的。要而言之,就是该段的关键词所说的,媒介是一种基础技术。因此,麦克卢汉的思想可以被总结为:媒介－技术决定论(这一点将在"媒介历史观"一节中详论)。另方面在于从媒介看技术,不是把技术作为一种纯技术来孤立地考察,而是把技术与人内在地联系在一起。这就进入到另一个重要的观点。

二、媒介是人的延伸。西方文化的一个基本观念,就是人的发展是以制造工具和改造工具为标志的。但这一观念以往都把工具本身作为一个体系来研究,从而文化史就变成了工具史和技术史。而麦克卢汉把媒介－技术与人联系起来,媒介－技术的决定者和主导者不同了,而媒介－技术也就呈现出了新质。麦克卢汉说:"一切技术都是肉体和神经系统增加力量和速度的延伸。而且,除非力量和速度有所增加,人体新的延伸是不会发生的,发生了也可能被抛弃。"①从延伸的主体人来看,可以分成几个主要部分:1.神经系统,2.各个感官,3.肉体各部分。从而媒介体系可以作如下划分。首先,从文化大类上,可分为作为突出整体的延伸的媒介（如电态媒介）和作为个别感官（如视觉）的媒介（如印刷媒介）；其次，从具体媒介上，可分为文字（视觉的延伸与分离）、数字（触觉的延伸与分离）、音乐（听觉的延伸），这是与五官相关联的。另外，与心理的整体相关联的，例如货币：内心希望和动机的延伸；游戏：一种内心生活的延伸。与肉体的整体相关联的，例如服装：皮肤的延伸，住宅：人体温度控制机制的延伸……麦克卢汉是从现代电力媒介的视点去回眸各种媒介的，因此，他注意到了各媒介－技术间的相交，比如照片如何成为电影的。他从这相交的基础提出了一个重要的概念：感官比率。感官比率是指在某一媒介中各个感官占有的不同分量所形成的一个感知模式整体。如拼音文字是以视觉为主体的，鼓乐是以听觉为主体的。从而，媒介本身就使人形成了一种感知模式。这就进入到了第三点。

三、媒介即讯息。以前的理论，总是认为媒介只是一种工具形式，它是用来传达具体内容的。麦克卢汉关于媒介本身就是一种感知模式的理论，揭示了媒介不仅是形式，而且就是内容，相同的内容，你用不同的媒介去表达，效果是完全不一样的。文字不同于图像，广播不同于电视。因此对一种媒介的使用，同时就是对人的某一或某些性质的强调，形成不同的性质要求。例如，公共人物的魅力，在印刷文化依靠他们文章的气势，在广播时代要赖其语音的悦人，在电视时代全仗在摄影镜头下的表演得体。因此，在文化上，首要的是人们借以交流的媒介的性质，而不是交流的内容。正是在这一意义上，麦克卢汉说，媒介就是讯息。这里我们看到形式主义关于"形式就是内容"的理论在媒介理论上的一种复现：不是讯息决定媒介，而是媒介决定讯息。媒介就是本体。你用什么样的媒介，讯息就以那一种方式显示出来。媒介不仅决定了主体的感知方式，也决定了客体的结构模式。这里我们看到符号学关于"人通过符号认识世界，世界通过符号呈现出来"的理论在媒介理论上的一种复现：人是通过媒介去认识世界的，世界是通过媒介呈现出来的。

通过以上三点，媒体是一切技术－工具的基础，从而是理解技术－工具发展史的关键；媒介是人的延伸，从而是结联主客体的桥梁和理解主客体的中心；媒介是人感知方式得以形成的基础，同时也是世界的结构何以会如此呈现的基础；因此，媒介在麦克卢汉那里具有了一种本体论的意味：理解了媒介，你就能理解一切，特别是能理解一个以电子媒介为基础的新时代的状态。

二　媒介历史观

麦克卢汉的媒介本体论，也就是一种媒介决定论，即有什么样的媒介，就有什么样的文化，什么样的感知模式，什么样的世界结构。这样，人类的发展史也就变成了一个由媒介的发展所决定的历史。由麦克卢汉的媒介决定论看历史，人类历史分为三大宏观阶段，整个原始文化和各种高级文明（如埃及、两河流域、克里特、小亚细亚、印度河流域、中国、中亚等）、一切拼音文字以前的文化属于第一阶段，这些文化的主导媒介是无文字、非拼音的象形文字或会意文字。从古希腊开始的掌握了拼音文字的西方文化直到电力媒介的出现，属于第二阶段，这一阶段又分为两个小段，从拼音文字到印刷媒介是第一小段，这是西方文化在分散世界史中的阶段，从印刷到电子媒介出现是第二小段，这是现代社会在西方兴起并向全球扩张，把全球带入统一世界史的阶段。拼音文字和印刷媒介是这一阶段的主导媒介。电力媒介出现，从电报（1844）、电话（1877）、电影（1895）、广播（1906），到电视在20世纪五六十年代普及，显出电力媒介进入主导地位。这正与后现代的成潮大致同步。电脑在90年代普及，使得新时代的特征异常显彰，因此第三阶段是以电子媒介为主导媒介。

三种主导媒介当然会对社会的各方面产生各自的影响，形成不同的文化形态。像其他后现代的大理论家一样，麦克卢汉对各文化的差异和特色知之甚少，总是把各类绝不相同的文化看为本质一律，用"非西方"的概念统而论之。与德勒兹相似，麦克卢汉用"部落"来概括一切非西方的特征，与作为西方文化代表的希腊的"城邦"和现代性的城市相对，用"游牧者"来概指一切非西方人的本质，与作为西方文化代表的希腊城邦中的"公民"相对。因此，所有非西方文化，就是中国、印度、伊斯兰文化，无论在时间上怎样延续和发展，无论有着怎样的辉煌创造，在本质上都与各原始文化是一样的，因为它们都没有进入拼音文字阶段。麦克卢汉的历史三阶段又呈现一种螺旋式的上升，前拼音文字媒介，是听觉的、整体的、浑一的、场论的、多维的、同步的、顿悟的……一句话，是有机整体论；拼音媒介与之相反，是视觉的，切割的、分类的、几何的、三维的、线型的、理解的……一句话，是机械整体论；到电子媒介，又回到了触觉的、整体的、浑一的、场论的、多维的、同步的、顿悟的……一句话，又回到了有机整体论。虽然第三阶段是在更高的质量上向第一阶段的回归，如麦克卢汉说，只有电子媒介是人的神经系统的延伸，以前的一切媒介都是人的部分的延伸，又如只有电子媒介是瞬息同步，前拼音文字媒介只是同步。然而就有机整体论这一总性质来说，电子媒介与前拼音文字媒介是完全相同的，而与拼音文字－印刷媒介是截然相反的。因此，历史三段又可作性质二分，以拼音文字－印刷媒介为一方，以前拼音文字－电子媒介为一方。正因第一阶段与第三阶段的同一性，麦克卢汉认为，世界历史（从现代向后现代）的发展，表现为"城市"的重新"部落化"和"市民"的重新"游牧者化"。因此，历史三阶段的性质二分又可以简括为城市与部落二分或市民与游牧者二分。拉潘姆（Lewis H. Lampham）把麦克卢汉论印刷文字与电子媒介区别的只言片语总和排列出来，得出一个性质二分的表格如下：

印刷文字	电子媒介
视觉的	触觉的
机械的	有机的
序列性	共时性
精心创作	即兴创作
眼目习染	耳朵习染
主动性的	反应性的
扩张	收缩
完全的	不全的
独白	合唱
分类	模式
中心	边缘
连续	断续
横组合的	马赛克的

| 自我表现 | 群体治疗 |
| 文字型人 | 图像型人 |

以上是以媒介为轴心，重在历史的第二阶段和第三阶段的比较。为了突出性质二分，拉潘姆自己又以性质二分的原则，以人为轴心，排列一种表格。如下：

市民	**游牧者**
定居	游徙
有阅历	无阅历
权威	权力
幸福	快乐
文学	新闻
异性恋	多形态恋
文明	野蛮
意志	希望
激情式真理	真理式激情
和平	战争
成就	名望
科学	巫术
怀疑	确信
戏剧	色情
历史	传说
争论	暴力
妻子	娼妓
艺术	梦想
农业	掳掠
政治	预言

这样的区分，很多地方会显得生硬和牵强。但麦克卢汉的历史三段和性质二分涉及思想史和文化史上一直在讨论的重要问题：

第一，相对于世界其他文化而言，西方文化的特点是什么？韦伯早就提出并论述过,为什么欧几里德几何、亚里士多德逻辑、希腊雕塑、交响乐等只有西方文化才有?麦克卢汉用自己的理论重新回答了这一问题,西方文化的一切特点都源于拼音文字。拼音文字中无意义符号与无意义声音的联系使西方人建立了自己的形象和意义。拼音文字使视觉从听-触互动的感官网络中分离出来,形成了视觉的主导地位;读写识字养成了行动时不必反应的能力,视觉主导的感知分离使冷静的抽象思维和理性精神由此而生;拼音文字构造和呈现方式培养了线型思维和欧氏几何空间。自从拼音文字发明以来,在形与声的分离、语义与字母的声音分割的主导下,西方始终向着一个"分离"的目标前进,这就是感官、功能、动作的分割,情感和政治状况的分割和任务的分离。把一个大问题划分为几个问题一个一个地解决,把世界划分为各个学科,分门别类地加以解决。它的进一步发展就是印刷术和机械时代,"印刷术是复杂手工艺的第一次机械化。它创造了分布流程的分析性序列,因此就成为接踵而至的一切机械化的蓝图。印刷术最重要的特征是它的可重复性。这是一种可以无限生产和视觉性表述。它的可重复性是机械原理的根源。谷登堡以来使世界为之改观的就是这个机械原理。印刷术产生了第一个整齐划一的、可重复生产的产品。同样,它也就造就了福特牌汽车、第一条装配线和第一次大批量生产的商品。活字印刷是一切后继的工业开发的原型和范型。没有拼音文字和印刷机,现代工业主义是不可能实现的。我们需要认识到这一点:作为印刷术的拼音文化不仅仅塑造了生产和营销,而且塑造了生活的一切其他领域,从教育到城市规划都是如此。"②拼音文字加印刷术形成的线型性、同质性、重复性向经济、政治、文化等一切领域进军,塑造了西方的现代性。

第二,西方文化经过一系发展和全球化之后,从印刷媒介转向电子媒介,意味着一个重新部落化时代的到来,西方人主导的世界史正在从视觉型分割转向触觉型整体,从线型转向瞬间同步,从机械观转向场论。这是两套性质完全不同的媒介体系。在这一转变中,西方人过去的历史是他们进行划时代转换的巨大阻碍。在麦克卢汉看来,自电报发明以来的冲突都由这一媒介的历史替换而起,都与这一历史转型相关。

第三,在西方文化的全球化过程中,各非西方文化的现代性转型,就其本质而言,就是从前拼音文字向拼音文字-印刷媒介的转型,即从听觉整体向视觉分离、从同步向线型、从有机论向机械观的转型。这是两套性质完全不同的媒介体系。在这一转变中,非西方文化过去的历史是他们进行现代性转换的巨大阻碍。在麦克卢汉看来,西方文化全球化以来文化之间的冲突,特别是各非西方文化自身产生的巨大矛盾、困扰,都由这一媒介的历史替换而起,都与这一历史转型相关。

第四,由于历史的第一阶段和第三阶段的性质相同,而这两个阶段与第二阶段性质不同,麦克卢汉认为,在从印刷媒介向电子媒介的重大历史转型中,非西方文化要比西方文化更容易进行这一转变。

尽管麦克卢汉满怀对印刷媒介分割-机械论的批判,但他的历史观从本质上说仍然是建立在印刷-机械论上面的,他在用西方语言言说一种超越西方语言的历史变化时,既没有摆脱西方语言在词汇体系上本身的局限,也没有摆脱建立在西方语言基础上的逻辑推理形式的局限,因此对于由他的媒介历史观引出的四大问题,特别是其中的后三大问题,都太简单化了,恐怕只能"姑妄听之"。

三 媒介美学论

从媒介的本体论和历史观,麦克卢汉给出了一个重新审视艺术和审美的新角度,使我们对整个艺术史特别是电子媒介以来的艺术史有了一种新的理解。

一、从媒介的角度解释艺术。在麦克卢汉看来,现代艺术的出现要由电子媒介的出现来说明,新的艺术种类的出现也要由电子媒介的出现来说明,同理,现代艺术与古典艺术的差异,新的艺术种类与旧的艺术种类的不同,也建立在媒介的不同和差异的基础上。麦克卢汉说:"电力媒介的出现立即把艺术从囚衣的束缚下解放出来,也创造了[绘画上的]保罗·克利、毕加索、布拉克,[电影上的]爱森斯坦、麦思克兄弟和[文学上的]乔伊斯的世界。"③电影是一种承前启后的艺术,电影是从机械化的切分性和序列性中诞生的,但电影在诞生的那一刻又超越了机械论,转入了有机联系的世界,仅仅靠加快机械的速度,电影就把我们带进了创新的外形和结构的世界,从线型接连过渡到外形轮廓。在电影出现的同时,立体画派出现了。立体派在两维平面上画出客体的里、外、上、下、前、后等各个侧面。它放弃了透视的幻觉,偏好对整体的迅疾的感性知觉。一旦序列让位于同步,人就进入了外形和结构的世界。电影蒙太奇同样是图像艺术打破线性艺术和叙述连续体的结果。蒙太奇必须推前和闪回,一推前,它产生叙述;一闪回,它产生重建;一定格,它产生报纸的静态风景,产生社会生活各方面的共存。而这就是乔伊斯的《尤利西斯》表现的都市形象。电力时代是有机的、非集中化的,这一特征最早体现在报纸上,最后定型在电视的栏目中。因此拉马丹的话不无道理:报纸是书籍文化的终结。在1830年前后,狄更斯把报纸当做一种新兴的印象派艺术的基地,20世纪20年代,格里菲斯和爱森斯坦也研究报纸,将之作为电影艺术的基础。"罗伯特·勃朗宁把报纸当做他印象派史诗《指环与书》的艺术模式。马拉梅在他的《运气》里也是这样。爱伦·坡这个报人和科学小说家,像雪莱这个诗人一样,对诗意过程进行了剖析。报纸连载的情况使他和狄更斯都走向了追叙的写作手法。这就意味着文章各个部分的同时性。同时性使事物的结果聚焦。同时性是报纸对付'地球城'的一种形式,也是创作侦探故事和象征派诗歌的公式。这两种东西是新技术文化的派生形式。同时性与电报相关,正如电报与数学和物理学相关一样。乔伊斯的《尤利西斯》完成了这种技术性艺术形态的整个周期。"④在美学理论把社会现实或经济结构或艺术形式本身作为艺术演变的原点和动因之后,麦克卢汉把媒介性质作为艺术形式和种类演变的基础,也算是提供了一种新的参考点。

二、冷热媒介与艺术分类。麦克卢汉把媒介分为冷热两个基本类型。电影、收音机、照片、华尔兹舞、拼音文字、印刷品……是热媒介;电视、电话、卡通画、扭摆舞、象形和会意文字、石刻书……是冷媒介。媒介世界的冷热正如中国哲学的阴阳,具有相反的性质,现将冷热媒介的差异列表如下:

热媒介	冷媒介
清晰度高	清晰度低

数据很充分	信息有空白
参与度高	参与度低或无
有包容性	有排斥性
强度低	强度高
慢节奏	快节奏
……	……

对艺术来说,有两点具有理论的参考意义,一是把电视作为冷媒介而把电影作为热媒介,从而把一般艺术分类体系都放在一起的影视区分开来,成为两种性质完全不同的类型。认为电影是高清晰度而电视是低清晰度的,电影无空白而电视有空白,看电影时观众无法参与,看电视时观众能够参与。另外,麦克卢汉认为,从媒介是人的延伸这一理论来看影视,电影是视觉的延伸,而电视是触觉的延伸。麦克卢汉说:"触觉需要一切感官最大限度的互动。电视触觉力量的秘密是这样的,录像带上的形象是低清晰度的,与照片或电影不同,它不给物体提供详细的信息。相反,它要求观众的积极参与。电视图像是一个马赛克网络,它的组成不仅包括横向的扫描线,而且包括数以百万计的小点。从生理上来说,观者只能从中抓住其中五六十条线来形成图像。因此,他常常要填充模糊的形象,深度卷入银屏画面,不断地与图像进行创造性对话。卡通式图像的轮廓线要在观众的想像中不断地加上血肉,这就迫使观众要积极地卷入和参与。实际上,看电视的人成了屏幕,看电影的人却是摄影机。由于电视不断要求我们给屏幕似的马赛克网络空隙填充信息,所以电视图像直接把它的信息刻在我们的皮肤上。因此,每一位观者不知不觉地成了修拉一样的点彩画家。电视图像在他身上洗刷的同时,他也不断地勾画新的形体和图像。因为电视机的焦点是观者,所以电视就给我们定向,使我们向内看自己。"⑤二是以有无空白来区分冷热,无空白为热,有空白为冷,使我们从另一角度增加了对艺术风格的理解。比如中国画中儒家风采的画空白少而道释精神的画空白多,前者热后者冷。

三、荒诞新释。荒诞一直被认为是一个现代美学概念,被进行了各种解释。从媒介本体论和历史观去看,荒诞又有了一种新解。历史已由印刷媒介主导的社会转向了电力媒介主导的社会,然而这一新时代尚未为人所意识。人们所由生长、所受教育、所养成的习惯,都来自于分类数据和分割肢解的机械技术时代,但他们现在所处的时代却是一个由电力媒介所形成的整合任务和整合知识的新环境。这两种环境的本质对立和现象重叠而形成的结构反差,造成了时代的荒诞感。电力世界是不可分割、完整一体地组织起来的,在电力世界里追求分割的一切目标都呈出、都造就一种荒诞。人们为什么不容易感受到新环境呢?麦克卢汉认为有两个原因,一是源于脑生理上的麻痹机制,二是社会的后视镜习惯。就第一方面说,一切媒介都是人的延伸,这对人及其环境都会产生深而久的影响,无论什么时候发生这种延伸,中枢神经系统似乎都要在受影响的区域实行自我保护的麻痹机制,把它隔绝起来,使之麻醉,不知道正在发生的东西。凭此机制,把新技术的心理和社会影响维持在无意识水平,就像鱼对水的存在浑然不知一样。就第二方面说,由于新环境在初创期是看不见的,人只能意识到在这个新环境之前的老环境。人看世界的观点总是要落后一步。新技术使我们麻木,当新技术创造一种全新的环境时,往往反而使老环境更加清晰可见。⑦这一情景又形成了一条与艺术相关的规律。在新环境的麻木中,老环境凸显出来,而成为艺术。

四、艺术史新解。西方艺术史在艺术与现实的关系上,总显出一种向后看的倾向:希腊的取向是前荷马的原始时代;罗马的取向是希腊;文艺复兴和中世纪取向罗马;印刷机发明以后的两百多年里的印刷品基本上是中世纪的故事、公祷文和哲学;莎士比亚的戏剧内容是中世纪,他的政治和世界图景表现的是中世纪的世界图景,他的剧本死死回头盯着即将退出历史舞台的中世纪的各种形式;中世纪又是文艺复兴时期的"晚间电视节目";到了 19 世纪,文艺复兴已经以完全充分的景观展现在人们的眼前;工业环境形成时,这个渐进展开的时间,坚定地面对着文艺复兴。19 世纪的内容是文艺复兴,20 世纪的内容是 19 世纪;在铁路和工厂形成的工业环境中,农业世界出现了,这就是文艺中的浪漫主义运动。浪漫主义运动是机械时代的产物,其产生机制靠的是音乐中的对位法。它不是机械时代的重复,而是机械时代的内容,诗人和艺术家转向原有的农业世界,把它加工成田园诗和风景画。电力世界兴起,包裹了机械世界,于是机器成了一种艺术形式,抽象艺术在很大程度上可以看成电力时代反映机械内容的艺术。

注释:
① 麦克卢汉《理解媒介——论人的延伸》,商务印书馆 2000 年,第 127 页。
② 麦克卢汉、弗兰克·秦格龙编《麦克卢汉精粹》,南京大学出版社 2000 年,第 370 页。
③ 同②,第 272 页。
④ 同②,第 305 页。
⑤ 同②,第 372 页。
⑥ 同②,第 360—362 页。
⑦ 同②,第 340—341 页。

王岳川

波德里亚：消费社会传媒的哲学反思

在后现代消费社会中，人的心理和行为方式有了显著的变化。如何对这种心理和行为变异进行社会学的深层分析，揭露这个高速发展社会下残存的机制和精神生态困境问题，进而解构旧的体制和认识论价值论模式，沿着现代性批判理论道路对西方社会出现的新变化进行分析，理清消费社会中的客体、符号以及符码的多层复杂关系，呈现后现代社会的消费主义本质，成为当代世界学界重量级思想家为之努力的方向。这一方向调整，使得文学研究日益泛化为文化研究，以期从更广阔的社会文化背景追寻文学转型和文论转型的深层原因。

为了对后现代社会进行总体性分析，著名法国思想家让－波德里亚（Jean Baudrillard）从后现代消费社会理论角度对当代世界加以透视，获得了新的问题意识。他的基本关注层面是：现代性问题与文化危机，消费社会形态转型和媒介传播的结构，消费主义与日常生活，商品拜物教中的精神生态危机，大众传媒与世俗化问题。这些前沿学术问题的探究，对当代世界性的消费社会文化困境的揭示有着重要的意义。波德里亚借助诸多新术语，诸如："仿像"（simulacrum）、"内爆"（implosion）、"超真实"（hyperreality）、"消费"（consume）、"致命"（deadliness）等，重新思考当代世界若干前沿学术问题，代表了当代文化研究的最新理论视野和研究方向，使对当代世界出现的精神生态问题的考察，具有了一种文化生态批评（Ecocriticism）的视野。①

波德里亚在西美尔、马克斯·韦伯之后，直面当今社会的各种问题而大量写作，出版多部论列广泛、颇有影响的著作，主要有《生产之镜》、《仿像与模拟》、《冷酷的回忆》、《完美的罪行》②等。其中《消费社会》等触及当代社会的灵魂——消费问题而成为影响深远的论著,系统地提出了当代世界若干前沿学术问题。这些具有宏阔人文视野和深远历史感的文化理论话语,值得我们深加思考。

一 现代性问题与"完美的罪行"

对当代传媒形态和全球化境况中生存层面的关注,使波德里亚更为关注当代人缺乏交流、闭锁心灵和充满误解的现状。促使其将思考的重点放在信息传播和技术霸权问题的研究上,为当代信息播撒和心灵整合的研究提供了一个可资重视的文化视点。

在出版《消费社会》、《生产之镜》、《仿像与模拟》、《冷酷的回忆》等著作并获得巨大的声誉后,在其新著《完美的罪行》中,波德里亚进一步将自己的研究领域拓宽,不仅研究现代性传媒和技术问题,而且广泛地探索后现代社会中的诸多问题。其中,对完美的罪行、逼真的技术、镜中之物、冷漠和仇恨等当代精神状况进行了深度分析。

在他看来,"罪行"虽然从来不是完美的,但在"完美的罪行"中,完美本身就是罪行,如同在透明的恶中,透明本身就是恶一样。"完美的罪行就是创造一个无缺陷的世界并不留痕迹地离开这个世界的罪行。但是在这方面我们没有成功。我们仍然到处留下痕迹——病毒、笔误、病菌和灾难——像在人造世界中人的签名似的不完善的标记。"③波德里亚在分析当今世界的典型事例中,澄清了一系列的误区,诸如当代人容易将虚拟的事物看成现实实在,将心造的幻影当成现实,将超验之思想看成必然的境况,将表面现象当成事情本身。尤其是通过罪行的分析,指明将罪行完美地遮掩使之具有合法性,从而达到消除对世界的激进幻想:"在我们不断积累、增加、竞相许愿的现代性中,我们已忘掉的是:逃避给人以力量,能力产生于不在场。虽然我们不能再对抗不在场的象征性控制,我们今天还是陷入了相反的幻觉之中,屏幕与影像激增的、幻想破灭的幻觉之中。"④

当前,人类正处于一个新的类象时代,计算机信息处理、媒体和自动控制系统,以及按照类象符码和模型而形成的社会组织,已经取代了生产的地位而成为社会的组织原则。后现代时期的商品价值已不再取决于商品本身是否能满足人的需要或是否具有交换价值,而是取决于交换体系中作为文化功能的符码。波德里亚声称:"这个世界的气氛不再是神圣的。这不再是表象神圣的领域,而是绝对商品的领域,其实只是广告性的。在我们符号世界的中心,有一个广告恶神,一个恶作剧精灵。它合并了商品及其被摄制时候的滑稽动作。"⑤后现代类象时代是一个由模型、符码和控制论所支配的信息与符号时代。任何商品化消费(包括文化艺术),都成为消费者社会心理实现和标示其社会地位、文化品味、区别生活水准高下的文化符号。"长久以来,电视和大众传媒都走出了他们大众传媒的空间,从内部包围'现实'的生活……我们都相信自己的感受器,这就是因为生活过于相近、时间和距离萎陷而产生了强烈的雾视效果。……我们曾批评空想的、宗教的、思想的所有幻觉——当时是令人高兴的幻觉破灭的黄金时代。现在只剩下一个:对批评本身的幻觉。进入批评射程的客体——性、梦、工作、历史、权力——以它们自身的消失进行报复,反过来,产生出对真实事物的令人快慰的幻觉。由于不再有受害者可折磨,对批评的幻觉就自己苦恼了。比工业机器更糟,思想的齿轮处于技术性的停顿状态。在其行程的尽头,批评思想缠绕在自己身上。"⑥

事实上,当代传媒中的垃圾信息以各种高清晰的图像呈现出来,人们在购买消费、工作选举、填写意见或参加社会活动中,受到传媒不断的鼓动和教唆,大众由此而逐渐滋生一种对立厌恶情绪。于是,冷漠的大众变成了忧郁沉默的一群,社会也因缺乏反馈而消隐。不同阶级、不同的意识形态、不同文化形式之间,以及媒体的符号制造术与真实本身之间的各种界限均已消失。如此一来,"大众传媒的'表现'就导致一种普遍的虚拟,这种虚拟以其不间断的升级使现实终止。这种虚拟的基本概念,就是高清晰度。影像的虚拟,还有时间的虚拟(实时),音乐的虚拟(高保真),性的虚拟(淫画),思维的虚拟(人工智能),语言的虚拟(数字语言),身体的虚拟(遗传基因码和染色体组)……人工智能不经意落入了一个太高的清晰度、一个对数据和运算的狂热曲解之中,此现象仅仅证明是已实现的对思维的空想。"⑦这一内在而真实的揭示,使人洞悉了当代技术至上主义的内在困境。

更为严重的是,当代人过分依赖计算机,"在普及的接口中,思维自身将变成虚拟的实在,合成影像或文字处理自动输入的等同物。……带着虚拟的实在及其所有的后果,我们走到了技术的尽头,站在作为非常表面的技术一边。在尽头的那一边,不再有可逆性、痕迹,甚至对先前世界的怀念"。⑧波德里亚对这种状况甚为忧虑,并进而注意到:非群体性的个体"软性"问题,诸如个人、身体、文化等,成为了当代理论关注的热点。殊不知,对计算机的依赖最终表征为对网络这一新传媒形式的依赖,巨大的页面浏览量已经正在使网络成为平面媒体之后的第四媒体,这种媒体巨大的盈利欲望造就设定了广告+电子商务(网上商店)的赢利模式,等着每一个打开网页浏览的人。于是消费和诱导就成功地结合起来。

现在世界盛行的是对理性本身的反动,而事实上理论家们又找不到取代理性之物,于是在思想的空场中,理性日益丧失其当代合法性。人们在日常生活中也日益重视偶然原则、赌博原则、机遇原则,于是抛弃理性标准成为这个时代的思维惯性,并遭遇到若干严重的后果。"大众传媒的真相就是:它们的功能是对世界的特殊、惟一、只叙述事件的特性进行中性化,代之以一个配备了多种相互同质、互为意义并互相参照的传媒的宇宙。在此范围内,它们互相成为内容——而这便是消费社会的总体'信息'。"⑨波德里亚已经看到后现代传媒在加剧人们心灵的异化,在肢解社会心理和个体心性的健全方面所造成的严重威胁,并进而对传媒在"文化工业"生产中销蚀意义的功能加以清算,这是颇具独到眼光的。

在一个技术崇拜的时代,复制成为这个世界的最大胆的谋划。"支配这个世界的不再是上帝,是我们自己的感觉器官……我们甚至不再提亚当的脐的问题:是整个人类必须装上一个逼真的脐,只要我们身上不再有会把我们与真实世界连接起来的期待的任何痕迹。在一定的时间内,我们还是妇女所生,但不久,我们就和试管婴儿这一代人一起返回到亚当的无脐的状态:未来的人类将不再有脐。"⑩这里对当代弊端的反思是沉痛而有深度的。在我看来,衡量一位思想家的最好尺度,就是看它在所谓的流行文化或者泡沫文化前的反思性深度,以及对历史的深切了解所达到的文化批评悟性。只有庸俗的评论家,才会对一切新潮的东西低能地叫好,才会无原则地从事短期行为的平面性文化泡沫活动。

对技术性问题带来的负面效应,对当代新文化现象的剖析,使波德里亚的分析上升到文化哲学高度。于是一种独特的人文悲情跃然纸上:"我们既被吞食,又被吸收和完全排除。列维—斯特劳斯划分了两种文化:吸收、吞食和掠夺的文化——吃人肉的文化,及呕吐、排出、驱逐的文化——吸人血的文化……但是,我们的文化,我们的当代文化似乎在两种文化之间,在最深入的结合:功能的结合、空间的结合、人的结合和最激进的排出,几乎是生活必需的排斥之间实现了一个引人注目的综合。"⑪这种激愤的言辞在这部书中比比皆是,使《完美的罪行》成为当代人真实人生的独特写照,同时也是对现代性合法性的新质疑。

由此,我们清楚了精神生态已经失衡的世界和我们的思想平面化状态,进而重新思考价值平衡的可能性。因为,在现代性的境遇中,思想者的魅力不在于怂恿价值平面化,而是追问深度模式是怎样消失的,而且质疑那些现代性的罪行怎样被新的技术乌托邦修辞成为"完美"的。

二 消费社会中的日常生活精神颓败

消费源于人的需要,而人的需要可以不断制造出来。当代人缺乏交流、闭锁心灵和充满误解误读的现状,使波德里亚将思考的焦点放在后现代信息传播和消费社会中的人的价值存在研究上。一方面他关注电视传播的正负面效应,另一方面,关注消费社会中身体与自我问题、身体与他者问题、肉体取代灵魂而灵魂在肉体中沉睡问题。这诸多问题,已然成为今日文化研究所关注的救赎与解放的问题。

一般而言,当代消费社会具有几个明显特征。

其一,从消费社会根源而言,消费社会以最大限度攫取财富为目的,不断为大众制造新的欲望需要。在个人暴富的历史场景中,每个人都感到幸福生活就是更多地购物和消费,消费本身成为幸福生活的现世写照,成为人们互相攀比互相吹嘘的话语平台。社会物质不再是匮乏的而是过剩的,思想不再是珍贵的而是老生常谈的,节约不再是美德而是过时的陈词,社会财富这块大蛋糕等着人们疯狂地分而割之,"据为己有"成为"丰盛社会"的个体原则。

其二,消费意识的转化,超前消费和一掷万金成为时代精神的表征。消费社会的运作结构善于将人们漫无边际的欲望投射到具体产品消费上去,使社会身份同消费品结合起来,消费构成一个欲望满足的对象系统,成为获得身份的商品符码体系和符号信仰的过程。加上广告的轰炸诱导,当代人不断膨胀自己的欲望,纷纷抛弃了独立思考的原则而加入到听从广告消费的物质饕餮大军之中,更多地占有更多地消费更多地享受成为消费社会中虚假的人生指南,甚至消费活动本身也成为人获得自由的精神假象;从而丧失了人与自然、人与社会、人与他人、人与自我的丰满社会存在关系,成为全面地商品拜物教的信徒。

正是基于消费社会的特殊性,在《消费社会》中,波德里亚鲜明而清晰地剖析消费社会中人与社会生产、人与物质消费、人与大众传媒、人与精神存在的多重关系。他强调将消费主义社会与工业资本主义社会加以比较,并注意到工业资本主义比消费主义少一些诱惑欺骗性,而消费社会却承诺其无法给与的普遍的"幸福"和通过消费达到的"自由",从而使"幸福自由"本身被消费化了。可以说,这部篇幅不大的书使波德里亚成为当今消费社会最为清醒的反思批判家,也使当代危机得以显豁:

首先,日常生活中的大众交流问题。

当今世界的物质性使得人们慢慢地变成了官能性物质性的人。人类生活在"物的时代",因不断张扬物质生活的合法性而贬低精神存在,而使人日益成为"物"。这就是波德里亚对当代人生活处境的总体判断,这一判断隐含了深刻的批判力量和忧患意识。

全球化使整个世界的运行速度加快并超速,速度本身成为人与团体成功的砝码。于是,大众交流中获得的不是现实,而是对现实产生的眩晕。这种眩晕不仅是日常生活的节奏加快所造成的,而且是主体在生活中不能真切地把握自身的存在,使日常生活成为生活的河床,并将这种意义加以碎片化造成的。"日常性提供了这样一种奇怪的混合情形:由舒适和被动性所证明出来的快慰,与有可能成为命运牺牲品的'犹豫的快乐'搅到了一起。"⑫面对种种日常社会现象的解释,需要关注这种日常生活为人们了解生命的意义提供了怎样的新视界,为观察变动不居的世界提供了怎样的新角度。因为日常生活与对日常生活的批判是面对一种事物的不同阐释结果。

在这个后现代或者后物质时代,文化已经商品化,而商品又已经消费化。也就是说,文化只有成为商品进入市场,才能被"炒"作和被关注,而商品的价值已不再是商品本身是否能满足人的需要或具有交换价值。日常生活的意义正在于其消费性和个体欲望满足性。但是,波德里亚同时注意到事情更严重的一面:日常经济活动带来了公共环境的破坏。噪音、空气和水污染、自然的破坏和大型公共设施的建造,以及汽车的全球化后果,引起了巨大的技术上、心理上和人力上的赤字。这种现代性生活,使人在生活漩涡中感到世界的庞大和自身的渺小。生活的日常性逐渐演变为一种生活的挫折感并导致一种得过且过的犬儒主义流行。于是,一方面人在国民生产总值的增长中感到幸福生活为期不远,另一方面这种"增长"的神话"掩盖一种集体迷恋的巫术"。⑬因此,经济学家成为这个世界的权力运作人,他们一会儿坚持丰盛必将到来的神话,转眼之间又哀叹未来社会的物质匮乏和浪费,使得人生的意义在日常生活的低水平满足中,遗漏了最为重要的重心。在我看来,在日常生活和大众文化交流中,如何弄清个体存在意义,阐明在物质世界中人的存在的精神性,以及透视经济生活导致的幸福神话,对从事文化研究和日常生活研究的人来说,殊为重要。

其次,消费社会的潜在危险。

消费生活与当代人的生存意义之间有不少差距。"生存意义"的价值贬抑在消费社会中往往意味着经济价值的增长。在日常生活消费中心论者看来,极丰盛的物质在消费中才有实际意义,而精神生活则好像成为反日常生活的存在。在全球化语境中,创业者的传奇已到处让位于消费人的神话。"自我奋斗者"、创始人、先驱者、探险家和垦荒者的传奇色彩已经失效,不再是新生代的偶像。今天的极度消费的"大浪费者生活"亦已成为"简单的"日常生活,生活的意义仅仅是疯狂购物,过花天酒地、纸醉金迷的生活。生活的社会功能和意义在于"奢侈的、无益的、无度的消费功能"。当这一切成为全民共识时,消费中的惊人浪费就成为日常生活的合理景观。"在我们目前的体制中,这种戏剧性的浪费,不再具备它在原始节日与交换礼物的宗教节日里所具备的集体的、象征性的而且起决定作用的意义。这种不可思议的消耗也具有'个性'并由大众传媒来传播。"⑭

　　更为严重的是,在全球军备和扩军中,用于军事预算和国家官僚开支中的社会财富数额巨大:"这种浪费与赠送礼物的宗教节日里的象征性的方向毫不搭界,它是一种堕落的政治经济体制中绝望的、生死攸关的解决方法。这种最高层次的'消费'与个人对商品如饥似渴的渴望一样属于消费社会的一部分。……在这个社会中,浪费式消费已变成一种日常义务,一种类似于间接赋税的通常无形的强制性指令,一种对经济秩序束缚的不自觉的参与。"⑮可以说,如今的巨大浪费正是在国家的军事投资、官僚体制的维护、人们消费观念的转变上。这造成了当今社会仅仅追求发展速度和人人拼命竞争的根本原因。说到底,消费社会需要商品来维持这个社会良性发展的假象,而真实的命运是政府和个人在需要物质消费中摧毁这个社会的和平和持续发展。商品过度消费和刺激消费只会导致其社会机体和心理慢性堕落。在这种慢性社会性自杀中,日常生活的原初意义未能得到应有的升华,相反,却使得体制性思想得以顺利征服所有的丧失自我主体的"消费人"。

　　消费人价值认同的形成,具有相当复杂的社会机制,除了整个生活质量、文化信念、消费程度的社会价值认同外,主要是个体身份的确认——在社会生活中找到自己的位置,获得整个社会的反馈和公认。在波德里亚看来,商品消费的象征符号表达不仅是某种流行式样风格,而是名牌政治的声望和权力。人们在消费商品时已不仅仅是消费物品本身具有的内涵,而是在消费物品所代表的社会身份符号价值。诸如富贵、浪漫、时髦、前卫、归属感等象征衍生价值就像异灵附身于商品上,散发出身份符号的魅力魅惑着消费者。消费者在一种被动迷醉状态下被物化成社会存在中的符号——自我身份确认。然而,在日益庞大的消费中,能够获得这种自我身份的真实确认吗?应该说,用消费主义理念支撑的社会,完全有可能成为大众媒体与世俗文化主导的世俗社会。这种社会的运转机制和存在问题都是需要审理的。

　　其三,广告中的虚假幸福与民主承诺。

　　大众传媒在不断地造成信息发出、传递、接受三维间的"中断"。传媒"炒"文化的负效应使人们不再重视心灵对话的可能性,传媒已成为一种话语权力的炒作。这种权力转化为金钱话语使得

"广告"成为当代消费社会中的不倒翁。当代广告是商场货品的展示在空间上的巨大扩充。广告通过躯体欲望和消费需要的生产调动人们的内在欲望。在耸人听闻的广告词语后面的"幸福"话语,成为消费社会的人生意义"拯救"的代名词。广告在不断重复的"平等"和"自由"的广而告知中,消解了西方新教伦理对民众的精神垄断和行为规范。这种平等神话的出现,使得社会阶层在消费层面上达到平等,但这种所谓的平等掩盖了内在深刻的不平等。"这种'消息'话语和'消费'话语的精心配量在情感方面独独照顾后者,试图为广告指定一项充当背景、充当一种喋喋不休因而使人安心的网络功能,在这一网络中,通过广告短剧汇集了一切尘世沧桑。这些尘世沧桑,经过剪辑而变得中性化,于是自身也落到了共时消费之下。每日广播并非听上去那样杂乱无章,其有条不紊的轮换强制性地造成了惟一的接受模式,即消费模式。"⑯在消费体系中,广告明白无误地诱导和训导人们该怎样安顿自己的肉身,获得躯体感官的享乐。并由此使得大众彼此模仿攀比,进入一个高消费的跟潮的消费主义状态。大众在模仿他者偶像之中"挪用"他者的形象,这种消费式的模仿将权力视觉化,或者将话语权力的表征表面化和商品化。⑰

不难看到,现代广告传媒的权力集中体现在影视和广告播撒等具体形式上。现代生活离不开广告,以至于美国一个年仅16岁的少年,就已长期受到10万条广告的冲击。广告的负面效应在于:充满诱惑的广告本身就是一种世界性的言说方式,一种制约人的意识的不可选择的"选择"。而这消费至上所引发的人与人、人与社会、人与世界的紧张关系却不期然地被超前消费性生活包装所掩盖。在国际和国内问题成堆的今天,影视娱乐与传媒广告却无视这些一触即发的问题,甚至以表面的热闹掩盖这些问题,从而呈现不出任何时代中风的症候。正如波德里亚所说的那样:"物的量的吸收是有限的,消化系统是有限的,但物的文化系统则是不确定的。相对说来,它还是个无关紧要的系统。广告的窍门和战略性价值就在于此:通过他人来激起每个人对物化社会的神话产生欲望……动机、欲望、奇遇、刺激、别人的不断判断、不断发展的色情化、信息以及广告的煽动:所有这些在普遍竞争的现实背景中,构成了一种抽象的集体参与的命运。"⑱在这个虚拟时代,是真实的"现实"还是虚假的"复制品"已不再重要。相反,电子时代生产的虚拟形象比真实的现实还要"逼真"。

然而,这种"逼真"毕竟不是"真实"本身。人们看广告似乎常常觉得效果"正相反",上面吹得天花乱坠的同它实际上指涉的东西恰好自我消解。"问题"正是在其"没有说出的话"中无意透露的。"广告既不让人去理解,也不让人去学习,而是让人去希望,在此意义上,它是一种预言性话语。"⑲现代某些传媒广告在许诺人世间温情时又显示出钱权交易性。这种表面热闹的画面其本质是将虚设和冷漠作为其性格,其外热内冷的冷漠性表征出现代社会意识话语的冷漠性,并以其内部和外部的巨大反差显示了空隙的界限。这表明意识话语同真实历史的冲突关系,从而以自我揭露的方式不断消解虚假。当消费的意识形态通过传媒而上升为大众的显意识时,人们一旦误认为钱是生命中惟一意义所在时,社会的失序就不可避免。

在这个鼓励消费的社会体制中,尽管创造的机遇和分配的制度不是平等的,但"丰盛"社会的新结构使这一问题得到了重新解决。除了巨富以外,剩下的人被排斥在工业体系增长之外成了"穷人"。这样,消费社会中的民主问题凸现出来。社会真实平等如能力、责任、社会机遇、幸福和平等,转变成了在物以及社会成就的其他明显标志面前的平等,转变为地位、电视、汽车和音响的消费形式上的民主。波德里亚强调:"在社会矛盾和不平等方面,它又符合宪法中的形式民主。两者互为借口,共同形成了一种总体民主意识,而将民主的缺席以及平等的不可求的真相掩藏了起来。"⑳人们在消费社会中被虚假的自我平衡——崇尚同一时装、在电视上观看同一个节目、大家一起去某俱乐部等所迷惑,甚至用消费平均化术语来掩盖真实问题,其本身就已经是用商品消费与符码标志,来替代对真正不平等问题和对其进行的逻辑的和社会学的分析。问题的深层在于,在当代社会中,电视正在对"公共领域"和"私人领域"间的界限加以消解,从而使得一切私人生活空间都有可能被公众化。

其四,人造物质的丰富与自然权力的匮乏。

人造物质的丰富与自然权力的匮乏,跨国传媒的意识形态化造成的东方对西方"文化霸权"的潜移默化的认同,这意味着消费主义的一元性正在排斥其他生活方式和存在方式。一方面是人造物质日益过剩:消费、信息、通讯、文化均由体制安排并组织成新的生产力,以获取最大利润也完成了"从一种暴力结构向另一种非暴力结构转化:它以丰盛和消费替代剥削和战争"[21]。另一方面,是自然物质权力的日益匮乏,即城市工业界的影响使得新的稀有之物出现:"空间和时间、纯净空气、绿色、水、宁静……在生产资料和服务大量提供的时候,一些过去无需花钱唾手可得的财富却变成了惟有特要者才能享用的奢侈品。"[22]在空调、手表、电视机、汽车等日益过剩而贬值的状况下,"绿色"却成为昂贵而需要重新争夺的资源。如今,人们热衷于谈论健康权、空间权、健美权、假期权、知识权和文化权。那么是谁剥夺了这些自然权力?是谁在重新分配这些自然权力?在波德里亚看来,"新鲜空气权"意味着作为自然财富的新鲜空气的损失,意味着向商品地位的过度,意味着不平等的社会再分配。这种盲目拜物的逻辑就是消费的意识形态。[23]

可以认为,极度生产以及耗费资源,庞大的消费主义并刺激消费欲望,日益成为人们生活大循环中的癌症,使一种丧失了简朴精神生活状态成为当代物质过剩中的精神贫乏常态。面对这种当代生存状态,应该反思现代性社会的合法性问题。因为:"物质的增长不仅意味着需求增长,以及财富与需求之间的某种不平衡,而且意味着在需求增长与生产力增长之间这种不平衡本身的增长。'心理贫困化'产生于此。潜在的、慢性的危机状态本身,在功能上与物质增长是联系在一起的。但后者会走向中断的界限,导致爆炸性的矛盾。"[24]波德里亚的警告并非耸人听闻,而是将物质丰富化与心理贫困化联系起来,并将过度的物质消费同人的精神生态问题贯穿起来。

三 商品拜物教中的人文审美生态危机

消费社会中精神生态问题,关涉到人类未来发展的诸多问题。波德里亚洞悉后现代传媒在社会心理和个体心性的健全方面所造成的威胁,并进而对传媒在"文化工业"生产中销蚀意义的功能加以清算,是颇具独到眼光的。尤其是他对后现代传媒的审理,进入到后现代理论本身的审理,认为其理论模式已经被"后现代化",理论不再是反思和划定边界,而是为了迎合当今时代的快速、时髦、肤浅和片断化特征。理论在这种自我蒸发中变成了一种"超级商品",成为无思时代兜售和宣扬最时髦消费意识和人生态度的一种谎言工具而已。正因为如此,波德里亚尤其关注以下紧迫问题:

首先,城市的异化与人的片断化。

城市从西美尔开始就被看成是现代性中一个重要的场域,是现代性膨胀的温床。城市对现代性从生产本位主义的选择与暴富到消费的无限性,提供了最好的竞争和分配场所。在其中,人与自我的关系被虚拟化、神秘化,变得更有利于操作。人们在消费物的同时也消费这种主体成功的神话。于是,对一个自由的、有意识的主体提出永恒价值的假设,便成为一种过时晚装。如今,"消费是一个系统,它维护着符号秩序和组织完整:因此它既是一种道德(一种理想价值体系),也是一种沟通体系,一种交换结构"㉕。事实上,流通、购买、销售、对财富及物品符码的占有,构成了当代社会语汇和行为的编码,整个社会都在物质和消费层面上获得沟通和交谈。这种消费结构,使得个体的需求及享受成为关键词:"这里起作用的不再是欲望,甚至也不是'品味'或特殊爱好,而是被一种扩散了的牵挂挑动起来的普遍好奇——这便是'娱乐道德',其中充满了自娱的绝对命令,即深入开发能使自我兴奋、享受、满意的一切可能性。"㉖

在"消费主义"风靡之时,个体就进入到大众生活逻辑之中,成为一种弥漫在世界逻辑中的新型权力话语,并有效地排除了人与人之间、群体与群体之间面对面的直接交流的需要,从而使文化传播成为一种世俗性的间隔方式。伴随着数码复制的新传媒方式的出现,一种新的大众生活交流方式已然来临,同时也将新的问题摆在了我们面前。

其次,文化消费与"媚俗"的审美时尚。

文化消费中的最严重问题在于精神性的"文化危害",又称为"智力危害"。一种文化模式被另一种话语体系重新论述,并且抽离历史维度而成为一种非历史的替代品时,就变成了消费对象。这在大众传媒的网络时代尤其明显。过分的文化消费是对历史的平面化消解,或者对被消费对象进行滑稽追忆,在这个过程中,一切曾经严肃发生的事情都被加以调侃模仿和游戏化消解。这样,

"大众传播将文化和知识排斥在外。它决不可能让那些真正象征性或说教性的过程发生作用,因为那将会损害这一仪式意义所在的集体参与——这种参与只有通过一种礼拜仪式、一套被精心抽空了意义内容的符号形式编码才能得以实现"㉗。这意味着,艺术作品不再成为特殊时间和空间中的被欣赏对象而孤芳自赏,相反,消费大众感到艺术品带来的真正快乐在于在文化工业再生产中可以制造出价廉物美的艺术品"备份"。

于是,在波德里亚看来,媚俗成为时代审美的风尚,那些过分粉饰的、伪造的"蹩脚"物品,附属物品、民间小杂什、"纪念品",成为人们生活中的装饰品。"媚俗有一种独特的价值贫乏,而这种价值贫乏是与一种最大的统计效益联系在一起的:某些阶级整个地占有着它。与此相对的是那些稀缺物品的最大独特品质,这是与它们的有限主体联系在一起的。这里与'美'并不相干:相干的是独特性,而这是一种社会学功能。"㉘在媚俗而贫乏的文化氛围中,人们分成不同的阶层并形成日益弱化着自身的欣赏趣味。"媚俗"提出了其"模拟美学"——失去原作精神的滑稽模仿。这种缺乏实际操作意义的模拟美学,与社会赋予媚俗的功能相关。"这一功能便是,表达阶级的社会预期和愿望以及对具有高等阶级形式、风尚和符号的某种文化的虚幻参与;这是一种导致了物品亚文化的文化适应美学。"㉙

连结在传媒系统中媚俗,并在多重传播与接受过程中,将不同人的思想、价值认同整合为同一观念模式和同一价值认同。这种传媒介入所造成的私人空间公众化和世界"类象化"和家庭化,导致了传媒的全球化倾向。从此,"媚俗美学"成为后传播时代的审美风尚,即美学已渗透到了经济、政治、文化以及日常生活中,因而丧失了其自主性和特殊性。"可以把流行定义为心理认知不同层次的一种游戏或操作:一种心理的立体主义,它不根据空间分析,而根据整个文化,以其知识和技术装备,如客观现实、反映写照、绘画表现、技术表现(摄影)、抽象概括、推论叙述等为出发点在几个世纪的过程中制定的种种认知模态来寻求对物品进行衍射。另一方面,音标的使用和工业技术造成了分割模式、双重模式、抽象模式、重复模式。"㉚这导致艺术判断的丧失和艺术市场标准的丧失:一方面是媚俗艺术品漫天要价,使得价格不再代表作品的相对价值,而只是表现了一种"价值的疯狂"和价格的暴力,另一方面,是消费逻辑取消了艺术表现的传统崇高地位,媚俗艺术品成为一个身份和地位的矫情的符码。更为严重的是,将日常性作为艺术作品的精神气质,在重复之中显示重复的乏味,或者在作品中注重对象的日常性、偶然性、粗糙性,使艺术成为生活无力的附庸品,从而将艺术的独创性和革命性加以消解。

第三,电视播撒与消费心理模式。

电视传媒播出的事件是打上了权力话语的烙印的。波德里亚强调,媒体让我们看到的世界以牺牲世界的丰富性为代价。人成为媒体的附属或媒体的延伸。媒体将人内化,使人只能如此看、如此听、如此想。"大众传播的这一技术程式造成了某一类非常具有强制性的信息:信息消费之信息,即对世界进行剪辑、戏剧化和曲解的信息,以及把消息当成商品一样进行赋值的信息、对作为符号的内容进行颂扬的信息。简而言之,这是一种包装。"[31]

人从接受的主体成为媒体的隶属品——终端接受器,接受储存了很多信息,而却无法处理,因为人脑已被这些信息塞得满满的,人从思想的动物退化为储存信息的动物,并因超负荷的信息堵塞而导致信息膨胀焦虑症和信息紊乱综合症。"电视带来的'信息',并非它传送的画面,而是它造成的新的关系和感知模式、家庭和集团传统结构的改变。谈得更远一些,在电视和当代大众传媒的情形中,被接受、吸收、'消费'的,与其说是某个场景,不如说是所有场景的潜在性。"[32]电视始终将不同文化、不同习俗、不同品味、不同阶层的人连结在传媒系统中,并在多重传播与接受过程中,将不同人的思想、体验、价值认同和心理欲望都"整流"为同一频道、同一观念模式和同一价值认同。在这里,人与世界、人与自我、人与他人的对立似乎消失了,似乎不再有主体与客体的对立,不存在超越性和深度性,不再有舞台和镜像,只有网络与屏幕,只有操作的单向涉入与接受的被动性。[33]

不可忽视的是,电视在根据某种编码规则对现实进行了重新诠释后又不加区别地将它们播撒出来。这一编码规则既是一种意识形态结构,也是一种充满大众文化意识形态的编码规则的技术结构。"大众传媒化消费中的意义转向、政治的非政治化、文化的非文化化、主体的非性化都是超越于对内容的'肆意'重新诠释之上的。一切都是在形式上发生了改变:无论何处,在真实的地点和场所之中,都有完全产自编码规则要素组合的一种'新现实'的替代品。"㉞同时,媒体具有"敞开"(呈现)和"遮蔽"(误导)二重性,当今世界通过镜头组接以后的弥天大谎层出不穷,甚至电脑特技制造的"真实的谎言"或"虚假的真实"随处可见。于是,媒体不断地造成各种"热点"和"事端",媒体成为当代价值的命名者——在制造虚假和谎言的同时,不断地塞给人们虚假的幸福感和存在感。"电视传媒通过其技术组织所承载的,是一个可以任意显像、任意剪辑并可用画面解读的世界的思想(意识形态)。它承载着的意识形态是,那个对已变成符号系统的世界进行解读的系统是万能的。电视只是希望能成为一个缺席世界的元语言。"㉟

人们通过媒体看到的是,媒体与其他媒体之间不断参照、传译、转录、拼接而成的"超真实""超文本"的媒体语境,一个"模拟"组合的"数码复制"的世界。这种复制和再复制使得世界走向我们时,变得主观而疏离。"它就这样伪造了一种消费总体性,按麦克卢汉的说法就是使消费者们重新部落化,就是说通过一种同谋关系、一种与信息但更主要是与媒介自身及其编码规则相适应的内在、即时的勾结关系,透过每一个消费者而瞄准了所有其他消费者,又透过所有其他消费者瞄准了每一个消费者。"㊱尤其是经多媒体电脑加工的文化品,更日益成为沟通中的"绝缘体"。传媒在多频道全天候的持续播出中,人不断接受储存很多芜杂的信息,而这些信息却无法处理,并因超负荷的信息填塞而导致信息膨胀焦虑症和信息紊乱综合症。

当然,传媒在促进人们彼此间的信息交流方面,提供了快捷多样的形式。我以为,拒绝传媒是愚蠢的,然而,同时又必须看到,大众传播行使自己的权力时,又在不断地造成信息发出、传递、接受三维间的"中断"。传媒"炒"文化的负效应,使人们跟着影视的诱导和广告的诱惑去确立自身的行为方式,传媒的全能性介入中断了人的独处内省和人我间的交谈。大众传播的单向度属性,是一种"无回应"缺乏反馈的话语输出,但是其自由选择模式掩盖了这种"无回应话语"的不平等话语权力实质。"电视广播传媒提供的、被无意识地深深地解码了并'消费了'的真正信息,并不是通过音像展示出来的内容,而是与这些传媒的技术实质本身联系着的、使事物与现实相脱节而变成互相承接的等同符号的那种强制模式。"㊲人们凝视电视而达到一种"出神忘我"的状态,这实际上是一种"窥视欲"的生产与再生产。人们借助电影、视盘、电视可以窥视他人的生活,乃至犯罪的过程、性与暴力的过程。人们的私有空间成了媒体聚焦之所,整个世界方方面面的事又不必要地展现在家里。尤其是那些矫情的、色情的、无情的片子,更是使人在迷醉中得到下意识欲望的满足又膨胀出更刺激的欲望。不难看出,这种传媒介入所造成的私人空间公众化和世界"类象"的家庭化,导致了传媒(尤其是卫视)的世界一体化,从而使紊乱的信息传播全球化。这一方面有可能使信息扩张和误读造成"文明的冲突",另一方面,传媒信息的膨胀因失去控制而使当代人处于新的一轮精神分裂和欲望怂恿的失控状态之中。

第四,身体策略与生命自恋。

人们在放弃了最终的价值承诺以后,开始在消费社会中充分地享受身体欲望的放纵。于是,"在经历了一千年的清教传统之后,对它作为身体和性解放符号的'重新发现'。人们给它套上的卫生保健学、营养学、医疗学的光环,时时萦绕心头的对青春、美貌、阳刚、阴柔之气的追求,以及附带的护理、饮食制度、健身实践和包裹着它的快感神话——今天的一切都证明身体变成了救赎物品。在这一心理和意识形态功能中它彻底取代了灵魂"㊳。

身体在消费神话中成为新的神话:人具有自己的"处身性",人的本质不再是一些抽象的形式原则,而是充满肉体欲望和现代感觉的"生命"。身体已经从"面容之美"表现走向了"躯体之力"的表现,从精神意象的呈现走向了欲望肉体的展示。身体成为肉体性、享受性和存在性的证明,脸逐渐被肉体所取代。不仅如此,身体地位成为一种文化表征,在文化话语中,身体关系的组织模式都反映了事物关系的组织模式及社会关系的组织模式。这要求社会说明:身体"这一话语是如何打着协调每个人与自己身体关系的幌子,在主体与作为双重威胁的客观身体之间,重新引入了与社会生活关系相同的关系、与社会关系的规定性相同的规定性:讹诈、镇压、被迫害综合症、配偶神经症"。㊴身体的痛苦和走向死亡的灵魂,使得消费社会中个体神经处于高度敏感和麻木无感两极之间。身体欲望由于金钱的强势牵扯,已经很难对真正的精神价值做出切实的判断。

　　身体的满足成为灵魂逃亡的最新形式——休闲本身的意识形态。于是,在消费中进行集体性的身体"指导性自恋",成为今天社会欲望再生产的一个无穷宝库。"休息、放松、散心、消遣也许都是出于'需要',但它们自身并没有规定对休闲本身的苛求,即对时间的消费。自由时间,也许意味着人们用以填满它的种游戏活动,但它首先意味着可以自由地耗费时间,有时是将它'消磨'掉,纯粹地浪费掉。"⑩休闲并非是对时间的自由支配,那只是它的一个标签。在错觉的年代,身体的外表前所未有地成为虚假的美丽修饰,身体策略成为刺激生命原始欲望的方式。人们在高速社会节奏中,将身体和欲望作为交换价值并被它所操纵,个体在日常生活的错觉中,自觉主动地变成了金钱和时间的附庸。

　　波德里亚所描述的后现代消费社会,是一个充满风险和危机的社会,隐藏在这个社会表面正常背后的,是模态社会的支配性权力结构。首先,现代性理性在纯粹肉身欲望的冲击中,已经成为理性的碎片,并遭遇到非理性意志的全面侵占。享乐主义拜金主义成为整个世界的生存法则,如今的人生指南已经不再是由思想者发出,而是由电视消费广告播撒。消费成为刺激欲望再生产欲望的人生道德主宰,人在消费欲望之流中才能感到自己的存在意义。消费欲望终于在金钱经济支配的大城市生活中树立起来,它在推动现代人去涉猎私人权力和私人空间当中,却开始抛弃了公共空间和公共权力。随着这种身体空间感和生命时间感的进一步加固,由身体状态的膨胀引申出这样的当代文化意识形态:个体对异化社会的反抗是没有意义的,坚持理想精神同样是凌空蹈虚而无实际利益的,个人无限制地获取欲望满足是正当的,所以无论怎样沉醉在消费中都不过分。在这样的逻辑之下,凡是满足欲望的消费就具有终极合法性,凡是个体身体的欲望就只能释放出来。这样一来,社会意识形态整体上转化为消费意识形态,并不断被消费意识话语所控制。于是,人类的道德体系和心智原则有限性终于让位于个体消费欲望的无限性,消费神话在价值失范和道德滑坡中变得漠然起来。

　　应该说,在西马学者执著于社会异化、意识形态、阶级斗争、希望/绝望问题之后,文化学家开始注视着平等、消费、电视、身体等问题;在解释学与解构学争论文本意义的正读与误读、差异与共识时,消费文化研究深入到日常生活的机制,分析内在运作机制和话语表征关系、文化意识转型。这种从巨型社会文化意识形态分析到微型文化消费意识形态转化,使得当代危机问题有可能得到真实的显露。

四 白色社会中的后现代镜像

精神生态问题成为当代问题的汇聚点,有其自身的发展逻辑。在全球化消费主义发展进程中,自然生态和精神生态成为一个问题的两个方面。因为 Ego(自我)与 Eco(生态)有着内在的和谐联系,需要均衡发展。然而,在这个被波德里亚称为日常消费生活的"白色社会"中,这种和谐却被一再地破坏了。波德里亚不断审理全球化文化生态失衡在社会心理和个体心性的健全方面所造成的威胁,并进而对传媒在"文化工业"生产中销蚀意义的功能加以清算,是有批判眼光的。

生产过剩的"丰盛"社会中,当代人的活法是"白色"的——没有感情介入,没有形而上冲动,也不可能再有异端邪说。在波德里亚看来,后现代时期的商品价值已不再取决于商品本身是否能满足人的需要或具有交换价值,而是取决于交换体系中作为文化功能的符码。这是一个充斥着预防性白色的饱和了的社会,一个没有眩晕没有历史深度的社会,一个除了物质神话或者不断制造神话之外,没有其他精神神话可以立足的消费社会。也许只有激进的革命的突发事件和意外的分化瓦解才能打碎这"白色的弥撒"。

在这个日常消费生活的"白色社会"中,我们应该听听思想家的警示:"在利用公共交通工具的情况下,每一个人都和其他人一样。这样的杂然共在把本己的此在完全消解在'他人的'存在方式中,而各具差别和突出之处的他人则又更其消失不见了。在这种不触目而又不能定局的情况中,常人展开了他的真正独裁。常人怎样享乐,我们就怎样享乐;常人对文学艺术怎样阅读怎样判断,我们就怎样阅读怎样判断;竟至常人怎样从'大众'中抽身,我们也就怎样抽身;常人对什么东西愤怒,我们就对什么东西'愤怒'。这个常人不是任何确定的人,而一切人(却不是作为总和)都是这个常人,就是这个常人指定着日常生活的存在方式。"㊶ 海德格尔的话,敲响了现代性日常生活世界享乐中"常人"的危险警钟。

同样,当代法国社会思想家皮埃尔·布迪厄(Pierre Bourdieu)在《现代世界知识分子的角色》中也认为:经济对人文和科学研究的控制在学科中变得日益明显。知识分子发现,他们越来越被排除在公共论辩之外,而越来越多的人(技术官僚、新闻记者、负责公众意见调查的人、营销顾问等)却赋予自己一种知识分子权威,以行使政治权力。这些新贵声称他们的技术或经济—政治文化具有超越传统文化,特别是文学和哲学的优越性。传统文化发现自己被贬到无用雌伏的地位。传统式的知识分子的预言功能被抛弃。"这一套机构只是电视行使了一种形式特别有害的象征暴力。象征暴力是一种通过施行者与承受者的合谋和默契而施加的一种暴力,通常双方都意识不到自己是在施行或在承受……电视成了影响着很大一部分人头脑的某种垄断机器。然而只关注社会新闻,把宝贵的时间浪费在空洞无聊或者无关痛痒的谈资上,这样一来,便排斥了公众为行使民主权利应该掌握的重要信息"。㊷

著名东欧思想家斯拉沃热·齐泽克(Slavoj Zizek),更是从精神内层注意到当代人精神和存在中具有的难以言清的精神错乱症候,他从拉康的心理分析视角重新描述人类思想和人类欲望的基本结构,认为社会共同体的功能已经失调,每个个体在灵肉濒临崩溃、矛盾焦虑的同时,也在文明内部冲突的现实压力下寻求身份和欲望的妥协:"我们今天亲眼目睹的冲突,与其说是不同文明之间的冲突,不如说是同一文明内部的冲突。也就是说,我们要睁大眼睛看一看,这种'文明冲突'究竟是因何而起的?眼前正在发生的真正'冲突',不都显然与全球资本主义的扩张密切相关吗?……只有在每一个社会都承认,将其撕裂的'冲突'来自其内部,不同社会之间的真正接触才是可能的,这种接触是以参与统一斗争的共同经验为基础的。"㊸ 这事实上就把个体内部的欲望同全球化导致的文明内部的冲突联系起来了。

应该看到,整个西方社会运动尖锐对峙的矛盾开始为追求幸福生活的信念所抚平,社会境况日益成为消费性的和科技中心的,科技成了新意识形态。政治和文化的尖锐冲突随着时间的冲洗,其价值观、自我的政治观,逐渐为生活的有序感、现实的身份感和理想的幻灭感所取代。于是，人们更多地感到社会共同体中的地位，在整个政治谱系中存在认同意义的延续性，这一延续性意味着政治责任感的持续影响和自己新身份的不断改写。

消费世纪是资本符号下加速了的生产力扩展的结果，因而这个世纪是彻底异化的世纪。商品逻辑成为整个人类生活的逻辑，后现代消费逻辑不仅支配着生产的物质产品，而且支配着整个文化、性欲、人际关系，以至个体的幻象和冲动。在波德里亚看来，"一切都由这一逻辑决定着，这不仅在于一切功能、一切需求都被具体化、被操纵为利益的话语，而且在于一个更为深刻的方面，即一切都被戏剧化了，也就是说，被展现、挑动、被编排为形象、符号和可消费的范型"㊹。人类目前正处于一个后现代类象时代，计算机、信息处理、媒体、自动控制系统以及按照类象符码和模型而形成的社会组织，已经取代了生产的地位，成为社会的组织原则。

不难看到，波德里亚已经洞悉后现代文化在社会心理和个体心性的健全方面所造成的威胁，并进而对"文化工业"销蚀意义的功能加以清算。他对后现代传媒的审理，进入到后现代理论本身的审理，认为其理论模式已经被"后现代化"——理论不再是反思和划定边界，而是为了迎合当今时代的快速、时髦、肤浅和片断化特征。理论在这种自我蒸发中变成了一种"超级商品"，成为无思时代兜售和宣扬最时髦消费意识和人生态度的一种谎言工具。

对完美的罪行的分析、对仿像世界和指涉关系的批判，和对消费社会的审理，使波德里亚注重后传播时代仿像流中运作的权力关系和意义消解问题。因为这种不断复制传播的、内爆的、虚假的仿像，使得世界上的政治经济文化消失了界限，社会万象处于目眩神迷的变幻流动之中，哲学话语、社会理论、大众传播理论及政治理论的边缘正在侵蚀消融，甚至不同社会形态和意识形态结构都不再壁垒森严，而是在消费主义中内爆为一种无差别的仿像流，一种现实与仿像彼此不分的新状态。而且，消费社会物品符号体系中的物品意义，并不局限于它的物质性和功能性，而是因"时尚流行"而增益意义。㊺但是这种现实与仿像部分的状态中的问题却相当复杂。法国"五月风暴"后，资本主义社会中正统的、官方的价值观伦理观受到前所未有的质疑和消解。解构主义后现代主义对当代电影、电视、小说、社会新闻等文化商品加以权力运作，不断颠覆着各种社会秩序文化禁忌,张扬造反的文化嬉皮士和大众丑学。如此一来,影视传媒中的黑道大盗、冷面杀手成了时代的英雄和人们仿效的对象,镜头的血腥感成为刺激都市人惰性生活的兴奋剂,欲望写作和激情戏成为感官压迫和解放的动力,传媒调动一切手段刺激人们放纵自己的欲望,挑动身体感觉、本能情绪、形下器官的后现代手法日渐满足人们的窥视欲。

于是,文化颓败不可避免地推倒了自己的第一块多米诺骨牌,文化的商品化和文化的世俗化并没有消解官方主流文化,而是日益消解着知识分子的精英文化,并常常打着"主流文化"的招牌或者与之合流,进行世俗文化扩充和当代文化的混杂,使当代社会在全面繁荣的假象下,诞生出内在的意义危机,并播撒着文化商品正使社会价值系统崩溃的文化病毒。

五 波德里亚文化理论的意义与局限

进入 20 世纪 80 年代,波德里亚面对现实的尖锐问题而更加勤奋地写作,出版了《致命的策略》(1983)、《扭曲的神性》(1987)、《冷静的回忆》(1987)、《痛苦的昭示》(1990)等著作,并被大量译介到英语世界,不断地确立其后现代文化理论家的地位。在反响很大的《致命的策略》中,他依照西方主流学界提出的"主体的消解"论,进一步拆解主体地位和存在价值,要求主体放弃它主宰客体世界的欲求,使自己成为一个具有客观主义立场的后现代物质主义者。从某种意义上说,那种文艺复兴时期以来的主体的人,那种具有绝对主体价值的大写的"人",那种被整个西方传统锻造成主体神话的"人",在后现代后殖民时期缺席了。于是"个性化"填充了这个缺席的主体"人"的地位,并且以其日常生活的方式使任何想重建主体之人的想法归于落空。应该说,波德里亚的文化研究理论对"个体身体"私人空间的重视,对过去那种惟理性而否定感性生命的做法,确有纠偏作用。但是这种"跟着欲望走",使当代消费主义在个体的狭窄空间中不断播撒非主体意识,从而使当代个体肉身膨胀中,少了一种社会价值的内在焦虑感而重新被物化为白色的"客体"。

于是,"致命的策略"就成为——将任何逻辑推导到极限,从而使其走向自身的反面:消费社会的极限就是无止境地疯狂消费,传媒的极限就是彻底抛弃形而上学而追逐世俗化,从而使这个理性社会走向反面——非理性。在我看来,波德里亚已经面对后现代传媒社会的病灶却无力开出药方,这种所谓极端的"策略"本身是"致命"的。因为现代化所带来的消费的全球化,不是通过怂恿和推到极限就可以复归的,相反,这种丧失了人文知识分子精神吁求的非理性做法,可能是雪上加霜,后果不堪设想。这里,也可以看到波德里亚理论的内在困境。

同福柯、德里达、拉康相比,波德里亚的思想影响的深度和广度都不能与之比肩。但80年代后期,波德里亚的主要著作被广泛译介,参与了后现代谱系的重新修订,并很快确立其后现代理论家的地位。尽管在社会知识谱系分析、形而上学的颠覆、话语心理无意识结构的剖析上,波德里亚理论缺乏原创性深度性,但在对消费社会、传播机制、文化心理制约、后现代文化权力运作等方面的研究,无疑具有独到的创建性和启发性,并成为当代十分热门的"文化研究"和"文化批评"的理论基础。因而,波德里亚学说具有不容忽视的当代意义:

其一,在对商品拜物教的分析中,波德里亚的分析超越了霍克海默和阿多尔诺的西马分析模式,而采用后现代式的话语权力分析方式——不仅否认直接经验之下有任何实在意义存在,而且不再希望在表层后面能够寻到深层本质,在虚拟形象后面有任何真实阐释"深度模式"。其所绘出的后现代社会大众传媒的图景,在某种意义上提供了一种阐释后现代社会镜像的新视角。

其二,在后现代时期,政治、经济、文化、哲学和艺术美学的转变是根本性的,无论是从经济上理清跨国资本运作与文化霸权的关系,还是从政治上看全球化中的东方主义与西方主义的权力角逐,无论是从文化上看数码复制时代的平面化问题,还是从大众传媒和消费社会的种种问题看人类话语泡沫中的失语,都能发现某种新视域和新问题。具体地说,消费社会已经进入一种文化身份的符号争斗中。商品权力话语消解了高雅文化的壁垒而与通俗文化合谋,轻而易举地通过大众传媒侵入到当代文化的神经,将日常生活作为市场需求和世俗文化模式设定为当下社会文化的普遍原则,并企图将消费主义作为当代人生活的合法性底线。于是在哲学"元话语"失效和中心性、同一性话语消失后,人们在焦虑、绝望中寻找到挽救信仰危机的解救方法。然而传统美学趣味和深度的消失使得"表征紊乱"成为时代的症结,本能欲望的满足和龙恩成为消费时代的焦虑。因而后现代消费时代问题的袒露性,显示出这个时代的复杂性,并对当代问题的深层面揭开了重要的一角。

其三,西方"他者"的警示作用。后现代大众传播和消费社会是西方社会的现实写照,这一问题在全球化的播撒中已经逐渐延伸进当代中国大众生活。中国近年来出现的消费主义思潮和电视媒体膨胀的世俗化倾向,已经和正在深刻地改变着当代中国个体空间和大众场域。波德里亚文化理论提醒我们对知识生产重新理解和认识,对其立场、前提、利益冲突、文化产业资本加以深切的反思。应该说,当代中国学者面对的是一系列复杂的世纪之交的问题,除了第一世界所面临的"现代与后现代"传媒和消费问题外,第三世界也面临"现代性转型"问题。因此,如何张扬一种健康的文化,而非一种颓败的文化,如何保持文化理论的有效性和合法性,对各种文化符号资本在社会中的权力运作加以分析定位,并对一切文化特权加以质疑,必得成为我们思考的重要层面。

在我看来,波德里亚消费社会和大众传播理论的新颖意义,与他理论内在的局限是矛盾地混合在一起的,对这种理论局限性须要深入考察。

首先,过分强调丧失深度价值的传媒时代的技术中心主义情结。除了消费的名牌政治和大众传媒的虚假身份外,其他似乎都不再具有意义。现实与符号象征再现的区别在象征领域已然被取消,这使生活在象征境遇中的人类沟通模式遭到改写——从手写文明到印刷文明和电子媒体,形成新的"真实虚拟"的沟通系统。这种不同含义的意义编码构成了文化的多重症候,对应着人类文化心灵的各个层面,但由于符号象征系统还能指涉未经编码的内容,因而与其现实的对象又处于非对称状态,使得现实在被感知时成为一种虚拟的状态,成为多余的剩余物,人们就被置于一种"超实在"(hyper reality)虚无中。㊻应该说,波德里亚的这种虚拟理论的关键在于,他已经取消了现实的第一性问题,将观念对现实的折射过分夸大。同时,值得注意的是,传统意识形态是文字时代用文字与精神意识的对称性来谈论问题,而仿像时代是图文时代甚至图图时代,用仿像的图文表征问题。于是,永无休止的为新而创新传媒形式使最时尚的消费形式成为时代中心,并耗尽了当代人精神内容和信仰形式的全部资源,使当代人整体价值观念和生活方式正在发生着深刻的变异。

其次,消费主义成为时代精神和个体享乐的问题。在后现代高速发展的经济战车中,人们基于对社会个体身份和历史虚无的理解,不再将理想主义作为自己的存身之道,而是将消费主义作为达到世俗幸福的捷径。消费成为获得身份、建构自身和建构与他人关系的关键环节,甚至成为支撑现行体制和团体机构生存发展的润滑剂。消费不再是为了刺激再生产,而是在名牌政治化和时尚崇尚克隆中呈现当代崇洋心态——商品拜物教和西方中心观念。"消费"心态观念与"西方"名牌政治,终于成为一个铜币的两面。

从形而上学理想化到大众传媒时代世俗化的进程,可以看到西方最前沿的历史文化轨迹和精神蜕变脉络。这一脉络表明,从现代社会进入后现代社会以后,每个人的生活维度都不再是单维的,而是集体网络关系中的一员,具有相互交往链接的深层因素和变异的可能性。这种身份和认同是相互作用的,一个人虽然具有多重身份,但最主要的身份是通过社会交往和社会传播获得社会认同。社会认同是随着时间的流逝、政治身份的变化以及与他人合作方式的空间转换而相对固定的某种文化属性。这种文化社会身份不是一成不变的,因为身份认同是通过社会过程形成的,随着社会关系的重新组合,在共同语境中不断获得修正和重塑。大众传媒加速了对传统价值颠覆的个体日程,相当多的人进行了自我反叛,个体产生了不可忽略的认同危机。揭示这种危机并开创新的问题域以化解这种后工业社会中的消费主义症结,成为当代文化研究理论的努力方向。这也许是波德里亚文化理论在当今世界不断升温的内在原因。[47]

波德里亚《完美的罪行》、《消费社会》、《生产之镜》等对社会文化的分析,在当代世界的思想界有相当的影响力。就思想价值取向而言,他对电视传媒的负面效应是持冷峻批判态度的。因此,他被认为是"非乐观态度"的后现代文化学者。他在洞悉后现代传媒在加剧人们心灵的异化、在肢解社会心理和个体心性的健全方面所造成的严重威胁基础上,进而对传媒在"文化工业"生产中销蚀意义的功能加以清算,[48]这是具有学术推进意义的。应该说,波德里亚在消费社会中警醒人们关注生命的本真意义,在传媒热衷于制造"追星"群体和消费"热点"之中,给当代精神失重的人们亮出了另一种价值尺度,并为人类走出消费社会消费主义的阴影,重建精神生态的平衡系统做出了前沿性的学术思考。

注释:

① 当今出现的"生态批评",或者又称为"生态诗学"(Ecopoetics),注重当代世界文化精神的生态平衡和文化与自然环境的关系,对诸多复杂的问题有新的透视角度,值得重视。参见 Cheryll Glotfelty and Harold Fromm: *The Ecocriticism Reader:Landmarks In Literary Ecology*. The University of Georgia Press, 1996.应该说,波德里亚对现代性问题的审理和"自然物质权力"的关注,同样使他成为注重人文生态平衡的思想家。

② 波德里亚《完美的罪行》,王为民译,商务印书馆 2000 年。

③ 同②,第 43 页。

④ 同②,第 8 页。

⑤ 同②,第 72 页。

⑥ 同②,第 29—30 页。

⑦ 同②,第 33—34 页。

⑧ 同②,第 35—36 页。

⑨ 波德里亚《消费社会》,刘成富、全志刚译,南京大学出版社 2000 年。

⑩ 同②,第 25 页。

⑪ 同②,第 39 页。

⑫ 同⑨,第 14 页。

⑬ 同⑨,第 21 页。

⑭ 同⑨,第 28 页。

⑮ 同⑨,第 28—29 页。

⑯ 同⑨,第 129 页。

⑰ 波德里亚《物体系》,林志明译,上海人民出版社 2001 年。

⑱ 同⑨,第 52—53 页。

⑲ 同⑨,第 137 页。

⑳ 同⑨,第 33 页。

㉑ 同⑨,第 42 页。

㉒ 同⑨,第 43 页。

㉓ 同⑨,第 44—45 页。
㉔ 同⑨,第 51 页。
㉕ 同⑨,第 68 页。
㉖ 同⑨,第 73 页。
㉗ 同⑨,第 105 页。
㉘ 同⑨,第 114 页。
㉙ 同⑨,第 115 页。
㉚ 同⑨,第 126 页。
㉛ 同⑨,第 130 页。
㉜ 同⑨,第 131 页。
㉝ Jean Baudrillard, *The Ecstasy of Communication*, New York: Semioteat, 1998. p.12.
㉞ 同⑨,第 135 页。
㉟ 同⑨,第 131 页。
㊱ 同⑨,第 133 页。
㊲ 同⑨,第 130 页。
㊳ 同⑨,第 138 页。
㊴ 同⑨,第 141 页。
㊵ 同⑨,第 171 页。
㊶ 海德格尔《存在与时间》,陈嘉映、王庆节译,北京三联书店 1987 年,第 156 页。
㊷ 布迪厄《关于电视》,许钧译,辽宁教育出版社 2000 年,第 14—15 页。
㊸ 斯拉沃热·齐泽克《意识形态崇高客体》,季广茂译,中央编译出版社 2002 年,中文版序,第 7—10 页。
㊹ 同⑨,第 224 页。
㊺ 波德里亚《拟仿物与拟像》,台北:时报文化出版企业公司 1998 年;波德里亚《物体系》,林志明译,上海人民出版社 2001 年。
㊻ Jean Baudrillard: *The Ecstasy of Communication*, Semioext(e), 1998, pp.82—83.
㊼ 艾伦·杜宁(Alan Durning)《多少算够:消费社会与地球的未来》,毕聿译,吉林人民出版社 1997 年;堤清二《消费社会批判》,朱绍文等译校,经济科学出版社 1998 年。
㊽ Cf. Jean Baudrillard, *The Mirror of Production*, St Louis, Mo: Telos Press. 1975.

喻国明

影响力经济
——对传媒产业本质的一种诠释

一 什么叫"传媒影响力"?

按照现有的社会理解,所谓影响力(influence)是指"文化活动者以一种所喜爱的方式左右他人行为的能力"①。其实,更本质地看,影响力是一种控制能力,这种控制能力表现为影响力的发出者对于影响力的收受者在其认知、倾向、意见、态度和信仰以及外表行为等方面合目的性的控制作用。传媒影响力是通过信息传播过程实现的,因此,其影响力的发生势必建立在收受者关注、接触的基础上,因此,传媒影响力从内涵上看,是由"吸引注意(媒介及媒介内容的接触)"+"引起合目的的变化(认知、情感、意志行为等的受动性改变)"两大基本部分构成的。

那么,传媒影响力的本质是什么?我认为,就是它作为资讯传播渠道而对其受众的社会认知、社会判断、社会决策及相关的社会行为所打上的属于自己的那种"渠道烙印"。

这种"渠道烙印"大致可以分为两个基本的方面:一是传媒的物质技术属性(如广播、电视、报纸、杂志作为不同类型的传播渠道在传播资讯时所打上的各自的物质技术烙印,并由此产生的对于人们认知、社会判断和社会行为的影响);一是传媒的社会能动属性(如,传媒通过其对于资讯的选择、处理、解读及整合分析等等在传播资讯时所打上的各自的社会能动性的烙印,并由此产生的对于人们认知、社会判断和社会行为的影响)。

麦克卢汉曾经有过一个惊世骇俗的命题:"媒介即信息。"他所要强调的是,媒介对于人类社会的最大意义,主要不是它作为载体所承载的具体信息,而是它本身作为"人体的延长"所带来的人类感知世界、认识世界、把握世界方式的改变以及由于这种改变而带来的对于人类社会活动的影响。显然,麦克卢汉这里所强调的主要是媒介的物质技术形态的发展所带来的"影响力"。事实上,传媒的社会能动属性则是通过一种系统化、结构化和有机化的信息呈现与解构方式影响着人们的关注视野、议题设置甚至思维方式和价值判断,这便是传媒在一定的物质技术属性的基础上对于人们的社会活动所发生的能动的"影响力"。一般来说,人们在利用任何一种媒介获知信息时,都不可避免地或多或少地要打上其所依赖的媒介在上述两个方面的"渠道烙印"。

一般说,当一个社会的"传媒生态环境"处于相对稳定的格局下,传媒的物质技术属性对于其影响力的发挥是一个基本恒定的常量;而传媒的社会能动属性对于其影响力的发挥则是一个因传媒不同而异的变量。所谓的传媒竞争,在很大程度上比拼的就是其社会能动属性的发挥状况。传媒在市场竞争中的价值大小主要取决于其社会能动性在多大程度上为推动人们正确地判断形势、优化地做出行为决策打上自己作为资讯渠道的烙印。

二 传媒作为产业的经济本质是"影响力经济"

文化产业有着不同于第一产业、第二产业甚至一般意义上的第三产业的经济本质。一位经济学家曾经提到过一个令很多人感到困惑的问题:传统的劳动价值论能不能解释邓丽君?为什么邓丽君唱一首歌的所得比一个歌厅歌手的所得要高几百倍?有人解释说:因为邓丽君占有一种稀缺的自然资源(天生的好嗓子),因为稀缺,所以可以"溢价"。但是,问题在于,一个成名的歌手在成名前,这个所谓的"稀缺资源"已然存在,为什么成名前后的所得差距如此之大呢?一位名叫迈克尔·高尔德哈伯的美国学者对此提供的解释是:邓丽君占有的自然资源只是她所拥有的资源的很小一部分,对她来说,更为重要的是她成功地拥有了现代社会的稀缺资源——"注意力资源"。正是这一稀缺资源的规模化拥有使邓丽君拥有比同辈歌手高得多的市场价值。②高尔德哈伯的理论打开了包括媒介产业在内的文化产业本质研究的大门。许多过去令人困惑不止的问题，开始有了一个正确解析它的理性思路。

但是，高尔德哈伯的理论仍然不够彻底。因为它不能解释为什么曾经同样受到社会关注的歌手有的人因为其某种特质而持续地拥有关注并因此而身价倍增，而有的人却如流星划过，倏忽之间便无声无息，其市场价值也荡然无存。事实上，作为文化市场上的价值物，一次性的耀眼及吸引社会的关注的价值是很"单薄"的，只有当这种关注在时间上得以延续，其市场价值才会"丰厚"起来。而这种对于社会注意力资源具有在时间序列上得以保持的特质的文化价值物，显然已经具有了一种对于社会注意力资源的控制能力，而这一控制能力的科学表述就是所谓文化"影响力"。仍以歌手为例，只有那些以其演唱的内容和形式深刻地打动人们的心弦，唱出人们的心声，与社会心理产生强烈"共振"的歌手及其歌曲才真正具有较高的市场价值，因为这样的歌手和歌曲对于社会的流行心理和大众文化具有了一种把握力、控制力，即影响力。

同样的道理也可以用于作为文化产业的子产业——传媒产业的经济本质的分析。

从作为报业市场主体的多数报纸的"负定价"发行（即报纸的定价低于它的成本）和广播电视节目的"无偿"收视中，我们可以知道，传媒的经济运作并不是依赖出售自身产品获得全部回报的。这是传媒产业不同于其他产业类型的一个重大区别点。加拿大著名的传播学者麦克卢汉在 20 世纪 60 年代就指出：传媒所获得的最大经济回报来自于"第二次售卖"——将凝聚在自己的版面或时段上的受众"出售"给广告商或一切对于这些受众的媒介关注感兴趣的政治宣传者、宗教宣传者等等。

但是，这种所谓"出售"受众的行为到底"出售"的是什么呢？对此，麦克卢汉的解释是受众的"注意力"——即媒介所凝聚的受众的注意力资源——是传媒经济的真正价值所在。譬如，他在分析免费电视的经济回报时指出，电视台实际上是通过一个好的节目来吸引观众的关注，观众付出的不是金钱，而是排他性选择后的关注——这是一种隐性的收费（用观众在特定时间对于特定频道和特定节目的关注来"付费"），而当社会上的注意力资源越有限，这种能够将稀缺资源凝聚起来的"注意力产品"的价值就越高。

如果问题的答案仅止于此,那么,衡量传媒之市场价值大小的标准和尺度无疑就是传媒所凝聚起来的受众注意力的数量和规模(它可以通过收视率指标或发行量指标来加以标示)。但是,问题恰恰在于,在传媒市场的实际评估中,那些最受广告商(其实也包括政治宣传者)青睐,最具广告(或市场)投资价值的传媒常常并非是那些收视率或发行量最大的传媒。这是关于传媒的"注意力经济"理论所不能解释的。

"注意力经济"说解释了广告商付出广告费所购买的并不是报纸的版面或电视的时段,因为人们注意到,没有什么人看的报纸或电视,其版面或时段是没有价值的。只有通过报纸的内容或电视的节目凝聚起了足够多的受众,这样的版面或时段才是有价值的。但是,传媒的市场价值又并不仅仅是由它所凝聚的人群数量简单地决定的。人们在关于传媒经济的进一步研究中注意到,传媒在整体上(表现为传媒品牌)对于其目标受众的持续不断的凝聚力是有差异的;并且这种差异化的凝聚力所作用下的人和人在社会生活中的行动能力以及他们的决策力、消费力或"话语权"也是有差异。不同传媒在上述两个方面的差异常常是相当巨大的。而传媒在市场上的真正价值在于,它在多大程度上能够持续地凝聚起目标受众,以及在多大程度上成为其所凝聚的那群具有某种社会行动能力的目标受众了解社会、判断社会乃至作出决策、付诸实践的信息来源和资讯解析的"支点"。更通俗地说,传媒作为一项产业的市场价值在于,它能够在多大程度上保持它对于其目标受众的影响,并且这种对于受众的影响力能够在多大程度上进一步地影响社会进程、影响社会决策、影响市场消费和影响人们的社会行为。

显然,如果一个传媒能够为社会的主流人群在社会文明发展的进程中提供卓有成效的信息支撑、知识支撑和智慧支持,那么,这个传媒之于社会的价值就十分巨大而显赫了。

三 传媒影响力的发生机制

从传媒的社会能动性的角度看,传媒影响力的发生和建构,主要依赖于传媒在以下三个环节的资源配置和运作模式:

1. 接触环节：吸引注意的关键在于传媒内容和形式的极致化操作。毫无疑问，传媒产品如果不与自己的受众接触是不会产生任何社会影响力的，没有或缺少受众的传媒至多只是"沙漠中的布道者"。因此，如何吸引受众的视听，凝聚起足够的社会注意力资源便成为媒介影响力的前提和基础。而衡量传媒的社会接触状况的指标则是人们已经十分熟悉的传媒的受众数量和规模性指标，如电视节目的收视率、报纸的发行量等指标。

不同传媒在接触环节上吸引注意、凝聚受众社会注意力资源的主要竞争手段，概括地说，关键在于其传媒内容和形式的极致化操作。因为只有"极致化"的东西才能在对于社会注意力资源的竞争中获得青睐，拔得头筹。而这种所谓的"极致化"手段，总体上可以分为两类：一是靠规模；二是靠特色。事实上，这便是传媒业竞争的两大基本手段。

所谓规模竞争主要有赖于特定传媒所具有的经济支撑实力。毫无疑问，在同一个市场上，那些具有规模优势的传媒，在定位相同、内容同质的情况下，总是要比没有规模优势的传媒具有更大的社会影响力。因此，在等质等效的同类竞争中，传媒比拼的是各自的规模（以报纸为例就是其在有效发行地区的发行密度以及其报纸篇幅的厚度）。这种规模竞争的结果构筑了特定传媒市场的市场准入的规模"门槛"，任何想要进入这一市场的传媒，如无独特的价值表现，则一定要在资源的支持力度上足以跨越这一市场的规模门槛，否则便无法参与有效的市场竞争。

事实上，传媒竞争从内容面上说，媒介产业的赢利模式非常简单：1. 你有，别人没有；2. 别人有，你的更好；3. 别人的也好，你的成本更低。

在上述三种赢利模式中，前两种与传媒产品的"特色"（即特殊价值）相关，而第三种则与传媒产业的规模化、集团化的发展程度相关：一个传媒产业价值链完善、具有规模化的传播资源配置能力的传媒集团，会比竞争对手具有更高的对于传播资源的规模利用效益，更具效率（成本更低、效率更高）的市场"供应—销售"链条，最终赢得最具竞争力的产品成本。

当然，传媒产业集团化、规模化的发展是一把"双刃剑"：一方面它可以带来规模效益的巨大好处；但同时也有它的极大风险。

道理很简单：集团化、规模化发展之后的传媒集团内各个媒体之间互相依赖的程度提高，"一荣俱荣，一损俱损"，使经营风险随之增大。事实上，媒介产业链的任何一个环节如果出现灾难性的病变，整个媒介集团就会出现危机。这一点我们可以从2002年基尔希集团和威旺迪公司的经营挫败的案例中得到印证。问题的关键在于，传媒产业毕竟是内容产业，如果没有一个紧贴社会需要的内容产出机制，传媒产业其他环节的建设就失去了"灵魂"——犹如高速公路修好了，但是没有合适的汽车在上面奔驰。

传媒产业的集团化、规模化发展应该视为是一个趋势，但正确的路线应该是：先做强，后做大；或者为了做强而做大。而"做强"的第一要义在于内容的打造。

另一方面，在等质等效的同类竞争的传媒市场上，由于规模化将传媒的资本门槛不断筑高，传媒为获得竞争优势的代价就越来越大。因此，任何参与其中的传媒，其"市赢率"的发展趋势将是越来越走向"微利化"。换言之，单纯的规模化竞争所带来的市场后果是市场利润的一步步"摊薄"。

规模竞争仅仅是传媒竞争的手段之一。"万绿丛中一点红"之所以能够吸引注意的关键在于它的与众不同。而如果这种与众不同的特色恰好能够满足人们的中心性需要，则这种特色就能够产生很大的市场价值和社会价值。因此，以特色取胜则是传媒在吸引社会关注的竞争中经常采取的另外一种手法。

特色竞争主要依赖于资源的独特、定位的精准和内容的不可替代性。而特色的形成更多地源自于传媒独特的生产方式和传媒资源的优化配置和价值链条的有机支持。所有这一切都与操作团队的智能、文化息息相关，因此，这种特色型的竞争也被称之为"技术竞争"。

在形成特色的操作中，以下三点至为重要：

一是聚焦法。在资源动员能力与竞争对手相近的情况下，能否形成自己的特色，关键在于是否能够以"减法"思维来构筑自己的市场定位，以便形成自己在局部市场上的聚焦效应和规模优势，表现为资讯整合的专业精深或资讯呈现的完整充分。

二是重视团队的结构优化。现代传媒的竞争是人才的竞争，但人才结构的优化组合常常比单一人才的能力高下更为重要。正如写富贵,人们一般总离不开"金、玉"之类,但白居易的"笙歌归院落,灯火下楼台",虽然其中的任何一个字眼似乎都与富贵不沾边,但组合在一起却渲染出了大富大贵之极致。事实上,传媒竞争之道也是同样的道理。

三是注重作为创新基础的再学习能力。市场是青睐创新者的。因此,"宁要粗糙的新锐,也不要圆润的守旧"便是一则市场竞争中的箴言。传媒的特色是在创新中才得以保持的——只有不断地比竞争对手快一步,才能不断获得因创新而产生的市场"暴利"。因此,传媒的核心竞争力其实就是传媒团队的创新能力,而这种创新能力的实质不过是一种学习能力,即不断地运用现代科学所提供的工具和手段发现机遇、规避风险、"创造"需求(即以适用的传播产品"唤起"人们潜在需求)的能力。

显然,在传播市场上,竞争的胜利和优势的获得并不是仅仅由实力与规模单一地决定的。处理得当的话,有时是可以"以弱胜强"的。因此,弱势经济规模支撑的传媒产业在与拥有强势经济支撑的传媒产业所展开的竞争中并非只有"死路一条",而是存在着巨大的生存和发展的可能性的。问题的关键在于,我们能否自觉有效地形成自身不可替代的价值特色。

2. 保持环节:维持受众之于传媒的行为忠诚度和情感忠诚度

影响力的发生并不是一次完成的。只有持续不断地接触(即保持)才能使传媒的影响力因时间的延续而价值"丰厚"起来。衡量传媒影响力在保持环节上的指标分为两类:一是受众之于传媒的行为忠诚度(接触的频率和接触的稳定性等),二是受众之于传媒的情感忠诚度(人们对于传媒的心理依赖程度、满意与满足程度、传媒在人们心目中的价值分量等)。

注意力保持的动力机制是建立在"预期报偿"基础上的。按照斯拉姆的说法,能够维系受众之于特定传媒忠诚度的因素主要有两个方面:一是与传媒对于其受众的价值报偿程度成正相关——这主要取决于传媒产品的内容特质;一是与人们接受传媒服务的代价程度成负相关——这主要取决于传媒产品的形式处理、流通渠道及售卖方式等。

从传媒产品内容特质的角度来考察,我们可以把传媒全部可报道的内容划分成三个层面。一个层面是必读性层面,所谓"必读"的资讯,就是跟人的生产生活、生存发展有明显而直接联系的资讯,传媒提供这些资讯,其受众便可以据此廓清视野,优化决策。所谓"资讯创造价值"正是在这个意义上说的。显然,如果你能够通过你的传播产品为你的受众创造价值,你的受众自然会依赖于你、忠诚于你。第二个层面是可读性层面,"可读"并不是我们一般理解的好看、漂亮或精彩,而是一种传播者通过传播产品所发生的与其受众的价值观上的认同,思想情感的共振,一种资讯传达过程中类似老朋友式的互动倾诉和痛快淋漓的感觉,这种被称之为媒介风格的东西其实就是媒介的立足点。在现代传播市场的竞争中,传媒的一个突出的角色转换,就是从过去单纯的消息发布者的角色演进到成为其特定服务受众的"信息管家"的角色。什么叫"信息管家"?就是要以核心受众的社会立场和价值站位来决定传媒的资讯采集、资讯处理和话语表达,实现定制式的服务。与自己的受众同呼吸共命运,这是把可读的内容做好的关键。第三个层面则是所谓选读性,这部分资讯或内容主要满足特定受众的个性化成长的专门化、窄众化的资讯需要。有选择地提供这类资讯服务是"粘合"目标受众,形成高度传媒"忠诚度"的重要手段。事实上,按照马斯洛的"需要层级论"的观点看,必读性层面关注的是人们安全、生存的资讯需要;可读性层面满足人们社会交往和赢得社会承认和社会尊重的资讯需要;选读性层面是满足人们个人价值实现的资讯需要。实际上,维系传媒与其受众之间稳定、持续联系的凭借物就在于上述传媒产品内含的"必读性"(资讯的有用与重要)、"可读性"(资讯的情感按摩与价值认同)与"选读性"(与个性化发展相关的资讯)的刻意打造。

  在这三个层面里,客观上都有各自专长的媒介类型(譬如报纸更多地是作为"新闻纸"和"实用纸";杂志更多地成为"特色纸"、"专业纸"或"情感纸"等等),但是每一种媒介又不能把这三个层面的东西截然分开,而应该在有所倚重的基础上有所渗透。对特定传媒来说,明确自己的主打"战场",在延伸战场上自觉去做些力所能及的事情,就必然会赢得目标受众的青睐和忠诚。

  另一方面,从人们接受传媒服务的代价的角度来考察,我们大体上可以把传媒在赢得受众青睐方面的种种努力概括为三种基本类型:

首先是要致力于降低某一传媒产品的"选择—辨识"成本。特色鲜明的CI形象、功能分明的版组（时段、频道）设计等，便是其中最主要的内容。它极大地方便特定受众的选择（和抛弃），降低了人们选择性接触的成本与代价。

其次是要致力于降低某一传媒产品的"接触—获得"成本。报纸定价的适宜、发行渠道的通畅、便捷及发行时效的及时到位等，广播电视的时段安排对于特定受众的方便性、按照节目对于特定受众的"约会"能力和"维持"能力所进行的"节目串"的有机化组合等，都是其中的重要内容。"方便是金"是其市场操作的箴言。

再次是要致力于降低某一传媒产品的"理解—精力"成本。传媒人的专业本领并非仅仅体现为将有关的资讯简单地进行社会性表达中的"音量放大"，其一项重要工作就是将这种资讯中原本属于"圈子文化"（专门领域中的特定话语及其表述方式）中的"方言"性内容（即只有少部分人能够"听懂"的语言）进行"转译"，转译为大众（至少是目标受众）能够听得懂的"普通话"。此外，在纷繁复杂的资讯堆积中，梳理出资讯的理解逻辑和重要性顺序，方便受众对于最为重要的社会问题和相关资讯的把握和理解，也是传媒人在这一环节上重要的工作内容之一。

3. 影响力的提升环节：选择最具社会行动能力的人群、占据最重要的市场制高点、按照社会实践的"问题单"的优先顺序定制自己的产品。

这一环节的中心问题是改变我国传媒过去那种单纯靠"跑马圈地"式的数量规模扩张来形成自己影响力的价值模式，而将形成影响力的重心转移到在资源有限、规模有限、市场份额有限的情况下如何提升自己的社会影响力和市场影响力上来。

在这一环节上操作的技术关键在于将自己的资源运用"聚焦"于下列三个方面，以形成价值的倍增效应：

A. 选择传媒覆盖地区或领域中那些最具社会行动能力的人群作为自己主打的目标受众，以便通过他们形成以一当十的社会影响力；

B. 选择一个社会或一个领域最为关键的地区或方面集中覆盖，以取得占据领域制高点的市场效应；

C. 要根据时代发展或领域发展的"基本问题单"自觉地定制

传播产品,只有这种为社会所急需的资讯产品,才有可能"击中社会绷得最紧的那根弦",从而产生巨大的社会影响力,为那些"处在应对社会和自然挑战而应战状态"(汤因比语)当中的社会弄潮儿提供他们最为需要的信息支持、知识支持和智慧支持。否则,如果是"言不及义"、"鸡零狗碎"式的内容服务的话,即使做得很精巧,其社会价值也将大打折扣。

在这一环节上,抓住社会的主流人群,站在社会发展和领域发展的制高点上,在内容制作上拥有一个明确的社会发展方面的"问题单",这些能力和到位化的操作是提升传媒社会影响力的至关重要之点。

注释:
① 《文化学词典》,中央民族学院出版社 1988 年,第 725 页。
② 吴伯凡《与广告说再见之后》,1999 年 3 月 19 日《南方周末》第 12 版。

熊澄宇

信息网络化与社会建构

一 信息化与信息网络化

所谓"化"是指过程的意思。社会信息化是指现代信息技术对社会渗透和全面发生作用的过程。从20世纪40年代计算机进入人类社会以来,社会信息化大体经过了三个阶段。40年代,计算机开始进入人类社会——社会信息数字化;70年代,计算机从大型机向个人电脑扩展——数字信息个人化;90年代,计算机网络化——个人信息社会化,或称"信息网络化"。

2000年7月22日,八国首脑在日本冲绳发布了《全球信息社会冲绳宪章》。《冲绳宪章》的核心有两点:即数字机遇和数字鸿沟。在今天几乎所有媒体都在讨论数字化生存的时候,对数字机遇的提法应当比较好理解。机遇是一种可能。可能与现实之间还受多种其他因素的制约和影响。从理论上说,数字机遇对所有人都是一样的,但在客观上和现实社会中,发达国家和强势群体利用和捕获数字机遇的可能性更大。数字鸿沟是近年来的新提法,专家学者、联合国秘书长、发达国家和不发达国家首脑等,都从自己的角度在不同的国际场合多次谈到数字鸿沟问题。应该说,在社会信息化过程当中,数字鸿沟——即对现代信息技术的掌握和使用的差距现象——是普遍存在的。理论上数字鸿沟也是对所有人的,但发展中国家和弱势群体则更为突出。

以下一组数据可以帮助我们了解数字机遇和数字鸿沟的现实含义。全球互联网业务中有90%在美国发起、终接或通过。互联网的全部网页中有 81% 是英语的,其他语种加起来不到 20%。互联网上访问量最大的 100 个网络站点中,有 94 个在美国境内。全球互联网管理中所有的重大决定仍由美国主导做出。负责全球域名管理的 13 个根服务器,有 10 个在美国。

这就是我们今天要应对的全球信息网络化态势。以前我们讨论信息化更多地是从科技、产业或经济的角度思考问题;然而,从马克思主义"生产力推动生产关系发展"的基本原理出发,我们必须认真思考信息网络化对社会建构和上层建筑方方面面的影响。

二 信息网络化与社会政治

我们说,农业社会的基础是农民;工业社会的基础是市民;信息社会的基础是网民。

在以网民为基础的信息社会里,人们的行为方式、思想方式甚至社会形态都发生了显著的变化。

从行为方式上说,网络环境的时间和空间有无限的扩充性和多样性。网络时间处于一种无始无终的状态,或者说网络时间的特点是"实时、时时、无时"。用户实时交互、网民时时在线、信息无时不在。北京下班了,巴黎还在工作;巴黎下班了,纽约继续干。三人组成的跨国公司,可以 24 小时不间断地发挥作用。网络空间是真正的"咫尺天涯"——鼠标一点,漫游全球。人们所期望的全球化、多极化、个性化的特征,在网络空间里得到了充分地体现。

从思想方式上说,存在决定意识。现实社会中有着严格的层级界限。从国家主席到普通公务员至少有十几级台阶,各行各业都有自己的等级区别。网络环境中所有的网民都是一个符号、一个代码、一个信息点。在点对点的交往中,不管你是总统还是商店售货员,都可以处在一种自由、平等和直接的交流之中。网络环境的信息传播无阻碍状态激励人们在现实生活中打破层级界限,追求有效和直接的点对点交往。

从社会形态上说,网络基本属于虚拟社会。网民既无身份证又无社会安全号,不但匿名而且一人多名甚至可随时更改。网上无法律,其活动规则是在技术条件制约的基础上通过协商产生的,且一直在修订和完善之中。政府有疆域,网络无国界。网民在一定程度上是世界公民。网民在网上的活动是跨国界的,是不受海关约束的。而现实生活中,任何国家的公民都有自己的姓名和某种特定的识别方式;政府、法制和秩序构成的现实社会与匿名、无序和跨国界的网上虚拟社会的结合构成了我们今天新的社会形态。

虚拟政府是信息网络化在社会政治领域中的集中表现形式。去年是政府上网年,全国各级政府几乎都建立了自己的网站。然而,网站只是政府上网的初级形式,只起到了塑造政府形象的作用。随着信息网络化的深化,人们期待着政府上网迈出更加实际的步伐:首先是办公方式——无纸办公的比例在一定程度上是检验办公自动化的指标;其次,管理功能——政府对社会的管理职能有多少可以在网上实现?工商税务、公用事业、户籍登记……再次,决策过程——决策过程的公开程度体现了社会民主化的进程,利用信息网络化手段完成的决策过程科学、透明,便于理解,易于执行;最后,监察机制——信息网络化手段减少了人为因素,屏蔽了人情干扰,使黑箱作业者处处留痕迹,为消除腐败提供了基础。

三 信息网络化与大众传媒

网络媒体的出现使人们对媒体的功能有了更清晰的理解:网络信息传播≠网络媒体≠网络新闻,或者说信息传播＞媒体＞新闻。媒介的四大功能:环境监视(新闻和宣传)、社会协调(联系和沟通)、知识传承(科学和教育)、文化娱乐(消遣和游戏)在网络环境中都得到了充分的拓展。

网络传播除了有信息量大、更新速度快、查询检索方便等优势外,还使传统的线性叙事、单向传播,转变为立体式发布、双向互动传播。对于网络媒体,已经不能用传统的"大众媒体"来概括,因为在这里,"大众"的概念发生了变化。网络媒体包含了多层次的传播过程,这些网上传播过程已经不能简单地用当初两极论所涉及的人际和大众传播来区分了。网上传播以多样化的形式出现,从传统大众传媒机构在网上的影射方式,到 bbs、usenet 上的讨论区和聊天室,再到人们通过 E-mail 间的信息传播。

信息互联网与计算、电信和广播融合在一起,正在彻底改变着媒体和出版业。目前,美国的互联网专家和传播学者已经提出了整合宽带网络(IBS, Integrated broadband system)的概念。其内涵就是在数字技术处理信息的技术上,把所有传统媒介(报纸、杂志、电台、电视台、电影院)整合起来,并在此基础上,将所有的信息站点与不同媒介的用户互联,保证他们可以从相连的其他站点或用户得到直接或间接的服务。现在提供网上直播或录音广播的广播电台,以及在线播送视频节目的电视台的数量也越来越多。一些有能力与传统媒体公司竞争的新企业已经进入在线媒体/信息服务领域。

实时、交互和受众主导是网络媒体的主要特征。互联网用户既是信息的接收者,又是信息的提供和发布者。也就是说,任何人、任何时候、在任何地方,向任何一个人提供和获取信息正在成为现实。任何一个人网上办报、办刊,建立网上电视台和网上出版社的条件已经具备。网络媒体除具有传统的报刊、广播、电视等传统媒体的功能外,更加具有实时、互动、跨境、跨文化传播的特点。传统媒体的管制规则不再适应网络媒体的发展,信息开放成为时代与社会发展的必然趋势。

四　信息网络化与民族文化

随着世界信息产业的不对称发展,出现了某些信息技术高度发达的国家利用对信息资源及其相关产业的垄断地位,对信息技术领域发展相对落后的国家实行信息技术控制、信息资源渗透和信息产品倾销的倾向。这些国家被形象地称为"信息宗主国"。相应的,也就出现了被动地接受别国的信息、受发达国家的信息控制、没有防范信息霸权能力的"信息殖民地"国家。信息宗主国和信息殖民地的出现标志着在信息时代,国与国之间实力的划分出现了新的衡量尺度。

就文化领域而言,美国在信息业中的主导地位和英语"网络第一语言"身份使其成了名副其实的信息宗主国。目前,世界性的大型数据库在全球近 3000 个,其中 70% 设在美国;在互联网上被频频访问的也主要是美国等发达国家的站点,世界最大站点的前几位都在美国。这种现象引起了世界许多国家的警惕。法国总统希拉克说:"当今世界正面临着单一文化的威胁","这是一种新形式的殖民主义"。

目前我国因特网的用户已超过两千万,但网上信息流的进出口逆差达到六倍以上。我们必须清醒地认识到网上信息流进出口逆差对社会潜在和深远的影响。毫无疑问,全球文化信息化环境给我们带来了强大的冲击和挑战,但挑战也是机遇。

互联网上不同文化的交流和融合是发展主流,这是任何力量都改变不了的趋势。任何一个国家都不可能将本国文化隔绝于世界文化的大潮,如果强制隔绝,其结果只会导致本国文化逐渐走向凋零。面对汹涌而来的欧美文化大潮,最重要的就是摆脱那种以"守"和"堵"为先的思想,要掌握未来社会文化信息活动的主动权,抢先占领国际上文化信息大潮的阵地和份额,向全世界宣传中华民族优秀文化,这样才能体现出先进文化的前进方向。

我们的当务之急是要有计划地把全国重要的民族文化遗产、艺术作品、文化艺术科研成果和历史文物,都制成数字化产品,使中文的文化信息资源在整个互联网上占到一定的比例,在世界范围内产生重要的影响;同时要有意识地将世界主要文化遗产、文物、艺术品的网上信息资源用中文形式介绍给中国大众,使中国的百姓可以更为便捷地吸收人类的优秀文明成果。

五 信息网络化与现代教育

信息网络化在教育领域的集中体现是网络教育。网络教育由信息技术而引发的计算机辅助教育推动。人们开始只是在探索教育模式和教育方式的变化;但随着实践进程的深入,大家感到网络教育实际上在推动教育思想、教育观念甚至是教育制度的变革。

目前,全社会对教育的需求与现有教育资源相比,差距太大。面对每年一度高考时千军万马抢过独木桥的悲壮场景和少数"贵族学校"与希望小学在教学条件上的巨大反差,人们不能不质疑教育的公平性与合理性。网络教育的出现在一定程度上缓解了需求与供给的压力。网络教育是一种开放式教育,只要具备上网的基本条件,全社会成员都有机会见"名师",进"名校"。

人们称 21 世纪是知识的社会、学习的社会。这种说法的内涵是将接受教育的目的从获取文凭扩展到知识更新和自我素质的不断完善。网络教育的出现使任何人、任何时间在任何地点学习知识和技能的愿望成为可能。终身教育、按需学习的社会需求将彻底改变现有教学体制和质量评估标准。教育的卖方市场将向买方市场过渡。跨专业、跨系、跨校甚至跨国学习的学生目前已经在网络教育中出现,可以预见,这种现象将会继续扩展。

与现有的围墙式课堂教育相比较,网络教育更具有教学内容的广泛性、教学环境的虚拟性、学生学习的能动性、学习过程的交互性和教学管理全天候服务的特点。网络教育的学习资源不仅来自教师,来自课件,而且来自众多的专家、学者、志愿者以及学习伙伴的网上交流。学生们不仅可以共享网上现存的教学内容,自己发表的见解也成为教学内容的重要组成部分。

我国的网络教育目前正以现代远程教育工程的形式从五个方面展开:经教育部批准,清华、北大等31所院校正在进行网络教育试点;由教育部现代远程教育资源建设委员会和高等教育出版社联合组织的二百门网络课程已经立项启动;由中国教育科研网承担的网络教育支撑环境的升级改造工程已通过国家验收;由教育部组织的全国远程教育管理、教学和课件制作骨干人员的培训工作已举办了三期;由教育部立项,清华、北大、北师大等八所院校参与的"中国远程教育战略研究"课题正在实施。

可以想见,网络教育不仅为现有教育模式注入了活力,还必将对未来教育思想、教育观念和教育体制的改革带来冲击。网络教育是现代教育与世界接轨的一条重要途径。

六 几点思考

1. 生产力推动生产关系的变革是马克思主义的基本原理,信息网络化将对一切不适应或阻碍其发展的生产关系提出挑战。目前首先要理顺现有的生产关系,从体制、法规和思想观念入手,以"实践是检验真理的惟一标准"为指导思想,大胆改革、大步前进。

2. 在发展和管理这一对矛盾中,发展始终是矛盾的主导方面。要给发展留有足够的空间。目前中央提出的"积极发展,加强管理,趋利避害,为我所用"16字原则,已经辩证地说明了发展与管理的关系。在 WTO 准入在即的情况下,要特别重视非政府组织在管理中的地位和作用。

3. 内容作为新的信息产业必须要引起高度重视,要充分认识"内容是生命线"的内在含义。在国家信息化发展中重硬轻软、重制造轻应用、重形式轻内容的做法已经留下了深刻教训。现在要从战略高度加强信息网络化的理论研究和应用研究的力度。

4. 重视在全球化的环境中追求个性和共性的统一。在战略布局、经济发展和文化交流的层面上都要有独立自主的意识。在与发达国家同步竞争中始终把握发展的主动权。永远不要失去自我,时时注意守土有责。把网络空间与外层太空放在同等重要的位置对待。

5. 信息科学与行为科学并重,在强调数字化生存的同时注意体现人性化的光芒。在机器和人的关系中,人始终应占主导地位。网络是把人联成群体、把群体构成社会的纽带。随着网络的不断普及,它将逐渐渗透到每个人的日常生活并成为社会的有机组成部分。要以人的自身需要和社会的综合发展为信息网络化的出发点。

张荣翼

当代流行文化的五大特征

流行文化正在成为我们时代的一种汹涌的潮流。对于这种潮流人们可能已经做出了各种反应,包括对于它的一些评价。但是,对于一个对象的认识应该是在对其特征充分了解的基础上进行的,而这种认识人们大多并不是根据一种理论分析的方式,而是根据过去的成见或者直觉做出的,因此,对于当代流行文化的特征的论析就有其必要性。以下,论者归纳出五点特征。①

一 对于文化层阶的消解

流行文化的显著特征之一是消解了文化的层阶,即它把传统中关于文化的高级与低级、典雅与粗俗的定位作了否定。它不仅不是精致的文化,而且根本就不屑于做出这一区分,也根本不进行这种努力。流行文化的某一类型是来也匆匆,去也匆匆,完全来不及进行进一步的加工和分层。它是在时间之流中以新颖和过时作为区分的标志。由于流行文化没有高低的层阶,因而也就缺乏一种文化的引导机制,在某种意义上剥夺了统治机构和知识分子平时秉有的话语权,在表达的民主性上它可以具有一种变革意义,但是也具有无政府状态的可能性。由于流行文化没有内在的层阶标准,因而在评价上它的运作方式和指标有着自己的一套规则。②其实,从深层次来说,流行文化是在现代生产方式基础上建立了自己的运行规则。如果说到我们既有的一般的文化,那么它是以传统作为自己的圭臬,另外又以某些知识分子或者专家作为这一圭臬的看守人,从而形成一套有效的评价体系;流行文化追求新颖,当然不可能崇尚传统,因此原先有效的评价体系只能弃置一旁。

流行文化看重的只是"现在",这种对于当下的强调在现代性社会就往往被商家染指,由此形成一套文化上的生产－消费关系。流行文化的产品有其精神上的内涵,正是凭借这种精神它才可能流行,但是它的精神不是提升人的内心世界的动力,而是满足欲望的一种消费品。它是按照市场供需状况调整产品的供应结构。流行文化的消解层阶也体现在它对于文化的隐秘意味的无视,传统性的文化往往有着隐秘的和神圣的内涵,这种不能仅靠思想,还需体验加以把握的性状,成为人们对一种文化产生不能割舍的感情的根源。流行文化既没有长时期的积淀过程,也缺乏知识分子进行相关的理论辩解和宣传,它就只是针对人们的需求。人们可以喜爱某种流行文化,甚至出现追星那种狂热的激情,但是难以形成一种宗教式的沉醉与迷恋的感情,人们没有仰视它的那种层阶距离。

二　有关思想资源的转换

文化和文化思想是相关的,不过二者有着区别。文化是一种存在范畴。如利奥塔指出,"文化存在于一个民族与世界和与它自身的所有关系之中,存在于它的所有知性和它的所有工作之中,文化就是作为有意义的东西被接受的存在"③。这就是说,文化同人们的日常生活联系在一起,而关于文化的思想则是对于文化的阐释和引导。譬如,自从报刊作为一种大众传媒在近代问世后,它就渗入到人们生活中,尤其每天固定时间出版的报刊影响更甚。对于这种 daily news(每日新闻)的定期阅读,我们可以从人们需要对于社会近况的了解来说明,但是大多数人并没有非得了解它的规定性。黑格尔的阐说颇具意味,他认为当时的欧洲人已有了每日早餐后阅读报纸的习惯,这是现代人的"晨祷",即人们已把读报培养成了固定程序,如果哪一天无报可读或没有时间去读,则这一天就相当于没有祷告那样,生活就沦为空虚和没有意义。黑格尔关于读报的阐说,就给报刊阅读赋予了一种文化意味,而我们看来也是揭示了读报的文化意义。

关于文化的理论阐释,传统文化有两种基本类型。一种是民间文化,它依凭的是传统规范。如春节作为一年的年头岁尾,要求直系亲属的大团圆,这一团圆成为一种文化仪式,标志着一年的平安幸福,否则就是一种深切的遗憾。这种规范通过一些传说、礼俗而获得强化,有时成为一种惯例,深入到人的无意识之中,不自觉地就会就范。另一种是精英文化,它以一些文化精英的学说作为根基,包括某些哲学家、宗教领袖、学派的中坚人物的学说等。这些精英学说的最高形态都可以上升为一种哲学,哲学代表了精英文化的核心。而流行文化则既没有传统规范,也不依凭什么哲学思想,它的文化核心应该寻求一种经济学意义的阐释:即人的行为过程的经济性。一方面是社会的公众在生活中面对各种压力需要抒缓,另一方面是社会可能并未注意公众需求,公众在民间文化中不能得到现时的言说,在精英文化中又不能得到针对个人的言说,在此状况下,流行文化就是在经济体制的参与下,动用商家的力量加入到文化建构的过程。它没有根据过去的传统根基,也没有对于未来的长远规划,而是立足于此时此地的公众个人。在流行文化中,它的价值目标就是对于此刻的关注。这一关注在某种程度上类似于进餐对于肚腹的抚慰,出发点到最终目标都没有终极关怀的承诺。

三 知识合法化问题的回归

从叙述派学说看,文化是一种言说,而言说就需要某一知识来进行合法化的包装。可以说,民间文化是通过各种传统化的方式,包括传统礼俗、传说、宗教、仪式等加以强化。精英文化经历了一段时期发展的坎坷之后,走向了"科学"道路,即作为知识,必须要通过学科研究的方式进行证明,言说过程还有若干规范要求,它通过法律条文、词典、学科术语、科学公式、科学定律等加以体现。精英文化经由教育、大众传播、国家干预等行为得到强化,知识的言说被垄断,似乎非精英化的知识就不配称之为知识。精英文化的知识观把事实的惟一性与知识的惟一性等同起来,一件事实是怎样就只能是怎样,不能指驴为马;可是对于事实的言说可以具有不同的方式,驴和马是不同的动物,但在属于大型草食动物并且是马科动物上二者具有同一性。说马与驴是不同动物,同说马与驴都是马科动物都是有效的,而在言说形式上却是迥然不同。近代以来西方形成的精英文化把知识的合法化变成了一座专制主义的殿堂,知识体系的竞争被做了意识形态性的阐释,即是正确与错误、正义与邪恶的斗争。

流行文化重新定义了知识的合法化问题,它是在时间序列上恢复了"地方性知识"的有效性。所谓地方性知识即未走进课本与词典等的知识,"如巴厘人按出生的长幼序数而被命名为'头生的'、'二生的'、'三生的'、'四生的'四种,过了老四又开始新的循环,第五个孩子也叫'头生的',第六个则叫'二生的',在一母所生的同胞中,叫'二生的'那个人也许是'头生的'老五或老九的大哥。这种循环式的称谓系列并不能真正反映同胞之中的长幼之序,却体现着一种往复无穷的生命观念,它不可翻译,却是具有文化特质的地域性的知识,故称之为'地方性知识'"④。这一地方性知识在中国传统文化中有着完全相近的表达,即每过 12 年就是一个生肖序列,每五个生肖序列是 60 年,算是一个"甲子"。一个"甲子"就是一次轮回,由此形成了中国人朴素的历史循环观。当人们面对变化时,是以"三十年河东,三十年河西"来说。从西方引入的公元纪年以及西方的工业革命生产模式,打破了这种循环,时间仿佛成为一条线形的矢量。流行文化则使得循环重新成为可能。一次潮流之后,隔了若干时间又可能重新回归。传统的精英文化以理性原则作为支撑,它的知识的合法性体现在各种学院式的学说之中;流行文化贯彻的是非理性原则,它的知识则奠立在以无意识欲望为中心的个人感受上,各种关于享乐的合理性的言说,都可以成为流行文化的凭借。另外,它也可能成为当代人们心理障碍的幻想性的替代物。

四 体制化构成的新型模式

当今时代是体制化生存的时代。对于这种体制化生存的说明,从马克斯·韦伯关于资本主义社会体制的论述可以见出基本梗概。那就是,欧洲中世纪的社会实行世袭制度,社会阶层代代相传,子承父位;社会等级森严的结构中,让人安于现状。资本主义的革命性变革不只是采用了机器生产,更重要的是调整了生产关系,使得社会实行一种按照个人表现和能力给予一定职级的任职制度,社会荣誉也随着个人业绩定夺,起到了鼓励人们勤奋工作的积极作用。如果说中世纪欧洲是采用社会等级制,那么资本主义就是采用根据能力、教育水平、个人业绩、工作需要等方面综合评定的科层管理制。这种科层制度依靠一定的体制化得以实施。譬如对于教育水平的认定方面,以前只是通过一种考试,甚至是很不规范的认字、赋诗等只能考核一个狭小方面的方式来认定教育水平。现代教育体制则使得水平认定规范化了,小学、中学、大学各有自身的教育目标,知道了某人受教育年限,再辅以规范性的考试,那么水平认定是客观的,就是说各地的认定都是大致相通的套路,可以通约。

应该说科层管理制是一种比较科学的人事管理制度和人才激励机制,对于社会的变革进程起到了积极作用。但是科层管理制同人员的提拔相关联,即每个人的地位不是固定不变的,往往随着年资的或业绩的或二者俱备的增长,地位也可以随之上升。美国学者劳伦斯·彼德通过统计分析提出了"彼德原理",即不称职原理,他说:"(在科层组织中)他们中的许多人,肯定会赢得一两次提升,从一个能够胜任的职位向另一个更高的能够胜任的职位,而在新职位上的胜任又使他们有资格被再次提升。对于每一个人,你或我,最后一次晋升都是从称职级升向不称职级。所以给定足够的时间,并假定科层组织中有足够的等级,那么每一位雇员都要升到并停留在他的不称职级上。彼德推论表明:总有一天,每个职位都会被不能履行它的职责的雇员所占据!"⑤彼德原理是作为一种社会批判理论出现的,其中难免偏激之处,不过它对于我们认识当代社会的体制化提供了一个视角。

流行文化的特性就在于,它不同于我们上文说到的体制化。流行文化也可以有着自己的体制特征,但是它对于常规性的文化起到了一种抑制作用或替代作用。如果说常规的文化实行一种科层管理,科层体制是逐级提升,个人的提升成为可以预期的目标,提升也有着社会评定的指标体系作为参照;那么流行文化则没有逐级上升的常规模式,它完全可能一夜成名,不久又销声匿迹。当年歌手苏小明凭借一曲《军港之夜》,红遍了大江南北,歌手费翔更是以在春节联欢晚会的表现成为流行歌坛的重量级人物,然而他们都被人淡忘了。这里,他们的成名并没有一种可以量化的成就标准作为依托,成名与淡忘都不是在完全可以预期的范围中运行。可以说,流行文化在体制化生存的现代人常规科层文化映衬中,相当于人们的一个梦幻。体制化生存的常规使得社会成为合理化的工场,没有了惊奇与意外,而流行文化成为理性原则无暇光顾的人们的非理性精神的最后领地。生活在一个合理化的社会可能是公平的,但也是使人压抑的。考虑到常规的体制化生存还有"彼德原理"那种负面影响,那么流行文化的存在也是必要的补充。

五 转换时空:抹平地域与民族差异

流行文化是急速传播的文化,这种快速传播必须突破地域文化和民族文化的障碍。而要达成这一目标,就只能采取一种超越地域性和民族特性的方式出现。可以说,流行文化是没有地域特色和民族性的文化。作一个比喻性的说法,各地饮食文化对于食品味道有不同讲究,中国就有南甜北咸之说,而作为国际性快餐业大户的肯德基、麦当劳、德克士等食品公司的食品,就是追求一种国际口味,它并不吻合于某地、某个民族的口味,可是反过来也不同哪个地方与民族的口味冲突;它不是好吃的食品,但对于人们也不是难吃的。流行文化可以很快融入当地的文化生活。一位美国学者在菲律宾感受到了一种文化现象,即菲律宾人往往非常熟悉美国的文化产品,人们甚至可以惟妙惟肖地模仿美国歌星的演唱,"但这只是事情的一个方面,另一方面则是,他们的生活在其他方面和产生这些歌曲的那个相关世界并非处于完全的共时状态"⑥。这些菲律宾人哼着美国歌曲时,他们对美国歌曲的体验并没有自身的文化经验作为依托,反过来他们自己的文化、自己的个人感情又缺乏相应的歌曲加以表达,于是就在哼唱美国歌曲中得到一种可能不同于美国听众的、加入了自己理解的感受。阿帕杜莱认为菲律宾曾经是美国的殖民地,现在它虽然是独立国家,但是文化上仍然受到美国强力影响,他把这一哼唱现象称为美国文明在政治上对于菲律宾人的强暴。阿帕杜莱的说法可以引申到文化殖民和文化帝国主义的议题上去。

不过,我们可以设想这些美国歌曲的两种状况。假若这些被哼唱的歌曲属于经典歌曲,那么美国歌曲成为世界其他地区耳熟能详的对象,这除了表明这些歌曲确有实力之外,也表明了美国文化的强大传播能力,因为一个国家和地区的优秀作品要能被其他地区人们所接受,单纯的传达是远为不够的,还必须要使当地人们能够达成对于传播国文化的认同,这就必须建立一种文化的强势地位让人信服。这里文化的强势和弱势地位,固然可以用以说明文化帝国主义、文化侵略,但是既然传播的是一种优秀的文化,它也理应成为全人类的文化财富,倒是对于别国的封闭才应被指责,所以关于文化侵略的言说必须是针对西方的一些征服行为才适用,不能作为一般性的概括。假若这些被哼唱的歌曲不是经典作品,那么本身不具备非凡实力的作品要广为流传,就只有扮演成流行文化的姿态。流行文化在其源发地没有传统的深厚根基,也就不存在以一种民族文化去征服另一种民族文化的问题。可以说,不同民族文化有着一种空间距离感,而流行文化却是不同代际之间的时间差异感。它在不断地演替和回归中,用时间的流逝抹平了地域的和民族的文化差异。

六 余论

以上是从五个方面论述了流行文化的基本特征。作为基本特征,它只是流行文化体现的比较重要的特征,并不能代表流行文化全部的特征。另外,这些基本特征中没有说到在论者看来是一个非常重要的问题,即流行文化与我们传统文化的一个根本区别,那就是,传统文化是经由许多代人才逐渐形成的,而流行文化可能只是各领风骚三五年,流行文化的快速变化必须有一种动力推动,那么这一动力就是市场利益驱动。资本投资人看上了某种消费潜力、消费趋势,于是就做出投资,该投资需要进行一种造势,使人们形成对于它的注意力,以此形成一种大众消费趋向。总的来说,流行文化属于商业文化范畴。这也应该是流行文化的重要特征,不过这一特征融贯到了上述五个特征中,并列提出可能混淆了其中内在关系。正是由于它的商业文化性质,才导致它与传统的普通的文化的差别。

流行文化是我们身边的文化事实,它正在模铸我们的生活,同时我们的生活也可能成为新的流行文化产生的契机。从叙述派文化观点来讲,文化模铸人的生活,而人的生活也在书写文化故事。回想改革开放的二十多年,中国人生活中的家用电器由基本上只有电灯发展到拥有电视、洗衣机、冰箱、空调、家用电脑等多种用品,这些物质的改变也导致了人们生活状况的变化。譬如盛夏时的纳凉是中国传统习惯,它也成为人际交往的重要途径,而电视的进入家庭使得邻里之间少了一些交谈的机会,甚至家庭成员之间也少了很多交流。电话进入家庭之后,走家串门的事已不再是单纯传递信息,它更多地包含了感情联系的内容。电脑网络通讯的使用重新界定了通信、聊天、读报等行为的意义,并且也改变了生活的节奏。叙述派文化学家布朗认为,文化作为一种叙述,具有相当于"语法"的规范,人们自己的生活通过各种讲述酝酿出语法,而我们又可以通过语法来读解人们生活的故事。⑦

　　文化是人们生活的读本,也是人们生活的写本。个人经由某种文化进入生活,又通过生活谱写出文化的新的语句。流行文化正在成为一种蓬勃生长的新的文化类型,它会引导人们对于生活做出新的理解,也会使得人们讲述用新的语法编织的故事。由对流行文化特征的论说,我们找到一种窥探流行文化的门径。不过对于流行文化的深入剖析,还必须借助于包括哲学、社会学、心理学等学科的参与,还必须对一些典型个案的调查和数据分析,这些问题只有留待以后再作进一步梳理了。

注释:

① 对文化特征的认识有赖于对文化的定义。大致来看,当代西方文化研究的文化定义已不下于几十种,其中最有代表性的有五种:即古典定义、历史定义、人类学定义、象征派定义及叙述派定义。笔者在此倾向于叙述派定义,即强调文化模式与参与文化过程的人互相依存、互动的关系。文化模式影响人的行为,而人的行为也在书写文化模式。
② 关于流行文化的评价机制问题,可以参见拙著《流行艺术研究》第二章"流行艺术特征论析",天津社会科学院出版社 2000 年。
③ 《后现代性与公正游戏——利奥塔访谈、书信录》,上海人民出版社 1997 年,第 104 页。
④ 叶舒宪《"地方性知识"》,《读书》2001 年第 5 期。
⑤ 劳伦斯·彼德《升官病》,河南人民出版社 1989 年,第 14—15 页。

⑥ 阿·阿帕杜莱《全球化经济中的断裂与差异》,汪晖、陈燕谷《文化与公共性》,三联书店 1998 年,第 524 页。
⑦ Brown, *Richard Carvey*: *Society as Text*, Chicago: The University of Chicago Press, 1987.

戴锦华

救赎与消费

文化毛泽东

或许八九十年代之交最引人瞩目的社会文化现象之一便是"毛泽东热"。这无疑是意识形态国家机器的运作与特定的公共空间之初现、禁忌的重申与对禁忌的消费、主流话语重述与政治窥秘欲望等等彼此对立、相互解构的社会文化症候群。换言之,这是另一个有趣的多重话语的共用空间。从某种意义上说,1990年的"毛泽东热"在此后虽盛况略减,但始终持续,直到1993年对毛泽东诞辰一百周年的大规模、有组织的纪念活动中达到一个新的高潮。正是在这一特定的共用空间中,由多媒体介入、多中心发出的"毛泽东热",实际上共同构成了一次对"文化毛泽东"的书写。这是一次重构与戏仿,一次意识形态运作与对意识形态的消费。

事实上,即使作为一种经典的主流话语的运作方式,毛泽东形象也不仅呈现为对革命经典叙事、或曰再现国家的初始"创伤情境"的"民族叙事"的单纯复制,而呈现为一种新叙事策略,一种在偏差与错位中,对神圣、对革命经典叙事话语的重述与重构。类似情形不仅呈现在90年代重要的"革命历史巨片"或曰"主旋律"电影(诸如《开天辟地》、《大决战》、《开国大典》、《重庆谈判》)之中,而且更为清晰地呈现在众多的以毛泽东为主角传记题材的故事片、电视连续剧之中。

从某种意义上说,作为主流话语运作方式的革命历史叙事、领袖叙事,与作为共用空间初现的、来自于市民阶层的"毛泽东热",并不是一个彼此对立冲突的话语系统,或中心与边缘间的文化及话语权力间的争夺与对抗。事实是,早在 80 年代末,在毛泽东形象再度为主流话语和革命经典叙事所借重之前,市民社会中的"毛泽东热"已初露端倪。似乎是作为一种新的时尚与流行,毛泽东的画像(间有周恩来的画像)——曾作为神圣的"标准像"的那一幅已作为悬挂饰物,开始悄然取代了汽车司机们曾热衷的毛绒玩具、送香瓶(作为"洋气"——想像中的西方情调)、倒福挂坠(传统的平安祈福),大量出现在轿车的前窗上。继而出现了同样图饰的 BP 机皮套、手表底盘、防风打火机外壳。颇有风靡一时之势。并非如某些海外论者所强调的,这单纯地表达了某种不满或政治抗议姿态。

从某种意义上说,七八十年代之交,对"四个现代化"的实现的允诺,再度唤起了一种"大跃进"或曰乌托邦的热望。而整个 80 年代,乐观主义与理想主义的热气球则不断地加速度持续升腾。当想像与现实间的鸿沟于 90 年代初清晰显影之时,无疑带来了极为强烈的失望与不满;同时对上层腐败的不断曝光,则加深着这种失落与不满;那么,"毛泽东热"的初现与极盛,确乎有着在新的社会语境中经典神话重述的政治与现实意味。它指称着一条想像的救赎与回归之路。同时,它作为一个重要的社会文化症候,正向人们揭示出转型中的大陆中国社会一种极为重要的心态,那便是在一个渐趋多元的、中心离散的时代,人们对权威、信念的不无深情的追忆,以及在实用主义、商业大潮和消费主义即将全线获胜之前,对一个理想主义时代的不无戏谑、亦不无伤感的回首;一个"需要英雄"的时代,来自民间的对英雄与神话的呼唤;一个正在丧失神圣与禁忌的民族,对最后一个神圣与禁忌象征的依恋之情。它间或寄寓着在重写中救赎记忆的愿望。或者更为准确地说,"毛泽东热"在民间的兴起,意味着人们对社会"安全"感与信托感的渴求,对一个并不富足但是(至少在理论上与想像中)没有饥饿与未知威胁的时代的记忆。然而,为大部分论者所无视或忽略了的,正是在"毛泽东热"初起之时,汽车、BP 机、防风打火机等也正在成为时尚的象征、消费主义的能指。于是,与其说这是某种清晰自觉的政治行为,不如说它更像是一种政治潜意识的流露:政治权力与消费主义的置换与合流;

一种意识形态的日常生活化与消费化的趋向,正在以不无调侃与亵渎的形式,在实现着对禁忌与神圣的最后消解。

而八九十年代之交,在"毛泽东热"之中,在数以千、万记的出版物与音像制品之中,形成了热点中的经久不衰热点的,是权延赤以跟随毛主席多年的卫士长李银桥的回忆录形式所著的《走下神坛的毛泽东》(此外尚有同一形式的《走向神坛的毛泽东》,以及《红墙内外》、《领袖泪》、《卫士长谈毛泽东》①等等多种与《走下神坛》内容大同小异的版本流行于世)。此书仅第一版便发行十万册,并且在四五年间一版再版,畅销不衰(姑且不提多种盗印本与改写本)。有趣之处在于,《走下神坛的毛泽东》,不仅成为一本极端成功的畅销书,而且在某种意义上呈现了"毛泽东热"的基调,成了这一重要的社会文化现象的题解。而这本为数百万人争相购买并为之热泪盈眶的作品,事实上在有意无意之间成了主流话语及话语策略转换中最为成功的一例。"走下神坛",正是这一次"毛泽东热"的真义之一。

如果参照宋一夫、张占斌先生的见解②,将50年代的"毛泽东热"视为一次"造神"运动的开始,将60年代的"毛泽东热"视作"造神"运动近于疯狂的峰巅,那么,八九十年代之交的"毛泽东热"则是一次"由神而人"的叙事或曰重述的过程。尽管在此之前有过类似形式的《跟随毛主席长征》③,但在《走下神坛》一书中,毛泽东第一次呈现在日常生活场景之中,呈现在夫妻、父子、饮食起居的场景之中。一个伟人,但有血有肉、有情感、有痛苦,在性情中、在情理中。一个因超越了普通人而必须比普通人承受更多、更大痛苦的个人,甚至是一个因伟大而孤独乃至无助的个人。许多新中国重大的历史事件,在此书中被赋予了个人化、性格化的动因与解释。万民领袖,但也难出人伦常情。于是,当人们捧读此书时,他们因新的获知,在某种全新的悲悯与原宥之情中,重温并重写了一份敬仰之情。《走下神坛》一书因之而成了几乎所有涉及当代史的"革命历史巨片"及毛泽东传记片、电视连续剧必须的素材读本,几乎每部类似的影视作品都必然包含了取材于此书的情境与细节。

在某种相对低调处理的、情感化、个人化的叙事语调中,重写的历史场景再次要求着读者、观众(人民?)的理解、原宥与分担。从某种意义上说,《走下神坛》一书,不仅为诸多的"主旋律"电影提供了新的素材、叙事策略、语调与距离,而且成了此后盛行的关于毛泽东的畅销书的写作、出版及购买必须参照的蓝本。诸如《毛泽东传》《我眼中的毛泽东》《生活中的毛泽东》《1946—1976毛泽东生活实录》《毛泽东的儿女们》《毛泽东逸事》《毛泽东轶闻录》《走近毛泽东》,④如此等等,均首版数万、数十万册不等,并遍布各大城市的书店、书摊,成功畅销。与此同时,伴随着"毛泽东热",60年代及其"文革"歌曲在电子音乐伴奏、流行歌手的演唱中再度流行。以《怀念你,走下神坛的毛泽东》(湖北音像出版社、张咪、杨宗强演唱)为主题,全国各大音像出版社出版了数百种毛泽东颂歌、语录歌的录音盒带和CD。⑤这是一次真正的流行,在经典的高音喇叭的有线广播中,在电台、电视台、在形形色色的演唱会、综艺类节目,在卡拉OK厅、KTV包房、在家庭卡拉OK的热烈中,在露天的群众舞场和昂贵的高档舞厅。对年轻人,这是一种新鲜的时尚,对中年以上的人们,它是一份跨越了四十年的、亲切、稔熟的、"个人"的回忆。1993年,法国钢琴家克莱德曼访华,在北京容纳数万人的首都体育馆举行演出,他的拼贴式的、极为优雅而兼有滑稽剧表演的演出风格,他在中国名传遐迩的细腻而煽情的《秋日的私语》,固然引起青年观众极大的热情,但只有当"太阳最红,毛主席最亲"的旋律响起的时候,全场才真正进入了狂热的状态。

如果说,围绕着《走下神坛的毛泽东》,权力话语以新的叙事策略、语调,在一次由神而人的叙事过程中,试图再度整合"讲述(重述)神话的年代"⑥,而在市民社会中则在一种"新"的时尚中表达了他们的现实情绪,安全感需求;那么,90年代初年,两桩一度沸沸扬扬的花边新闻、热门话题,则揭示出另一个时常为人们所忽略的意义。一则是为彼时各种娱乐、消闲性书刊争相刊载、转载的某近年来专事扮演领袖的特型演员在全国各地的综艺类文艺晚会上索取高额出场费,并偷税漏税的花边报道;另一则是关于六七十年代最为重要且著名的作曲家李劫夫的女儿状告若干音像出版社盗用李劫夫作品、侵害其署名权、著作权的跟踪报道。此案以原告胜诉,其中两个出版社公开道歉并赔款而告结束。尤其是在后一例之中,生产于六七十年代的、曾作为强有力的政治宣传/意识形态工具的文化制品,在这桩署名权、著作权的诉讼案中,剥落了其作为社会共有、"精神财富"的"惯性"想像及指认方式,显露出其作为私有财产的价值与价格。这两则花边揭示了在"毛泽东热"背后,一个消费文化与文化消费的现实。

从某种意义上说,从"毛泽东热"极盛的1990年至今,这已然是一个昭然若揭的事实。一度被人们作为愚昧与极权的产物而鄙夷的毛主席像章,此时成了极有价值的个人收藏品,并重新制作、销售;各类当年的"红宝书"——《毛主席语录》、袖珍《毛泽东选集》四卷合订本、毛泽东像以极为昂贵的价格出现在外国游客、旅居者出没的场所;"文革票"早已在集邮者中一炒再炒,成为价值连城的珍品;甚至"文革"中的各类油印小报,也已奇货可居。如果说,"毛泽东热"的产生有着其既深刻且多元的社会、文化、心理成因;那么,它的极盛与流行,同时包含着当代中国政治揭秘/窥秘的消费、供求关系于其中。它确乎是一次意识形态的生产与再生产过程,同时是一次极为典型的生产/消费过程,一份极有中国特色的消费主义文化时尚。其中主流话语与消费主义文化彼此冲突、又彼此借重,互相解构又不断合流。如果说,90年代主流叙事所借重的是一个"由神而人"的过程,再度试图由神圣、膜拜、敬畏或敌视而为理解、悲悯与原宥,从而实现新的文化整合;那么,为这一策略信奉者所始料不及的是,这份悲悯情怀也将抹去神圣偶像的最后光环。如果说,"拆毁的殿堂还是庙,扯下来的神像还是神"(俄国诗人莱蒙托夫的诗句);那么,在"毛泽东热"之中,消费禁忌、记忆与意识形态的热浪却有力地消除着"殿堂之高"与"江湖之远"、神圣的超越与市民之红尘间的沟壑。或许可以说,这是又一处中国大陆特有的、重叠在一起的黄昏与黎明,又一次时代的终结与开始。

1993年12月26日,为纪念毛泽东诞辰一百周年,中央电视台在毛泽东故乡韶山举行的大型文艺演出,似乎是一个有趣的例证。文艺演出的前半部分,是壮观的合唱队演出的六七十年代毛泽东颂歌联唱,气势磅礴,雄风犹在,再度显示社会主义合唱艺术的恢宏与魅力。但在为这一特定的时刻谱写的童声独唱中却出现了这样的词句:"我问妈妈他是谁?/妈妈说:他是天上的云,/他是墙上的灯,/他是勇敢的老山鹰,/他是勤劳的小蜜蜂。"在对"文化毛泽东"的多元而又共同的书写中,一个深刻的社会、文化的演变,一次全新的权力更迭与转移正在发生。

"原画复现"

在消费记忆、意识形态的诸多社会文化现象中,"文革"时代的特定产物:知青群落、知青文化与写作,以及关于知青的话语演变与更迭,成为另一个丰富的文化——消费文化的症候群。

从某种意义上说,盛行于 80 年代中后期的"知青文学"这一称谓,不仅指称着一个特定的作家群落,指称一种特定的被叙事件,而且事实上形成了一种多重缝合的叙事样式,一个极为特殊的、为多元决定的话语所穿行的文化空间。它是无虚饰的告白,又是心灵的假面;是伤痕的展露,也是精神财富的炫耀;它是一代人特殊记忆的书写、删改、补白或虚构,同时也是"寻根"——对民族文化记忆痛苦绝望的追寻与质疑;它是先锋文学间或涉足的场景,也是女性写作不时介入的空间。一如 80 年代的历史文化反思运动,实际上是夭折的政治反思文化的伸延或曰其转喻形式;而"知青文学"无疑继"伤痕文学"、"反思小说"之后,直接负载着沉重的、令人难于负载的"文革"/现实政治记忆。

然而,不同于"伤痕文学"或"反思小说",知青文学这一特定的话语空间,包容着远为繁复的情感与陈述。与其说这是另一种控诉,不如说它更像是一种无限萦回的怀念与追忆;与其说这是一份忏悔,不如说它更近似于一份光荣与梦想的记录;与其说这是某种历史的沉思,不如说它是不能自弃、不能自已的情感立场。于是,"知青文学"似乎作为一种特例、一次特许,联系着"文革"记忆、红卫兵运动和知识青年上山下乡运动,与主流意识形态形成了微妙的错位与汇合。事实上,从《绿夜》到《大林莽》,从《这是一片神奇的土地》到《金牧场》,甚至《麦秸垛》与《岗上的世纪》,⑦典型的或不甚典型的知青小说始终以青春有悔,但无悔青春的、痛楚的却昂扬的基调与彻底否定"文化大革命"的主流话语相错位。然而,它之所以可以成为一个特例,获得一种特许,正在于它是以一种强烈的情感而非理性的姿态固执着一份遭重创、但不自悔的英雄主义、理想主义激情。这无疑是曾为而且至今仍为主流意识形态所嘉许的精神与叙事基调。事实上,就知青小说而言,它与其说是拒绝清算"文革"时代,不如说是拒绝清算自己的青春记忆。如果说,米兰

·昆德拉将60年代东欧的文化态势描述为"一代人清算自己的青春"⑧,那么,在80年代的中国大陆所发生的似乎是相反的情形。对于在"文革"十年中度过了自己的青春岁月的一代人说来,"向'四人帮'讨还青春"、或"从我们的年龄中减去十年"的口号显得太过轻松与廉价,而清算、否定自己的不寻常的青春,则太过残酷、绝望。

如果说,80年代的大众更渴望的是想像性地、以"恶梦醒来是早晨"式的话语,告别这段陡然成为历史的不堪记忆,并在为了忘却的欢笑中强化一种"重新开始"或新生的幻觉;如果说,不断获得轰动效应的"伤痕文学",是在虚构的英雄与温情中,试图从历史中拯救个人;那么,知青文学所追求的,则是从历史的灾难、劫掠与罪恶中救赎自己——一代人的青春记忆。于是,他们几近绝望地尝试将自己的青春记忆从历史和关于历史的话语中剥离出来。这无疑是一种徒劳。于是,一种浸透了创楚的理想主义激越,使知青一代,以及知青文学在不期然之间不仅与经典主流话语相汇合,而且与50年代人的"痛苦的理想主义"相呼应。但正是在那一不断的剥离之中,在对青春记忆、或曰一代人的自我价值绝望的救赎之中,关于英雄主义与理想主义的陈述,渐次渗入了个人主义的话语——尽管囿于集体主义的情景、现实与规定。

时至80年代后期,知青文学以及关于知青一代的表述,已不仅作为一个为多元所决定的、为多重话语所穿透的文化空间,而在渐次裂解中成为一个多元的话语场。其中一部分终于加入了主流话语,成为其中重要组成部分;而另一些则在渐趋鲜明的实用主义文化与现实中,因其对信念的固执、因其理想主义的纯净与脆弱,而成为所谓失败者与被弃者的陈述;其中最为极端的,则以某种狂热的文化英雄主义激情,在与主流话语不断的遭遇与错位之中,渐次蜕变为一种边缘。事实上,在80年代的十年中,曾投身于"知识青年上山下乡运动"的一代人,部分已通过不同的渠道(主要是重新恢复的高考制度)登上并逐渐入主中国社会的政治、经济舞台;而在文化舞台上,这一代人则已然成为80年代精英文化的主部与中坚。此间关于所谓"第三代"、"第四代"⑨人的话语不断衍生、增殖,实际上成了同代人争取文化霸权的实践。

这一时期的一部介乎于纪实与虚构之间的作品:老鬼的《血色

黄昏》⑩,不期然成了八九十年代文化断裂的一个标识,同时成了连接这一新断裂带的一座浮桥。作品自传、近于日记式的叙事语调,叙事人与人物无间离的合一与认同,使《血色黄昏》呈现出一种赤裸酷烈、几近狰狞的"原画复现"的特征。在这幅复现出的"文革"与知青岁月的画面中,显露出理想主义话语中特定的、庞杂的填充物以及其间必然包容的暴力与残酷;英雄主义在现实遭遇中的重创与萎缩;个人主义的绝望反抗与挣扎,却是为了朝向"集体"的认可与接纳。那几乎是一个时代、一代人所遭遇的全部悖论情景,一处不断奔突逃离却去而复返的"鬼打墙"⑪。但这一切只是无遮蔽地呈现在一个无反省的、或曰拒绝反省与忏悔的个人回忆之中。从某种意义上说,这部屡经延宕、终于面世的作品,成了众多的知青写作的底本,成了稔熟、绚烂的著名画卷于色彩剥落后复现出的一幅原画。它显然不同于"伤痕"、不同于"反思"与"寻根",它只是一阕个人的话语,它只是以一种赤裸或曰赤诚的陈述(于不期然之间完成了由英雄主义的社会理想向文化英雄主义的转换),在要求着"集体"/社会对个人英雄行为——将屈辱、放逐作为考验来承受的个人、理想的纯净与赤诚——予以追认。似乎是为某种青春情感的固执而索取的必须的代偿。

记忆的"价格"

然而,有趣之处在于,《血色黄昏》在一度成为热门话题并一版再版之时,它所唤起的,并非对作品无反省、拒绝忏悔的盲目与狂热的触目惊心,而在一幅复现的原画所突然涌出的一股强烈的怀旧与留恋的热浪。事实上,《血色黄昏》比此前诸多的知青文学及关于"第三代"、"第四代"的话语更为直接地引动了一代人的记忆与"正名"的渴望。于是,1989年,在天安门广场另一番热烈景象之旁,在"现代艺术展"的轰动之畔,"魂系黑土地"——大型图片、实物展在历史博物馆隆重开幕。一个并非偶合的时间和地点,表明了此一代人固执于自己的青春记忆与记录、顽强而曲折地试图进入历史的时刻与线路。同样拒绝忏悔的、"青春无悔"的主题再次应和着一种悲壮、激进而盲目的"世纪之战"的主旋律。继发的一次跨越八九十年代的、持续的对"黑土地"、"黄土地"、"红土地"

的追忆、讴歌,继《血色黄昏》和《魂系黑土地》展览之后,大量关于知青运动的回忆录、报告文学、准"历史"写作,制造了一种新的畅销书类型和新的畅销书作者。其中引人瞩目的有《大草原启示录》、《中国知青潮》、《中国知青部落》、《风潮荡落——中国知青运动史》、《中国知青梦》等数十种作品。⑫作为一种新的文化症候,其中始终深刻地持续着一种关于"青春无悔"——对青春记忆、自我和历史的确认,一种已然入主社会舞台的力量所推动的意识形态合法化实践,和"血泪记忆"——反思、控诉、质疑历史的精英主义文化实践之间的论争与冲突。然而,后者明显地迅速处于劣势。这不仅在于前者无疑为某种主流话语所支持,而且潜在以宏观政治经济学的经济实用主义以及持这一立场者的经济政治实力为前提。同时与80年代中后期的报告文学的主要趋向相汇合,它应和着中国大陆特定的政治窥秘渴求,成为即将奔涌而出的消费主义文化的先声。从某种意义上说,刚好是历史控诉类型的写作者(或者说,是这一立场之表象的攫取者)更为成功地将所谓知青历史的写作转换为书写暴力乃至色情的绝佳载体之一。与此相伴随的是盛极一时、几为时尚的"知青返乡热"。显而易见,这并非《南方的岸》或《心灵史》⑬式的回归,而更近于某种衣锦还乡式的自我印证,或者是一种新型的旅游项目的兴起。⑭在这一领域,消费主义文化再度以消费意识形态的方式崭露头角。

这一知青、"老插"怀旧与复现青春记忆的文化症候与社会时尚,于90年代的北京、于消费主义文化的潮头中被直接转换为一种消费方式与消费时尚。90年代初,在北京不同的繁华地段,出现了名曰"黑土地"、"向阳屯"、或"老插酒家"的中、高档酒店、饭庄。始作俑者别具匠心地设置了一盘盘土炕,令食客们盘腿围坐炕桌,而且供应历来不登大雅之堂的宽粉炖肉、贴饼子、棒茬粥、蚂蚁上树、老虎菜,当然亦不乏各式东北风味的精美菜肴。即使是乡野风味的"粗茶淡饭"同样价格可观。开业伊始,"黑土地"、"向阳屯"等等门庭若市,别是一番热闹辉煌。它们不仅一时间制造了一种新的时尚,一个极为流行、时髦的社交场所,而且实际上在鲁菜、粤菜、川菜一度流行之后制造了东北菜的知名与流行。一如四处张贴的"老插酒家"的征联启事所云:"这是老插们怀旧、寻梦的理想场所。"在昔日知青(或曰其中的"成功者")找到了"怀旧、寻梦"、相聚之地时,他们所获得的已不再是复现的"原画"或记忆中的时光,而是被复制、被出售的表象、仪式与"味道"、某种消费方式而已。一种明码标价的"记忆"。一个有趣的例子是,在"黑土地"餐馆中独辟一壁令当年的"北大荒人"在此放置他们各自的名片。其上固不乏各界名流,但最为多见的是名目繁多的各类尚不见经传的贸易、物业、房地产、广告或各种名目的公司董事长、总经理之类的名目与头衔。于是,不无悲壮的、黑土地上的历史记忆与现代都市的交际方式,激情、感伤的怀旧追忆情怀与功利主义现实目的,对"无悔青春"的想像性重返与奋斗/成功之路(以金钱与消费为绝对及惟一尺度)的展露与认证,便不无"后现代"意味地缝合、或曰拼贴在一起。一个新的功利主义、消费主义的文化与现实甚至超越了80年代由"北大荒精神"到"大碗茶奇迹"的转换。⑮

而此间,李春波的一曲风靡全国、流行城乡的《小芳》,似乎作为一个更为有趣的例证,标明了一个深刻的社会与文化转型的发生与发展。作为一首"后知青"歌曲,《小芳》以直白的词句、简单的曲调,模仿并改写了当年的知青歌曲。一洗当年的激情、忧伤与无望,《小芳》轻松而不失真情,浅直却不乏诚挚。这显然不是一幅复现的"原画",而更像是一种"黑土地"、"向阳屯"式的趣味与消费。与其说它是一份痛苦的追忆,不如说它是一份因距离而获得的安全感,更近于某种优越与奢侈。但更为有趣的是,这首为了流行/消费而制造出来的通俗歌,确乎流行全国、盛极一时,但它却不是以其制作者预期的原因、预期的方式流行开来的。如果说《小芳》的初衷,是以"村里有个姑娘叫小芳"、"谢谢你给我的爱,今生今世我不忘怀;谢谢你给我的温柔,帮我度过那个年代"来加入那个消费记忆、安全而优越地回首青春岁月的时尚;那么其始料不及的是,真正使歌曲获得流行的,却是另一类人、另一种成型中的社会空间的文化消费需求。为《小芳》直白、简单而诚恳的风格所吸引、为歌中那留着长辫的、朴素的农村少女所感染的却是在八九十年代之交涌入城市的、离土离乡的农民工,和对中国农村只拥有想像性体验的新一代都市人。《小芳》在这些新的都市边缘人和都市青年中大受欢迎。对遥远旧日的轻松回眸,为当下身受的情感所取代。与此同时,毋须记忆的铺陈,一个传统的少女形象,加上滥觞于通俗歌曲中爱情情境,满足了都市边缘人的文化需求,同时满足了都市青年的某种心理匮乏；而直白的歌词、简单的旋律，则作为一种别致的趣味，应和着一种不无调侃心态中的返璞归真的愿望。没有人在意诸如"帮我度过那个年代"一类有着特定所指的词句。于是，李春波的又一首成功的流行歌便成了为这一特定消费需求而制造的《一封家书》⑯，不再借助回忆或想像的由头，而成了一个极为寻常、或曰日常化的情境，一封最为普通的家信。甚至不再保留最为简单的歌词韵脚，这一次，他直接以口语入歌，以"此致敬礼"一类的套话，在城市民工、类民工心中唤起此情此景、如同身受的感受，而在都市青年中则传递出一种反讽、一种无聊与洒脱。不再为诸多不平、不甘中的追忆、反思、正名或"让历史告诉未来"等等超越性目的所累赘，仅仅是一种生存状态的呈现。于是，李春波的歌曲和艾敬的《我的1997》⑰等等一起，形成了本土通俗音乐的一个重要类型：城市民谣。都市与消费开始取代对意识形态与记忆的消费，以其渐趋成熟的形态占据着新的文化空间。

一个未死方生的时代。一次再次地，人们在消费与娱乐的形式中，消解着禁忌与神圣、消费着记忆与意识形态。一个不再背负着不堪重负的未来固然令人欣喜，一个不仅拥有官方说法的前景亦使人快慰，但一个全然丧失了禁忌与敬畏的时代是否便是一幅乐观主义的图景？

注释：

① 上述出版物均署名为权延赤，间或题有"毛泽东卫士长李银桥口述"字样。其中《走下神坛的毛泽东》、《走向神坛的毛泽东》，中外文化出版社1989年第一版；《红墙内外》，昆仑出版社1989年第一版；《领袖泪》，求实出版社1989年第一版；《卫士长谈毛泽东》，北京出版社1989年版。

② 参见宋一夫、张占斌《中国：毛泽东热》，北岳文艺出版社1991年。

③ 《跟随毛主席长征》，为毛泽东20—30年代的警卫员陈昌奉所撰写的回忆录，人民出版社1956年。

④ 《毛泽东传》，美国学者R.特里尔著，中译本由河北人民出版社1989年出版；《我眼中的毛泽东》，郭思敏编，河北人民出版社1990年第一版；《生活中的毛泽东》，海鲁德等编著，华龄出版社1989年第一版；《1946——1976毛泽东生活实录》，郑谊、贾梅编，江苏文艺出版社1989年；《毛泽东的儿女们》，华英著，中外文化出版社1990年；《毛泽东逸事》，张玉凤等著，湖南文艺出版社1989年；《毛泽东轶闻录》，树荣等编，法律出版社1989年；

《走近毛泽东》,蒋建农、曹志为著,团结出版社1990年。

⑤ 截至1992年3月止,畅销的关于毛泽东的录音盒带还有:《红太阳——毛泽东颂歌(新节奏联唱)》,中国唱片总公司上海分公司;《颂歌献给毛泽东——永恒的怀念》,中国音乐音像出版社;《大救星》,扬子江音像出版社;《太阳红》,武汉音像出版社;《毛泽东颂歌》,海南音像出版公司;《北斗星》,北京音像出版公司;《中国歌潮——毛泽东》,广东音像出版社;《万众齐唱——红太阳》,太平洋音像出版公司;《毛泽东颂歌大联唱——红太阳》,中国长城音像出版社;《大海航行靠舵手——毛主席语录歌曲》,北京电影学院音像出版社。

⑥ 美国电影理论家汉德森语,他指出:对于一部叙事性作品的意义说来,"重要的是讲述神话的年代,而不是神话所讲述的年代"。《搜索者——一个美国的困境》,译文刊于《当代电影》1987年第5期。

⑦ 张承志《绿夜》、《金牧场》,孔捷生《大林莽》,梁晓生《今夜有暴风雪》,铁凝《麦秸垛》,王安忆《岗上的世纪》。

⑧ 前波兰作家米兰·昆德拉《笑忘录》,台湾麦田出版社1986年。

⑨ "第三代、第四代"作为现当代中国知识分子的断代法,是中国大陆20世纪80年代中后期的一种十分流行、又颇为混乱的提法,基本上都用来指称红卫兵、上山下乡知识青年这一代人,和中国影坛的"第三代、第四代"的说法无关。首先提出这一概念的是两位青年社会学者的一部专著《第四代人》(东方出版社,1988年),其中将"文化大革命"中的红卫兵、后来的上山下乡知识青年统称为"第三代"。而比较全面定义和论述中国现当代知识分子的断代的是刘小枫的《关于"五四"一代的社会学思考札记》(《读书》1989年第5期):"'五四'一代,即上世纪末——本世纪初生长,20至40年代进入社会文化角色的一代,这一代人还有极少数成员尚在角色之中;第二代群为'解放的一代',为三四十年代生长、五六十年代进入文化角色,至今尚未退出角色的一代;第三代群为'四五'一代,为40年代末至50年代末生长,70至80年代进入文化角色的一代;第四代群我称为'游戏的一代',即60至70年代生长,90年代至21世纪初将全面进入社会文化角色的一代。"但20世纪80年代中期一部极为流行的长篇小说,柯云路的《京都》三部曲的第二部《衰与荣》(人民文学出版社,1986年)中,将"文革"初期的"老红卫兵"即"文革"初年的大学生和高中生称为"第三代",将此后十年中的知识青年称为"第四代",因而产生了较大的影响。此后,第三代、第四代同时用来指称红卫兵和上山下乡知识青年一代。在笔者论及的诸多知青回忆录式文章中,有一本文集的题目就是《苦难与风流——第三代》(华艺出版社,1993年)。

⑩ 老鬼《血色黄昏》,中国工人出版社1988年。

⑪ 在夜晚无明显标记的旷野中行走,不断回到原起点的现象,民间称"鬼打墙"。先锋艺术家徐冰曾将他1990年的最新作品——巨幅长城城墙拓片命名为《鬼打墙》。

⑫《大草原启示录》,《大草原启示录》编辑部编,内蒙古人民出版社1990年;《中国知青潮》,作者、出版社不详;郭晓东《中国知青部落》,中国工人出版社1990年;杜鸿林《风潮荡落——1955-1979年中国知识青年上山下乡运动史》,海天出版社;邓贤《中国知青梦》,人民文学出版社1993年。

⑬ 孔捷生《南方的岸》、张承志《心灵史》。

⑭ 1994年夏出现了一种新的收费性的夏令营,即组织中学生到父母插队的地方去"锻炼",准确地说是度假。

⑮ 80年代官方报刊曾一度宣传了几个自东北建设兵团返城的知青,从卖"大碗茶"开始,终于成就了又一番大事业,建成了民营的"前门商业大厦"。

⑯ 李春波的《一封家书》据称的确是他写给自己父母的家信。歌词如下:"亲爱的爸爸妈妈,你们好吗?现在工作很忙吧?身体好吗?我现在在广州挺好的,爸爸妈妈不要太牵挂,虽然我很少写信,其实我很想家。爸爸每天都上班吗?管得不严就不要去了,干了一辈子革命工作,也该歇歇啦。我买了件毛衣给妈妈,别舍不得穿上吧,以前儿子不太听话,现在懂事他长大了。哥哥姐姐常回来吧,替我问候他们吧,有什么活就让他们干,自己孩子有什么客气的。爸爸妈妈多保重身体,不要让我放心不下,今年春节我一定回家,好啦先写到这儿吧。此致敬礼。"

⑰ 艾敬《我的1997》是另一个有趣的例子。它同样在一种极为口语化、歌谣化风格中,将间或被称之为"大限"的1997——香港回归放置在艾敬的个人际遇之中,它由是而不再呈现一个历史的时刻:"我的1997你快点来吧",只为了"我也可以去香港"。

南 帆

广告与欲望修辞学

一

人们竟日生活于广告的包围圈之中。迄今为止,广告已经是文化空间最为强大的符号系统之一。相对于小说、电视肥皂剧乃至一首抒情歌曲,广告是一种微型叙事。然而,广告的发表频率极大地弥补了形式的分量;人们的记忆之中,广告所占有的文化份额并不亚于其他文化类别。另一方面,广告是一种妇孺皆知的艺术;形象生动,朗朗上口——这使广告的亲和力远远超出了通常的文化类别。现代社会,商业广告令人们见多识广。即使没有见到实物,人们仍然意识到了丰盛的物质世界。在这个意义上,广告扩大了人们想像生活的空间。当然,广告赢得的效果与广告的生产及其发表机制有关。与另一些文化产品相异,广告不仅免费提供,广告所宣传的企业还必须向广告制作者和传播媒介支付制作、发表的费用。企业所期待的是,这一切费用都将在商品的销售之中得到巨额的补偿。

广告的活跃及其无与伦比的覆盖面表明,这个符号系统正在公共领域扮演一个愈来愈重要的角色。令人犹豫的是,这里所提到的公共领域是否可以沿袭哈贝马斯的著名描述。哈贝马斯认为,公共领域是介于国家与社会之间进行调节的一个领域,人们可以在这个领域自由地结合,理性地讨论种种公共问题,坦率地公开表达他们的意见。"当这个公众达到较大规模时,这种交往需要一定的传播和影响手段;今天,报纸和期刊、广播和电视就是这种公共领域的媒介。"哈贝马斯甚至具体分析了 18 世纪西方历史上的文学公共领域——例如沙龙、咖啡馆和宴会——如何成为宫廷公共领域向新兴资产阶级公共领域过渡的桥梁。①然而,现今的公共领域——包括表述公共意见的传播媒介——是否以理性和自由为原则？人们毋宁说,公共领域交织了多重的权力关系。一方面,国家的强制性权力并未像哈贝马斯所说的那样遭受抑制,国家的声音仍然在许多时候主宰了公共领域；另一方面,其他类型的权力——例如性别、种族、财富、名望以及体现为知识技术的文化资本——仍然此起彼伏,逐鹿中原。按照汉语的字面涵义,"广告"即是广而告之。然而,面向公众发言从来不是毫无限制的事情。发言权决不是无偿的。没有严格的论证和审批,三五个市民或者一些小团体试图相聚于某一个电视频道自由地宣谕他们的理论,这几乎是天方夜谭。即使在自由市场的环境之中,即使私人的交易不再遭受强制性的控制,大众传播媒介仍然不是一个完全敞开的场所。大众传播媒介不可能脱离特定的经济、物质条件而存在。这打破了大众传播媒介不受限制的自由幻想。例如,商业广告很大程度地支付传播媒介的运作费用,这即是利用财富换取发言权。即使某些广告文辞拙劣,制作粗糙,巨额的广告费仍然可以为它们敲开大众传播媒介的大门。这无疑是以经济实力兑换的权力对于公共领域的支配。所以,相对于哈贝马斯的乐观,我更多地想到霍克海默与阿多尔诺在《启蒙辩证法》之中的简洁断言:"广告本身纯粹是社会权力的展示。"的确,这种权力的号召功能及其集结的隐形社会组织均是不可低估的:

>……今天,广告宣传甚至用女电影明星的特写照片,来标明某些产品的声望,用流行歌曲的曲调,来赞美它们的对象。广告与文化工业在技术上和经济上都融为一体了。到处是同样的广告,到处机械地重复宣传同样的文化工业产品,甚至采用同样的宣传用语。到处介绍和推广人们使用文化工业产品的技术、心理状态和经验。到处都宣传奇特的但又是令人信任的,轻松的但又是印象深刻的,富丽堂皇的但又是朴素的范例,以便吸引分散的具有各种各样意见要求的顾客。②

20世纪下半叶的相当长一段时间里,中国似乎取缔了称之为公共领域的空隙。革命领袖意识到,如果无产阶级没有主动地占领文化阵地,资产阶级必定会乘虚而入。按照这种观点,国家与新兴的无产阶级互为表里,时刻抵制资产阶级的复辟企图。两大阶级相互交锋的前沿并不存在缓冲地带。因此,从期刊、报纸到广播、电视,阶级搏斗成为首要主题。无产阶级的压倒性优势表现为社会主义国家权力对于大众传播媒介的绝对控制。种种自上而下地规定的口号分布在大众传播媒介之中,成为不可违抗的主导旋律。80年代开始,阶级搏斗的主题开始后退,取而代之的是"人性"、"人道主义"、"主体"这些温情脉脉的理念。我至今还清晰地记得见到两条标语替换而产生的感慨——80年代的某一天,一面通常刷上"以阶级斗争为纲"或者"抓革命,促生产,促工作,促战备"的白墙突然出现了一句富于人情味的话语:"工地施工给行人带来不便,请原谅。"显然,这种话语象征的是,所谓的公共领域正在某种久违的气氛背后隐约浮现。即使在今天,人们还可以在"讲述老百姓的故事"甚至"实话实说"这些标题之下发现这种气氛的残迹。

然而,对于一系列大众传播媒介说来,这些温情脉脉的理念并没有持续多久。市场经济的环境再度规劝浪漫的情怀向实际利益屈服。人们迅速地发现,所谓的公共领域是有待于开发的商业资源——大众传播媒介是可以折价出售的。如今,商业广告的大显身手表明,大众传播媒介已经找好了买主,顺利实现了收大于支的经济循环。据考,20世纪下半叶中国的第一条商业广告于1979年1月28日在上海电视台登陆,参桂补酒是这条广告的主角。这不啻于在大众传播媒介宣告商业主题的正式粉墨登场。也许,援引两个数据有助于测算大众传播媒介的不俗价格:1997年,中国企业的广告费为460亿元人民币,占国民经济总产值的0.5%,而美国同年的广告费为1700亿美元。众多发达国家广告费与国民经济总产值的比率通常都达到2%。③当然,商业主题的扩张同时带来了小康的世俗气息。从冰箱、沙发、灯具、眼镜到果冻、葡萄酒、肥皂、洗洁精,大众传播媒介之中的生活渐渐沉入日常用品的表象,殷实祥和,富于家庭气氛;这时,种种形而上学的理念或者风格崇高的美学理想销声匿迹了。谁可以想像,某一个荷戟的猛士威风凛凛地矗立于广告之间呢？

不可否认，广告的介入很大程度地改变了大众传播媒介的运作方式。根据雷蒙德·威廉斯的观点，18至19世纪的"艺术"和"文化"分别摆脱了生产技艺的范畴而出现了现代意义上的独立。④尽管如此，艺术与文化生产的成本回收与艺术家个性之间的矛盾始终是一个悬而未决的问题。大众传播媒介无法从消费者手里换回足够的运行开支。这时，广告商的加入解除了文化生产的困境——巨额的广告费致使许多问题迎刃而解。资料显示，中央电视台历年的广告收入呈现了阶梯式的上升之后始终在一个相当高的水平上徘徊——中央电视台1995年的广告费为3.6亿元，1996年为10.6亿元，1997年为21亿元，1998年为28亿元，1999年为26.8亿元，2000年为19.2亿元。⑤然而，广告费并不是无偿施舍，广告必须攀援于抢眼的作品之上招徕观众；例如，电视广告费的高低与收视率成正比。这个意义上，广告费必将与作品的风格发生联系。事实上，只有那些煽情的、血腥的或者场面火爆的作品才能得到多数广告商的青睐。如果说，许多艺术家不得不在广告商趣味的制约之下构思作品的时候，艺术家的个性以及文化的独立意义均告瓦解。

通常，广告是作为电视屏幕之上的边角料出现于种种节目的夹缝之间；广告如同一圈花边或者无关紧要的点缀耍弄一些小小的形式伎俩。尽管广告只能叨陪末座，然而，巨额的广告费却支持广告与文化艺术作品之间进行一场文化权力的争霸之战。广告商可以依据一定的费用决定艺术作品的情节演变，选择演播的时间，提交某一个商品品牌充当节目的命名，并且每隔一段时间就随心所欲地腰斩一部影片或者一席精彩的访谈。广告的边缘位置仅仅是一种假象；事实上，广告操纵着一切。换言之，广告正在影像区域重新分配一系列文化作品的等级。波德里亚认为，广告的真正效果是"通过信息有条不紊的承接，强制性地造成了历史与社会新闻、事件与演出、消息与广告在符号层次上的等同"⑥。

套用布迪厄使用的术语，广告与文化艺术作品的关系象征了经济资本对于文化资本的征服。必须看到，这种征服不是以击败文化资本而告终；相反，广告巧妙地调集或者征用文化资本为之效力。如同人们看到的那样，由于高额报酬的收买，许多著名的文化人士——尤其是电影或电视明星——现身屏幕,利用自己的声望推荐某种品牌的商品。他们不惜屈从于拙劣的导演,甚至愿意充当欺世之谈的代言人。⑦众多迹象表明,经济资本与文化资本的联手将是公共领域的未来主宰,广告无疑是两种资本会聚合流的特殊形式。

二

尽管有人把广告追溯到很早的起源,但谁也无法确定这个行业是何时形成的。不过已经找到好些书面广告的存在证据,有人认为这是最早有记录的推销活动。人们最常提到的是一块巴比伦粘土板,上面书有介绍一个药膏贩子、文书与鞋匠营业项目的文字。还有一张从梯比斯遗址中发现的草纸,上面悬赏捉拿逃跑的奴隶。广告的早期历史中不乏有关希腊传布公告的和罗马商店招牌的记录,读起来引人入胜。⑧

虽然广告的早期历史不详,但是,伊丽莎白·威廉逊还是生动地描述了美国的广告业与报纸共同成熟的经历。伊丽莎白·威廉逊告诉人们,18世纪之初的报纸已经开始刊登广告,本杰明·富兰克林被视为广告之父——身兼印刷工和报人的富兰克林极大地改变了广告的风格和排版。更为独特的是,富兰克林开始利用图像表达广告的内容。20世纪是美国广告的全盛时期,这显然与电子技术的飞跃密不可分。"1891年,第一座电动广告牌在纽约竖起,使室外广告这个最古老的广告形式面目一新。"⑨至少在一段时间里,电子产品与广告之间是互惠互利的。美国的许多广播电台是为了销售无线电部件而设立的,电台播放种种有趣的节目可以引诱人们购买无线电收音机。⑩与之相仿,早期的MTV也是唱片商推销唱片与歌手的广告片。或许,当初并没有多少人可以料到,层出不穷的电子产品——广播,尤其是电视以及未来的计算机网络——将为广告的生产和发表开辟一个崭新的历史阶段。广告的黄金时代终于降临。

相对于传统的纸张媒介,电子产品是一个迥异的传播系统。从无线电波、卫星转播到计算机网络,这个传播系统的强大功能是印刷机器、出版商和书店网点形成的组织所无法比拟的。这个意

义上,电子技术的突破甚至赋予广告一套前所未有的风格。如果对电视广告与报纸广告给予比较,人们至少可以发现几个突出的特征:

一、与报纸缓慢的发行速度以及狭小的发行范围不同,电视可以在顷刻之间将某一个形象或者某一种观点传遍全世界。这个意义上,"广而告之"名副其实。由于电视更多地使用影像符号系统,电视广告不像报纸广告那样受到特定语种的限制。

二、多数电视广告维持 30 秒左右的时间长度,一些电视广告甚至更短。一方面,电视广告给人的冲击是瞬间的,人们甚至来不及回味和斟酌就一闪而过;另一方面,短暂的片断保证了广告的频繁发表,短暂和重复形成了广告的双重风格。

三、电视广告大范围地启用了人物形象作为一种基本符号。报纸的文字仅能从事抽象的说明,图片或者巨幅广告招贴画之中出现的人物形象是静止的。只有电视真正打开了人物进入广告的表演舞台。某种观点认为,所有的广告均是由三种基本符号——即产品符号,环境符号和人物符号——组成。⑪ 严格地说,这仅仅是电视时代的广告特征。

四、人物形象大规模进入广告,崇拜文化与广告之间发生了密切的联系。许多社会名流的声望、权威、信誉迅速地被挪用于某种商品的担保;作为特殊形式的利润分成,这些社会名流从广告宣传的企业那里获得了高额报酬。

显而易见,电子传播媒介的运行成本远远超出纸张媒介。筹建一个广播电台、一座电视台或者一个网站的资金是维持一份报纸的千百倍。二者之间的差距犹如机械生产与手工业生产之间的差距。这是强大的传播功能必须索取的代价,也是电视广告必须偿付高昂费用的理由。19 世纪的时候,《纽约先驱报》每份售价 2 美分,每天每条广告收费 50 美分;⑫ 现今,中国的中央电视台免费提供节目,但黄金时段的广告竞价竟达到数亿元之巨。⑬ 尽管价格不菲,众多企业还是踊跃争先。人们对于一个商业神话坚信不疑:广告的传播可能制造巨大的回报,广告所产生的利润甚至是生产技术的改进或者扩大投资所不可比拟的。这不仅改变了人们对于所谓"实业"的估价,同时,商业环境之下的劳动、报酬、财富分配方式无不产生种种奇异的互动。例如,"1997 年,世界舆论曾强烈谴责美国的耐克公司支付给劳动者的工资过低。同年,耐克公司支付给迈克尔－乔丹的广告报酬,要比2.2万个亚洲劳动者的工资总数还多"⑭。如果引述手边的范例,许多人都会联想到哈尔滨制药六厂"严迪"、"盖中盖"或者"泻痢停"如火如荼的广告攻势。目前,这个企业的总资产不上亿元,但是,企业于2000年度投入电视广告的费用竟然达到7亿元左右。对于哈尔滨制药六厂说来,巨大的广告费用并不是盲目投资;1999年的广告投入已经为企业增加了46%的利润——哈尔滨制药六厂的税后利润从1998年的1698万元增至1999年的2483万元。当然,复述广告的辉煌业绩时,另外两个数据同样是发人深省的:第一,演员巩俐因为拍摄"盖中盖"的广告所得到的报酬是220万元;第二,哈尔滨制药六厂1999年投入科研开发的资金仅为234万元。⑮无论如何评价这个范例,人们都必须承认上述这些数据蛊惑人心的力量和背后隐藏的某种畸形的颠倒。

  广告正在被想像为振兴经济的文化先锋。先声夺人被视为信息时代的真理,哗众取宠不再是传统的贬损之词。投放市场的商品日趋饱和,"注意力经济"成为一个时髦用语。"欲得周郎顾,时时误拂弦",企业正在殚精竭虑地让自己的产品勾住消费者的视线;广告艺术家以种种奇特的方式构思广告,甚至不惜因此加大广告成本。据报载,如果用户花费一定的时间拨通某一企业提供的电话号码收听一段广告信息并且回答相关的问题,企业将替用户偿付一定数额的电话费。⑯尽管如此,广告的效果仍在日益衰减。购物指南方面,广告并不像许多人想像的那么重要。广告所发布的商品信息更像是一种漫天撒网,人们的购物欲望与恰当的广告相互遭遇十分罕见。更为严重的是,广告的频繁露面已经导致许多人的反感。人们对于广告的持续骚扰不胜其烦,一些人甚至抱怨广告是一种欺骗和恐吓,或者是一种精神性的侵略。对于电视广告,人们通常使用遥控器予以消灭——广告的来临时常是人们转换电视频道之际。这是一个未经证实的俏皮故事:电视广告出现之际,城市的用水量会急剧增加——大部分观众都会选择这个时刻上厕所。

  可是,这一切并不会削弱广告的产量。麦克卢汉甚至不无幽默地解释了观众与广告之间的一个悖反现象:"气愤的听众正是忠实的听众。因此,厌恶成了广告动态学的一条新的原理,正如它成了美学的新原理一样。"⑰ 许多时候,广告已经一定程度地脱离了商业范畴而独立地成为一种文化行业。现今,"广告文化"已经不是令人陌生的概念。即使某种商品的实物缺席,广告所提供的商品表象仍然可以产生纸醉金迷的气氛。这个意义上,广告生产具有一种摆脱实物的自足性。广告的形象传播是一种文化生产;某种程度上可以说,文化生产的意义并不亚于物质生产。影像符号如此发达的今天,实物与影像之间的界限愈来愈不重要。广告与实物之间是否存在一条真实与否的边界?或者说,刻意地坚持这一条边界又有什么意义?愈来愈多的时候,人们开始忽视这个问题。人们的意识之中,二者之间的沟堑仿佛抹平了。影像符号与现实世界之间显示了光滑的过渡。如果说,后现代社会之中的符号消费开始获得了与实物消费同等的意义,那么,广告的确是一个生动无比的例证。

三

许多人认可这样的表述:广告传播的是一种有偿的、负责的信息。这些信息可能是褒扬某种产品,也可能在一个更大的范围提供某种生活的情报——后者必然包含了某些价值观念、意识形态的宣谕。当然,"信息"或者"情报"不等于说,广告仅仅是一些枯燥的说明书。其实,多数广告的解说和倡导时常经过巧妙的艺术修饰。如果说,李宁牌的"我运动,我存在"、邓亚萍牌的"我自信,我成功"、安踏牌的"我选择,我喜欢"仍然陷于质木无文,那么,另一些广告词则意味隽永。"孔府家酒,叫人想家","我们一直在努力,爱多 VCD","只选对的,不选贵的"——这些广告词节奏明快,可吟可诵。电视广告之中,影像符号极大地增添了文字无法企及的表现手段,甚至产生了一系列特殊的广告修辞,例如著名的三 B 原则——即利用 beauty、baby、beast(美女、儿童、动物)组成广告的背景。这个意义上,人们无法否认广告之中的艺术成分;事实上,许多人乐于直率地宣称广告是一门艺术。

在我看来,无论对于广告的智慧或者才情给予多少肯定,无论广告与艺术之间存在多少相似之处,人们仍然必须意识到广告与艺术之间的内在分歧。的确,如果仅仅考虑到艺术的表象形式——不论这种表象是由线条、青铜、音符还是影像构成——与审美意义上的感性欢悦,人们没有理由将广告阻挡在艺术范畴之外。然而,在我看来,艺术之为艺术的意义主要在于,作品内在地指向了一个异于现实的乌托邦空间。这个意义上,艺术是自律的。艺术的表象和感性犹如对于现实原型的模仿;艺术的完整形式却使作品形成了一个独立王国。艺术王国的逻辑和内在精神表明,这里开启了经验之外的另一个可能的维度。人们可以说,艺术王国与现实格格不入,并且拒绝融入现实的平庸和琐碎。然而,这不是艺术逃避现实的同义语;相反,艺术正是因为异于现实因而成为现实的"他者"。艺术的存在及其美学光芒将会使现实无法心安理得地维持现状。这就是艺术对于现实的强大迫力。艺术不可能以暴力撼动现实,但是艺术精神的潜在影响可能解构种种有形的和无形的专制。所以,艺术的审美决不是一种简单的形式感,审美之中寓含了一种批判现实的锋芒。人们无法从艺术作品的局部细节察觉艺术与现实的差异,但是,艺术整体所寓含的理想期待的是新型的社会关系和自然秩序。从怀素的草书到毕加索的现代画,从贝多芬的交响乐到梅兰芳的京戏,种种类型的艺术作品无一不是从某一个方面建构美学空间。这样,艺术必定与庸常的生活拉开了距离,现实之中自由与和谐精神的匮乏解释了这种距离存在的原因。如果艺术试图为生活提出什么理想的话,那么,艺术家即是用自由与和谐的精神消弭现实与理想之间的距离。种种类型的艺术可能从特定的角度改变——哪怕是极为微小的改变——人们的经验方式,而这种改变终将在生活之中产生遥远的回响。人们又怎么能说,《水浒传》、《西游记》之中快意恩仇的性格或者鲁迅作品之中的忧愤深广没有对现今人们的生活态度产生潜在的或者深刻的影响呢?

然而,广告并不负有这样的使命。根本的意义上,广告与现实是同源的。广告就是现实的进一步展开。的确,人们并未拥有广告介绍的所有商品,这些商品组成的世界与人们生活的差距是显而易见的,甚至是不可弥合的。尽管如此,人们可以发现,广告的世界仅仅是现实世界的合理延伸,二者形成了共谋的关系。换一句话说,广告并没有像艺术那样提出独立的逻辑,指出超越于现实的维度，或者给出一个反抗的或者神秘的、令人战栗的空间。人们必须承认，许多广告突破了现实的平面，隐匿于现实躯壳之下的某些冲动被解放出来了。"望子成龙，请用雅士利奶粉"，"总统用的是派克笔"，"喝贝克啤酒，听自己的"——这些商品的介绍同时还包含了对于某些欲望的诱发；这些欲望甚至潜藏于无意识之中，未曾明确。人们有理由认为，许多欲望是与商品同时发生的。所以，正如詹姆逊所论证的那样，广告的形象与人们的欲望相互吻合："正是这些广告告诉我们，什么是人们无意识的欲望，使我们知道人们对一个乌托邦式的社会有什么样的设想。"⑬在这个意义上，广告和庸常生活之间的距离不是自由与和谐，而是欲望——广告是欲望企图抵达的世界。如何缩小乃至消除这种距离？广告开出的处方是消费——消费是从现实抵达理想的舟筏。消费主义乃是广告的隐蔽基础。不论广告的制作如何精美，不论这种制作之中包含了多少艺术含量，物质欲望以及消费主义意识形态与自由和谐精神之间的分歧即是广告与艺术的分歧。如果联想到阿尔都塞对于意识形态功能的分析，人们可以说，广告不仅是商品表象形成的意识形态；同时，广告还负责将消费者"询唤"为享用商品的主体。广告之中精美的商品意象逐渐训练出消费者的一套新的感觉方式，拥有丰盛的商品成为最大的快感之源。这种感觉可能成为新一代主体的内在组成部分，成为新一代主体进入生活的起点。由于广告的示意，商品是新一代主体想像之中理所当然的生活。

因此，人们有理由认为，广告修辞学内部很大程度地包含了欲望修辞学。广告即是利用恰当的修辞表白、凝聚甚至是制造、生产种种欲望。欲望是消费的动力。如同许多人已经谈到的那样，"万宝路"香烟与纵马驰骋的牛仔之间即是一种商品隐喻欲望的经典修辞方式——香烟和豪迈粗犷的牛仔均意味了男子汉的魅力。将某种肥皂粉或者葡萄酒与豪华舒适的家居环境衔接起来，将某种西装与高级商务场合组织于同一镜头之内，或者，用海滩与游艇装点某种饮料，用性感女郎的头像修饰某种蜜饯，这一切均是欲望与商品之间的互相烘托。许多时候，广告制作娴熟地使用了中国古典诗学的"比"、"兴"。詹姆逊具体地说："……广告必须作用于更深一层的欲望，甚至是无意识的需要，有些还和性欲有关。某些饮料广告便有这个特色，宣传说你只要喝这种饮料，不仅会有妙龄女郎偎依着你,而且你会感到生活极其美好,充满了浪漫色彩,诸如此类的夸张。这样,直接的欲望和深层的无意识的需求都得到了满足:你可以梦想一个妙龄女郎甚至更进一步,你可以幻想全部生活都发生改观,四周都是美丽的人,你有充足的时间,无忧无虑,也就是说世界上所有的一切都在这种乌托邦式的状态下改变了、变形了。这些广告正是在悄无声息地告诉你,难道你所渴望的不正是这种乌托邦式的对世界的改造吗?如果是这样,为什么不用我们的产品呢?虽然我们不能许诺任何东西,但这些产品起码含有改变精神状态的成分。在这种无意识的欲望中,最强烈、最古老的愿望仍然是集体性的。例如,永久的青春、自由和幸福等。这表明这种欲望是集体性的同时,还幻想着对整个世界的改变。"[19]

尤其须要指出的是,广告之中的女性形象是欲望修辞学的一个重要成分。从汽车广告、移动电话广告、皮鞋广告到摩托车广告、牙膏广告、矿泉水广告,广告的叙事时常暗示拥有这些商品的男性主人公:他们还将同时拥有众多美丽的女郎。对于女权主义者说来,这些广告的男性视角显然包含了女性歧视——女性与商品相提并论,女性是男性的玩物或者陪衬。尽管人们不会轻易地将广告或者欲望与现实混为一谈,但是,不可否认的是,这些广告或明或暗地塑造人们的未来,加入人们想像生活的蓝图,开发人们的潜在欲望,影响人们看待种种现象的立场和视角。的确,人们可以否认广告是艺术,但是,谁又能否认广告的重要性呢?

四

在与拉瑞·金的一篇访谈录之中,乔·图罗谈到了未来的传播媒介。按照他的估计,跨社会群体的交谈正在消失;如同电视的频道越来越多所表明的那样,传播媒介正在将观众分割得越来越细;[20]这是否意味了人们必须为不同的观众圈提供特殊的广告呢?事实上,传播媒介的分疆而治肯定对于广告制作有所影响。许多广告制作都精明地盯住了妇女——因为妇女是家庭采购的主力军。一些理论家甚至认为,电视肥皂剧是广告商为了吸引数量众多的女性观众而生产的。[21]尼葛洛庞帝大胆地预言,未来的数字化媒体更为私人化,广告不再是一种没有具体受众的吆喝——"广告则变得非常个人化,以致于我们几乎分辨不清什么是新闻,什么是广告了。这时,我们可以说,广告就是新闻"[22]。

尽管这意味了广告的分解和零散化,但是,我仍然存有一个企图:可否对于广告实行一些结构主义式的分类与概括?这种分类与概括不是为了发现广告的文本模式,我所感兴趣的毋宁说是广告文本的基本源头——欲望。当然,大量的广告只能是简明的介绍,品牌、厂家、效果、欲购从速,适当的时候加上一些调侃、顺口溜、歌曲、小误会,如此等等。但是,那些富有魅力并且令人难忘的广告往往是因为成功的欲望修辞学——消费者感到这些广告赏心悦目。这时,人们可以追溯的是:现代社会的哪些形象可能是欲望的象征?什么是解读欲望的密码?

我想首先提到的是这一句名言:"生活在别处。"许多广告不约而同的潜台词是:美好的生活在别处;只要购买广告所推荐的商品,消费就能顺利地将人们运送到另一个精彩的生存空间。凯歌皇家歌剧院的广告词是——"高尚的生活从这里开始!"的确,广告设计了另一种生活,即使在起居饮食之类的琐事之上也能遭遇这个母题:

> 美国温迪汉堡包店,欲与世界闻名的麦当劳汉堡包店竞争,设计了一则名为"牛肉在哪里"的电视广告,内容是:三位年逾八旬的老太太坐在餐桌旁吃午餐,要的是面包夹牛肉;但送上来的仅是两个又大又厚的圆面包,找来找去,甚至到桌子底下去找也找不到应该夹在面包当中的牛肉。其中一位老太太对着镜头大喊:"牛肉在哪里?"接着画外音告诉观众说:如果这三个老太太去温迪吃午餐,就不会如此晦气了。于是,把人们的视线引向了温迪。"牛肉在哪里"这一广告语也就成了人们的口头禅,"温迪"从此名声大振。[23]

生活在别处,"别处"意味了一个更有魅力的所在。这个意义上,广告制作者不得不诉诸一个时代的文化想像:哪里是人们向往的"别处"?这样,广告的分类与概括提供了一些意味深长的秘密。

也许多少有些意外——封建时代的宫廷生活成为许多广告设置的背景。无论是华氏麦片还是乌鸡白凤丸,无论是某种御用的精美糕点还是宫中御医秘方,皇帝与皇后们的标准成为种种商品不言而喻的质量证明。有人曾经嘲笑过这些广告设计——中国的皇帝很少长寿,挑选他们作为楷模是不是南辕北辙?尽管如此,广告制作者对于宫廷生活热情不减。他们估计,大部分人是将宫廷生活想像为奢侈的甚至是至高无上的象征。的确,如果让人们放纵自己的白日梦,皇帝的日子怎么能不是首选对象呢?

相形之下,广告制作热衷于种种发达国家的生活景象则在意料之中。的确,人们可以认为,发达国家的科学技术水平——从药品的临床验证、电视机的图像显示到汽车发动机的质量——赢得了更多的信赖,但是,广告对于发达国家的仰慕之情隐含了多重的内涵。首先,如同人们已经分析过的那样,这些广告时常是跨国资本的产物。㉔贸易壁垒拆除之后,发达国家的广告无疑是先于商品而抵达的尖兵。更为深刻的是,这些广告同时还包含了跨国文化的倾销和征服。广告之中可以察觉,种种精美的商品周围还附有一张社会环境、生活观念或者特定文化价值组成的网络。异国风情的沙滩,蔚蓝色的大海,高楼林立的城市,宽敞明亮的居室,激情四溢的男女主人公,这一切时常被无言地注释为现代社会的基本图景。这时可以说,商品的消费同时还是另一种生活的想像。当然,这些广告的魅力不仅源于某种现实的匮乏,同时还源于独特的历史记忆——这些记忆之中混杂了后发现代化国家对于发达国家的羡慕、景仰和模仿。某些时候,这个类型的广告的确如同后殖民文化的标本。

启用明星偶像加盟是广告制作的常见手段之一。明星可能从人们的身边走过,但明星永远生活在别处。通常的想像之中,明星是这个时代最惬意的一批人。他们周游世界,收入丰厚,香车豪宅,绯闻不断,他们所从事的艺术或者体育带有很大的娱乐成分,他们赢得的崇拜使他们成为一个最有感召力的阶层。对于那些没有足够的经济资本或者家族背景出人头地的少男少女来说,明星梦是最大的幻想。如果某种品牌的洗发剂、矿泉水或者移动电话可能与明星的生活沾边,那么,慷慨解囊就是进入这种幻想的中介。

许多饮料、自行车、摩托车、化妆品以及体育用品均选用了一些青春貌美的年轻偶像作为商品的配角。尽管某些广告——例如某些香皂的广告——更像是挑逗性地呈露女性的胴体,但是,在我看来,这些广告的主题仍然是青春与活力。这个主题甚至有效地挟带了另一些年轻一代所乐于遵从的观念,例如个性、自我、率真乃至叛逆,如此等等。"非常可乐,亮出你自己"——此刻电视上出现的却是一个充满了青春气息的年轻躯体。事实上,对于平庸、琐碎、乏味的现实说来,青春与活力永远是一个明亮的理想。

"南方黑芝麻糊"的广告得到了众多的赞许。这个广告的魔力在哪里?显然,温馨的祖孙之情是这个广告之中最为动人的部分。的确,许多广告均是用暖意融融的团聚和人伦亲情制造诱人的情调。酒、洗洁剂、家具、礼品、厨房用具,这一切均可以组织到"家"的氛围之中。中国大众的心目中,"家"不就是最后的归宿吗?

宫廷生活、异国风情、明星之梦、青春活力、家——这几个因素之间的循环和补充终于初步完成了广告修辞学之中欲望的代码系统。生活在别处,广告塑造人们的未来——这时,如果重新回忆起这个结论,那么,人们不能不意识到,这几个因素就是广告正在竭力倡导的理想生活。商品的使用功能并未消失;但是,某种商品之所以夺目地脱颖而出,无疑是因为这种商品投合了人们心目之中隐蔽的期待——这更多地显示商品的象征功能。这的确令人想到了波德里亚式的奇谈怪论:商品必须先成为某种挑逗人们的符号之后才能为消费者所接受。人们心目之中隐蔽的期待是如何形成的?这时,人们必须意识到广告的意义:广告之中的欲望代码系统正在以日积月累的形式向人们提供一个巨大的白日梦。

注释:

① 哈贝马斯《公共领域》、《公共领域的社会结构》,汪晖、陈燕谷主编《文化与公共性》,三联书店 1998 年。
② 霍克海默、阿多尔诺《启蒙辩证法》,重庆出版社 1990 年,第 154 页。
③ 阿正、何怀宏、路盛章《广告:强权和艺术》,《世纪对话》,中国社会科学院出版社 2000 年,第 388—389 页。
④ 雷蒙德·威廉斯《文化与社会·导论》,北京大学出版社 1991 年,第 18 页。
⑤ 2000 年 10 月 19 日《南方周末》第 25 版。
⑥ 波德里亚《消费社会》,南京大学出版社 2000 年,第 130 页。
⑦ 据 2000 年 8 月 10 日《质量时报》报道,巩俐、濮存昕均因为不实的广告词

而被起诉。
⑧ 伊丽莎白·威廉逊《广告》,《美国通俗文化简史》,漓江出版社1988年,第234页。
⑨ 同上,第235页,第240页。
⑩ 尼古拉斯·A.夏普《无线电广播》,《美国通俗文化简史》第126页。
⑪ 根据纪华强、陈晓明发表于2000年第2期《厦门大学学报》的论文《广告人物符号传播功能及运用趋势探讨》之中引述,美国学者加利即持这种观点。
⑫ 同⑥,第237页。
⑬ 据报载,秦池酒的中央电视台广告投标价格达到了3.2亿元。
⑭ 参见2000年9月7日《参考消息》第3版《全球化与技术联合的背后》。
⑮ 有关哈尔滨制药六厂的广告攻势的深度报道可参见2000年7月27日《南方周末》第14版陈涛的文章《哈药六厂该补啥?》。
⑯ 参见2000年3月23日《福建日报》报道《电话广告现头羊城》和7月26日《福建日报》报道《手机听广告可赚话费》。
⑰ 麦克卢汉《麦克卢汉精粹》,南京大学出版社2000年,第40页。
⑱ 杰姆逊《后现代主义与文化理论》,北京大学出版社1997年,第223页。
⑲ 同⑱,第222—223页。
⑳ 参见拉瑞·金的《未来访谈录》之中拉瑞·金与乔·图罗谈论未来的传媒,新世界出版社2000年。
㉑ 劳拉·斯·蒙福德《午后的爱情与意识形态》,林鹤译,中央编译出版社2000年,第57页。
㉒ 尼葛洛庞帝《数字化生存》,海南出版社1996年,第199页。
㉓ 2000年9月8日《参考消息》第4版《商业广告 千奇百怪》。
㉔ 参见李陀的《"开心果女郎"》一文对于跨国广告的分析,《读书》1995年第2期。

孟繁华

传媒与社会主义文化领导权

　　现代传媒的发展,已不只是科技神话,无所不能的现代技术和光怪陆离的资讯及想像的合谋,使传媒的整体形象正趋于"人妖之间"。一方面,它几乎无处不在地填充着日常生活,以尽其所能的方式为所有的人提供"满足"和欲望对象,在这个意义上,它似乎仅仅是看得见的可供选择的视觉符号;一方面,也正是这些貌似"亲和"的符号,"不为人知"地改变和控制了人们的思维方式和生活习性,在这个意义上,它又是一只"看不见的隐形之手"。因此,传媒研究成为当下学界的一门显学,就不应将其看做是一种随波逐流的庸俗时尚。这个由印刷和电子符号构成的幻觉世界,使人们产生了生活仿佛被"故事"置换的虚幻感,在传媒中构成的那个世界不断地闪灭,可期望而不可指望的现代"故事",就像街头广告一样,它若隐若现但并不属于你,同时,我们在传媒不间断地宣谕中又时常体验着快乐和需要。传媒带来的失落和满足,背后隐含的也就是对"文化帝国主义"的复杂心态。

　　现代传媒改变了传统的文化生产和传播方式。被称为"印刷资本主义"的早期现代传媒的出现,使人与人或群体与群体之间的交流,无须再面对面就可以实现。生产和交流方式决定的以地域而形成的流派,也代之以传媒为中心。更重要的是,传媒不只是工具,它是带着它的观念一起走进现代社会的。现代传媒在中国的出现,是被对现代化的追求呼唤出来的,它适应了社会政治动员的需要。对国家与民族的共同体的认同,是被现代传媒整合起来的。或者说,是现代传媒推动或支配了中国思想文化的发展动向。那些与现代民族国家相关的观念和思想,正是通过传媒得以播撒的。

从这个意义上也可以说,传媒甚至成了某一时代的象征。比如"五四"与《新青年》,延安与《解放日报》,新中国与《人民日报》,"文化大革命"与"两报一刊"等等。因此,传媒被称为"一种新型的权力"①。这个权力不只是话语权力,在其传播的过程中如果为民间社会所认同,它也就获得了"文化领导权"。传媒和文化领导权的关系是密切地联系在一起的。

当然,问题远不这样简单。在阿帕杜莱看来,"印刷资本主义的革命,以及由它释放出来的文化凝聚力与对话关系,只是我们现在居住的这个世界的一个作用有限的先驱"。当电子传媒统领了这个世界之后,虚假的"地球村"带给我们的矛盾则是:"一方面是个人与个人以及群体与群体之间的异化状态和心理距离,另一方面则是那种天涯若比邻的电子幻觉(或梦魇)。我们正是在这里才开始触及今日世界上各种文化进程的核心问题。"②因此传媒的复杂性可能是我们在当下情境中遇到的最大难题之一。这里所要讨论的问题与传媒密切相关,但我将重点讨论的问题,限定于传媒与中国社会主义文化领导权的关系上。

一

文化领导权的概念是葛兰西首先提出的。英语 hegemony 在中文的翻译中多译为"霸权",如被普遍使用的"文化霸权","话语霸权"等等。在这个意义上"文化霸权"同汤林森(Tomlison)使用的"文化帝国主义"的内涵极为相似。在葛兰西的理论中,研究者和翻译者将其译为"领导权"是非常准确的。文化领导权就是"文明的领导权",它是政治民主的根本原则,是民众同意的领导权。它不是意识形态的强制推行,也不是对某种政治文化的被迫忠于。因此,在葛兰西那里,"文化领导权"非常酷似"婚姻"和"合同",它是以自愿的方式为前提并最终得以实现的。葛兰西这一理论的提出,原本是试图探寻出一条适合西方发达资本主义国家进行社会主义革命的道路和策略。在他看来,西方发达资本主义国家政权结构和革命胜利前的沙皇俄国的国家政权结构是非常不同的:在俄罗斯,(革命前的)国家是包罗万象,代表一切,市民社会却是方兴未艾,呈现胶状冻结的状态。在西方国家与市民之间有着适当的关系,一旦国家根基动摇,则市民社会坚实的基础就显现出来。西方的国家只是城市外围的壕沟,在它之后屹立着堡垒围墙般的强有力的体系。因此,在发达的西方社会要进行社会主义革命,像俄罗斯那样仅仅通过"运动战"——用暴力夺取政权是不可能的。更有效的途径是应该通过"阵地战"的形式,在市民社会建立起关于社会主义的道德和文化的领导权。他的具体解释是:"一个社会集团通过两条途径来表现它自己的至高无上的权力:作为'统治者'和作为'文化和道德的领导者'。一个社会集团统治敌对集团,它总想'清除'他们,或者有时甚至动用武力对他们进行镇压;它领导着与它亲近的和它结成联盟的集团。一个社会集团能够,的确也必须在取得政府权力之前已经在行使'领导权力'(这的确是赢得这种权力的基本条件之一);当它行使权力的时候,接着它就变成统治力量,但是即使它牢牢掌握权力,也仍然继续'领导'。"③也就是说,社会主义在取得革命成功之前,必须取得文化领导权;在革命成功之后,并不意味着"领导权"永远掌握在自己的手中,它仍处在被认同的过程中,仍有旁落的危险。

在葛兰西的"领导权"理论中,"市民社会"是一个至关重要的概念。它是与"国家"不同的属于上层建筑的概念。在他看来,强制、统治、暴力属于国家;而同意、领导权、文明则属于市民社会:"现在我们固定两个主要的上层建筑方向——一个可以称为'市民社会',即是通常称做'私人的'有机体的总体,另一个可以称做'政治社会'或国家。这两个方面中的一个方面符合于统治集团对整个社会行使的'领导权'功能,另一个方面则符合于通过国家或'法律上的'政府行使的'直接统治'或指挥。"④在另一处他又说:"我所谓市民社会是指一个社会集团通过像工会或者学校这样一些所谓的私人组织而行使的整个国家的领导权。"⑤因此,市民社会是指不受国家干预的相对独立的社会组织,没有市民社会文化领导权也就不能诉诸实施。同样的道理,国家也并不等于强权政治,它还必须有为民众认同的伦理基础,这就是葛兰西所说的"道德国家","文化国家"。⑥葛兰西的这一理论,他自认为是来自列宁,在《马克思主义》一文中他说,领导权这一概念是由伊里奇负责(制定和实现)的。⑦研究界也普遍认为是来自列宁的理论,新近出版的著作还认为:"'领导权'概念是列宁首先提出来的,他主要强调的是政治领导权,其核心是无产阶级专政,即通过暴力夺取政权。"⑧葛兰西的自述是令人费解的,因为在列宁的著作中根本没有出现过领导权(hegemony)这个词。而研究者试图用谱系的方法寻找葛兰西理论的来源,但其论证出来的结果恰恰说明了列宁理论与葛兰西的矛盾。也就是说,列宁强调的是无产阶级专政的理论,是暴力夺取政权的理论,而葛兰西所强调的是通过道德与知识在市民社会建立起文化的领导权。列宁是急风暴雨式的,是"运动战",葛兰西是渐进式的,是"阵地战"。因此葛兰西与列宁不存在谱系关系。倒是意大利学者萨尔沃·马斯泰罗内在《对〈狱中札记〉的历时性解读》中,对葛兰西的理论来源做出了令人信服的解释。他说:"葛兰西眼中注视着列宁的形象,但他心里一直牢记着马克思的思想。葛兰西的研究者们没有记住,马克思在《法兰西内战》英文版中不仅谈到'凌驾于市民社会之上的中央集权国家机器',而且还谈到'由市民社会和人民群众重新夺回国家权力'。"⑨因此,葛兰西的关于领导权理论的来源,毋宁说来自马克思更可靠。

  文化领导权显然也是一种意识形态,但它是一种有别于"权力意志"的意识形态。马克思在《德意志意识形态》中说:"统治阶级的思想在每一时代都是占统治地位的思想。这就是说,一个阶级是社会上占统治地位的物质力量,同时也是社会上占统治地位的精神力量。"⑩意识形态不但支配着物质生产,同时也支配着精神生产。重要的是这种意识形态又在不断地强制推行中,试图抹去它的"虚假意识",并极力凸现它的"合理性","普遍性","永恒性"。在这样的意识形态支配下,对其认同的程度,也就决定了一个人在多大程度上进入社会。因此表达权力意志的意识形态也就成了一个人进入社会的"许可证",⑪它与接受者的关系是统治与被统治的关系。但是文化领导权作为一种意识形态,是以市民社会的"同意"为前提的,它不是一种统治和支配关系。葛兰西在谈到"文化"时指出:文化不是百科全书式的知识,文化人也不是塞满了经验主义的材料和一大堆不连贯的原始事实的容器。文化不是这种东西,"它是一个人内心的组织和陶冶,一种同人们自身的个性的妥协;文化是达到一种更高的自觉境界,人们借助于它懂得自己的历史价值,懂得自己在生活中的作用,以及自己的权利和义务"⑫。但是"这些东西的产生都不可能通过自发的演变,通过不依赖于人们自身意志的一系列作用和反作用,如同动物界和植物界的情况一样,在那里每一个品种都是不自觉地,通过一种宿命的自然法则被选择出来,并且确定了自己特有的机体"⑬。在这个意义上葛兰西不是个"唯物论"者,他强调的"人首先是精神,也就是说他是历史的产物,而不是自然的产物"⑭。葛兰西对文化的理解以及他对人的认识,构成了文化领导权理论的基础背景,也使他的理论成为关于人的解放的学说。人的解放的普遍要求也必将成为"指导"人们行动的意识形态。在这个意义上葛兰西的理论具有鲜明的道德/伦理色彩。这一看法也被葛兰西的革命实践所证实。他不仅积极倡导精神道德改革,而且还创建了一个"道德生活俱乐部",这个俱乐部里充满了一种近乎宗教般的气氛。在他看来,为了在意大利进行革命,必须首先造就新一代的革命者,而这样的革命者"能够做天性玩世不恭的意大利人不会做的事情,那就是献身于一项事业"。⑮葛兰西自己身体力行。《新秩序》周刊在他接管之前,因其内容多为文化性质的题材,对工人运动毫无影响。葛兰西接任主编之后,深入到工厂调查研究,改变了办刊思想。并以选举的方式将都灵的"厂内委员会"代之以"工厂委员会"。葛兰西认为:所有工人、职员、技术人员以及所有农民,总之社会上所有积极因素,都应当由生产过程的执行者变为生产过程的领导者,由资本家管理的机器的小齿轮变为主人公。⑯《新秩序》于是也成了"工厂委员会"的报纸。这即是葛兰西实施"阵地战"的具体实践,同时也是他关于人的解放的具体实践。

但是葛兰西的理论显然也有自相矛盾的问题。这不只是说都灵"工厂委员会"最后以失败告终,罢工最后导致了流血政治。而且在理论上他也遇到了难以解决的麻烦。在他看来,知识分子是统治集团实施社会领导权和政治统治职能的"帮手",因此,统治集团必须拥有自己的知识分子,对于无产阶级来说,他们应该是新型的,有机的知识分子。这些知识分子必须和人民建立情感联系,并能促进整个社会的文化发展。这样他与人民群众就建立起了"良性循环"的关系,也就是"高明者"与"卑贱者"之间建立的永久性关系。"'高明者'的任务就是回答(和适应)来自卑贱者的政治,社会和文化问题;卑贱者的任务则是按照民主政治的形式和规则提出这些问题。"⑰但是葛兰西的这一设想又与他另外的论述构成了矛盾。他曾有过关于"属下阶级"的重要论述,所谓"属下"也就是"从属"或"低一等"的处于社会边缘的集团或人群。他在《现代君主》的有关论述中也承认确实存在着政治生活中"支配与被支配,领导与被领导的"⑱事实。那么,领导权在诉诸实践的过程中,诸如"庶民",lazzari(无业游民),农民等边缘群体如何表达他们的"同意"呢?在诸如工会、教会、学校、行会、社区等市民社会组织中,又是谁在讲述"同意"呢?因此,葛兰西的文化领导权理论在后殖民的语境中,无可避免地会遇到问题。当面对那些丧失话语权力的人群时,斯皮瓦克揭示出了一个令人震惊的秘密:"属下不能说话。"⑲是话语权力的拥有者在"代表"属下说话,但他们不是在"再现"属下阶级的意愿和要求,而是"狭义上的自我表现"。属下阶级不仅没有机会表达他们的要求,甚至他们的"历史"也是被代言叙述的。如果将这个文化逻辑放大,那么葛兰西的"西方文化对世界文化的领导权"也已不能成立,东西方的文化关系,已是弱势文化和文化帝国主义的关系。

因此,葛兰西的理论被意大利的学者称为是"一个未完成的政治思索",是非常确切的。在葛兰西的时代,他不可能想像六十年之后的世界图像,自然也不能想像东西方政治、经济、文化的差异和问题。但需要指出的是,葛兰西的"文化领导权"理论仍然对我们有重要的启示意义。他虽然是通过研究西方发达资本主义社会结构寻找出的进行社会主义革命的策略,但我们在落后的中国革命历史进程中,却也发现了相似性的问题。

二

在葛兰西看来,东方国家的强权专制性质,决定了无产阶级可以用暴力迅速夺取政权,也就是说,由于东方国家市民社会的微弱,不存在对抗革命的强大堡垒,无产阶级不必进行细致,漫长的精神和道德渗透,缓慢地夺取文化领导权之后才有可能夺取政权。在东方,无产阶级只要打碎了旧的国家机器,也就意味着夺取政权的完成。这与在西方资本主义社会进行社会主义革命是完全不同的。但是,中国革命的具体实践与葛兰西的这一设定,既有相似性,也有极大的不同。或者说,中国共产党以暴力的形式摧毁旧的国家机器的时候,城市几乎没有起什么作用,但它的精神和道德的力量获得了包括知识分子在内的中国民众的广泛支持。在中国共产党革命成功之前,许多知识分子放弃了优裕的生活,或从家庭叛逃,或从国统区奔赴延安。这里除了个人要求和对传统中国生活方式的不满之外,与中国共产党的道德精神感召不能说没有联系。不然,我们也就不能解释陕北农民李有源为什么会创作出歌颂毛泽东的歌曲《东方红》。

因此,美国学者莫里斯·梅斯纳在《中华人民共和国史》中,一方面热情地赞颂中国革命的象征性意义,不亚于1789年的法国大革命和1917年的俄国十月革命,其政治摧毁的范围和为社会发展的空前新进程而开辟道路方面,也不亚于那两场革命。但是,值得注意的是:"与法国革命和俄国革命不同,中国革命并没有一个突然改变历史方向的政治行动。中国革命没有一个像巴黎群众攻打巴士底狱或者像俄国布尔什维克党人在'震撼世界的十日'中夺取政权那样的、戏剧性的革命事件。对中国革命家来说,并没有要攻打的巴士底狱,也没有要占领的冬宫。现代中国历史环境的特殊性提出了极为不同而且困难得多的各种革命任务。当中华人民共和国于1949年10月1日正式宣布成立的时候,中国革命家们已经展开并且赢得了那些摧毁旧秩序的战斗。10月1日在北京并不是一个革命暴力的时刻,而是变成统治者的革命家可以回顾过去并且展望未来的一天,那一天他们可以追溯和反思使他们掌权的那些斗争和牺牲的漫长岁月,展望他们国家的,充满希望的和平任务。在摧毁旧政权的几十年革命暴力期间,新国家和新社会的胚胎已经逐渐成长起来。"[20]这一描述隐含了两方面值得注意的内容:一方面,中国共产党是以暴力摧毁了旧的国家机器,但那漫长的革命岁月也孕育了"新国家和新社会的胚胎"。这一"胚胎"的形成和最后分娩,其过程就是中国共产党对文化领导权掌握的过程。不同的是,它不是通过葛兰西的"市民社会",而是通过中国最广泛的民众实现的。当然,这一过程是十分复杂的,其间不仅有民众被动员组织起来之后极易形成的暴力倾向,也有民族战争中被伤害后的"保家卫国"的正义要求。但值得注意的是,当民族战争结束之后,在同国民党的战争中,到处都出现了"支前"的民众队伍,在条件极其恶劣的情况下,是民众没有条件地支持了要"解放"他们的中国共产党。如果仅从民众缺乏理性,易于受"战时文化"煽动这一点来解释是没有说服力的。国民党掌握着国家机器,他们的"煽动"条件要远远优于共产党,民众为什么没有支持国民党?因此,我们就不能不从共产党的精神和道德感召上,去解释民众对它的认同和追随。

中国共产党的文化是"新文化",这个文化的提出者和权威阐释者是毛泽东。在毛泽东还没有走向中国政治舞台中心的时候,他也像许多杰出的政治家一样办过传媒,试图通过传媒传播自己的政治主张。他于"五四"时期创办的《湘江评论》,虽然是湖南省学生联合会的会刊,但它气吞山河的气象不仅已经显示了毛泽东的政治抱负,而且也简单地构建起了他未来思想的雏形。在创刊宣言中,他提出了两个问题:一个是"吃饭问题最大",一个是"民众联合的力量最强"。联合民众的目的是为了打到强权。因此,号召民众造反,让被压迫者获得解放,是毛泽东建立的新文化的出发点。要建立新文化,首先要批判旧文化,新文化虽然是个不明之物,但旧文化却是清楚的,"不把这些东西打到,什么新文化都是建立不起来的"[21]。在这种"破坏"的意识形态的支配下,凡是与"新文化"猜想格格不入的"旧文化",都在批判和破坏之列。对于底层的民众来说,"破坏"的欲望只要稍加引导便可迅速点燃,并以百倍的仇恨去实现它。在这个意义上,"新文化"的领导权是通过中国最底层的民众得以实现的。值得注意的是,毛泽东对于"新文化"的阐释并不一定为民众所理解,他说,"所谓中华民族的新文化,就是新民主主义的文化"[22],"所谓新民主主义的文化,一句话,就是无产阶级领导的人民大众的反帝反封建的文化"[23]。这种断裂式的文化变革,其内容是新民主主义,社会主义的,但形式却必须是民族主义的。对于没有文化的中国底层民众来说,要他们在理论上接受新民主主义和社会主义显然是困难的。这时,新文化的提出者为了让最广大的民众接受这一想像,在文化传播的过程中事实上进行了两次同步的"转译":首先是将抽象的理论"转译"为形象的文艺,同时将"五四"时期知识分子个人主义的"小资产阶级"的语言和感伤、浪漫、痛苦、迷惘的情调"转译"为为老百姓喜闻乐见的语言和形式。因此,"新文化"又可以解释为"革命的民族文化",它要具有"民族的形式,新民主主义的内容",它是"新鲜活泼的,为中国老百姓所喜闻乐见的中国作风和中国气派"的文化。在新文化的内涵被确定之后,一个重要的问题就是形式的问题:"谁来确定民族的本质内涵?由谁提出民族文化的语言?这个问题对于中国的知识分子来说,在30年代的民族危机中已经很迫切;他们对'古老的'精英文化和20年代的西方主义都抱怀疑态度。他们带着现代性在中国的历史经验中寻求一种新的文化源泉;这种文化将会是中国的,因为它植根于中国的经验;但同时又是当代的,因为这一经验不可避免地是现代的。不少人认为'人民'的文化,特别是乡村人民的文化,为创造一种本土的现代文化提供了最佳希望。"㉔这一资源后来衍生出了有关"新文化"的一系列理论。应该说,这是一条建设"新文化"的卓有成效的途径。在迈向这条道路的过程中,白毛女、小二黑、李有才、王贵与李香香、开荒的兄妹等,这些活泼朗健的中国农民形象,不仅第一次成为文艺作品的主人,重要的是,他们对于实现最广泛的民众动员所起到难以想像的作用。那一时代,共产党有了相对稳定的根据地,毛泽东也可以抽出时间亲自过问他历来重视的传媒问题。1941年5月16日起,中央决定将延安的《新中华报》、《今日新闻》合并,出版《解放日报》。毛泽东不仅为报纸写了七份"解放日报"报头供报社选用,而且亲自撰写了《发刊词》。亲自给报社社长打电话,并且亲自撰写社论,甚至亲自校对报纸清样。后来有人回忆说,延安《解放日报》出版六年,毛泽东为报纸写的按语最多。㉕这些细节足以说明毛泽东对传媒和文化权力之关系的深刻理解。但是,在战乱的年代,对于落后的中国民众来说,即便是有能力读报纸的人,也是相当有限的。因此,街头诗、秧歌剧、朗诵诗、黑板报、战地通讯等,这些相当原始的传媒所构建的公共空间,却因它的民族形式有效地提高了它的传播效率。

毛泽东的新文化观念,正像后来有的研究者指出的那样,"对普通民众——他们绝大多数是贫困的,没有文化,受剥削和压迫——的价值观和愿望,怀有一种偏爱,显然是由于政治上的缘故。他认为,这些人,正是中国潜在的革命者"㉖。这的确是一种政治上的缘故,但是实现这一政治目标的内在动力,对于民众来说则是"偏爱"中蕴涵的道德力量。

在毛泽东处理现实和展望未来的所有表达中,他都毫不犹豫地站在了民众一边。他对民众运动的热情赞颂,对农民思想品质的想像性构造和倾心认同,都使知识分子相形见绌。而且,知识分子在"五四"时期建立起的"个人主义"在与农民的比照中,已经成为不可容忍的内部异己。在葛兰西那里,他对"有机知识分子"是十分重视的,因为他们负有回答"卑贱者"提出的问题的义务。但是,在毛泽东那里,知识分子并不负有这样的义务。准确地说,他们没有资格,或者说在毛泽东看来他们也没有能力来承担这个任务。能回答这些问题的只有毛泽东一个人,知识分子只负有阐释和宣传的义务。因此在现代中国革命史上,只有毛泽东才是革命的导师,只有他才是真正的理论家。也正是在这样一种不作宣告的规约和语境中,毛泽东才成为具有"超凡魅力"的领袖。我们还注意到,当民众的精神和道德在毛泽东的想像中被成倍地放大直至近乎完美之后,对精神和道德的追随,事实上也就被置换为对民众的想像和追随。中国现当代文学史上的经典作品所塑造的可效仿的"典型人物",几乎无一不是农民,或者是农民出身的军人。他们纯粹、透明、乐观、充满了理想主义和英雄主义。这种"新文化"所期待的人物,在毛泽东自己的作品中,就是张思德、白求恩和愚公。这些人物在毛泽东的热情赞颂和诗性表达中,显示了道德理想无可抗拒的巨大魅力:张思德是为人民的利益而死的,他的死比泰山还重。纪念白求恩,就是要学习他毫无自私自利之心的精神。一个人的能力有大小,但只要有这点精神,就是一个高尚的人,一个纯粹的人,一个有道德的人,一个脱离了低级趣味的人,一个有益于人民的人。而愚公挖山不止,坚忍不拔,充满了战胜自然的乐观精神。他们的动人事迹和高尚品格,共同构成了道德理想的内涵。在文学艺术领域,"新的人民文艺"也以人民群众喜闻乐见的形式,建构起了新文化的道德理想的形象谱系。这些表达道德理想的形象在民众那里获得了广泛的认同,因为他们是和人民的"解放事业"紧密地联系在一起的。因此,在1949年10月1日中华人民共和国宣布诞生之前,中国共产党在民众那里已经获得了文化领导权是没有疑问的。

三

中国共产党在取得政权之前就已经获得了文化领导权,不仅反映在民众的倾心认同和追随上,甚至自由知识分子也清醒地认识到这是大势所趋。抗战胜利后,自由知识分子储安平虽然对共产党在短期内掌握政权还心存疑虑,但他仍在《客观》上放言:"假如中国能真正实行民主,共产党在大选中获得的选票和议席,为数恐不在少。"㉗这种理性的分析,自然是根据共产党的所作所为给出的。应该说,在延安时期,除了对知识分子的"个人主义"和被怀疑的"异己"分子,给予了"残酷斗争,无情打击"之外,对来自民众的声音还是能够认真听取和对待的。边区征收公粮,从1939年到1941年,由5万石、9万石到20万石,年年大幅度增长,1942年还没有公布征粮数字,群众的不满情绪就已经公开流露了。1941年6月,边区政府召开县长联席会议,天下大雨,会议室突然遭到雷击,县长李彩云被击死。事后一个农民说:老天爷不长眼,咋不打死毛泽东?问这位农民为什么?他说公粮负担太重了。毛泽东听到后,说农民交公粮,还要交公草,还要运输公盐,负担确实很重,建议研究减轻群众负担,并提出了丰衣足食,自力更生,开展大生产运动的号召。那位骂毛泽东的农民不仅检讨了错误,而且还要代交毛泽东个人的生产任务。㉘这样的民主作风受到人民的欢迎是在情理之中的。共产党在这一时代的领导权也就是人民"同意"的领导权。

进入人民共和国之后,进一步纯洁社会生活的运动在全国范围内展开,禁娼,禁毒,"三反"、"五反",惩处反革命,抗议帝国主义罪行,成立合作社,对城市工商业的社会主义改造等,建立并巩固了更纯粹的社会主义、集体主义的道德观念和理想。在"跑步进入社会主义"的狂欢庆典中,不仅工人、店员、手工业者深怀发自内心的喜悦,上海市的不苟言笑、举止沉稳的资本家也穿着西服扭起了秧歌,他们的家属拿着鲜花跳起了集体舞。"红色资本家"荣毅仁与记者有这样一段对话:

记者:您作为一个资本家,为什么选择了社会主义道路?

荣毅仁：是的，我是一个资本家，但我首先是一个中国人。昨天，我的全家都出动了。我的爱人出席了全市工商界家属代表会议，她参加这次会议的筹备工作，已经忙碌好多天了；我的弟弟出席了工商界青年代表会议，他还要去北京参加全国工商界青年积极分子大会；我的三个在中学念书的孩子出席了工商界子女大会。他们都在上万人的大会上讲话，拥护共产党，感谢毛主席，不仅喜欢社会主义，还盼望早点实现共产主义。

记者：消灭剥削，废除资本主义制度，对于您失去了什么？得到了什么？

荣毅仁：对于我，失去的是我个人的一些剥削所得，它比起国家第一个五年计划的投资总额是多么的渺小；得到的却是一个人人富裕，繁荣强盛的社会主义国家。对于我，失去的是剥削阶级人与人之间的尔虞我诈，互不信任；得到的是作为劳动人民的人与人之间的友爱与信任，而这是金钱买不到的。因为我积极拥护共产党和人民政府，自愿接受改造，在工商界做了一些有利于社会主义的工作，我受到了政府的信任和人民的尊重，得到了荣誉和地位。从物资生活上看，实际上我没有失去什么，我还是过得很好。㉙

这就是社会主义道德理想不可抗拒的魅力。但也正是在同一时代，另一种倾向也在悄然地发展着。这就是毛泽东不断发动的对于知识分子思想的整肃运动。毛泽东对知识分子似乎总是缺少信任，一方面他希望知识分子能够真诚地走向革命的道路，帮助共产党实现建立现代民族国家的整体目标。因此当知识分子表达了向往革命愿望的时候，毛泽东是可以礼贤下士的。延安时期，毛泽东与丁玲，艾青，萧军，舒群等文化人的交往，都表明了毛的胸怀和气度。但是，当知识分子表现出另外一种性格的时候，毛则会毫不犹豫地抛弃他们。在毛泽东看来，知识分子的"不洁"是与生俱来的，他们时不时就会翘起尾巴，他们只会夸夸其谈。毛泽东对知识分子的恶劣成见，很可能与他对王明教条主义的痛苦记忆有关。在王明之前，他似乎还没有表现出对知识分子情感上的怨恨。这一痛苦记忆仿佛使他从骨子里认清了知识分子的劣根性。因此，建国以后历次思想批判运动几乎都是以知识分子为对象的。不仅对党内知识分子不断地进行整肃,就是对党外的知识分子的不同意见,毛泽东也开始丧失了倾听的耐心。1953年,毛泽东与梁漱溟的交恶,典型地表现了"文化领导权"向"文化霸权"的转化。在政协扩大会议上,周恩来作关于梁漱溟问题的长篇报告时,毛泽东不断插话,说跟他这个人打交道,是不能认真的。他这个人没有逻辑,只会胡扯,并说他是个用笔杀人的伪君子。这一情形与延安时期能认真倾听一个农民的怨恨谩骂相比,已经是恍如隔世了。

　　值得注意的是,历次思想整肃运动,都要通过传媒播撒到全国,无数次的重复使几乎所有的人都坚信了传媒的真理性,因为所批判的对象有悖于正在建构的社会主义道德。没有人会怀疑批判《武训传》,胡适,俞平伯,胡风,右派等的政治复杂性。而这时的传媒已经完全在国家的控制之中,民间的、同仁性质的报刊已经被全部关闭。甚至黑板报、标语乃至民间文艺等在民间传播的媒介,也因流于对主流传媒的简单"转述"而形同虚设。在不断的整肃过程中,一方面建立了新的社会秩序,进一步纯洁了社会主义的道德,一方面也确立了毛泽东无可替代的权威地位。1961年9月,蒙哥马利元帅访华时,他曾以"不引人注意的方式"突然向普通中国人提问"最拥护谁?",得到的回答无一例外的是"毛泽东"。这种心态是"惟一"的。因为他们相信,毛泽东就是真理的化身,是人民利益无可怀疑的代表,他一个人的思想足以处理所有的公共事务和问题。这种绝对的"文化领导权"虽然仍被人民"热烈地赞同",是因为作为"属下"的人民已别无选择。"属下"在这时是不能说话的。但是,就在这一领导权达到极至的时候,也正是危机到来的时候。"文化大革命"在这样的基础上展开,也同样因这样的基础而导致失败。社会主义道德在不断的净化中演变为一种道德的宰制力量,它不再是一种询唤和感召,而变为一种向人性和道德宣战的实践。社会道德的净化,是以排除全部日常生活为代价的,任何与人相关的情感和欲望,都被视为是"不洁"和不道德的。这时,"文化领导权"事实上已为占统治地位的意识形态所替代。这是道德理想走向幻灭重要的原因之一。

四

"文革"结束之后,社会主义文化领导权开始了重新建构。它在形态上改变的标示,是将强烈的道德理想追求转变为现实的物质积累。激进的"新文化想像"在以经济建设为中心的意识形态覆盖下,几近自行崩解。值得注意的是,无论是道德精神的渗透,还是转向经济建设,对于中国更广大的人民来说,他们都是首先从传媒上获得消息的。美国学者曾不无夸耀地说,由于中国传媒的神秘性,"美国的学者发展了许多技术,以严密的方法去'破译'中国报刊里的'密码'。例如,研究上层政治的人要审慎地盯住那些高层领导人在《人民日报》上公开露面,消失,在照片上的排列顺序,领导人常常提到的口号的变化,以及领导人的职务变换"[30]。而对中国的普通民众来说这早已不是什么秘密,因为国家控制的报纸和其他传媒是获得各种消息的惟一来源。

但是,随着改革开放不可遏止的发展,市场经济必然要为传媒带来相对广阔的生存空间。各种传媒不同的目标和利益关怀,使社会主义文化领导权有了重新阐释的可能。它具有的"不确定性",我们可以将它称为"后社会主义文化领导权"。这种重建的文化领导权,分解了"文化霸权"的一体化统治。这既符合"弘扬主旋律,提倡多样化","建设有中国特色社会主义"的主流意识形态的要求,同时也适应了冷战结束后实现国家新的战略目标的需要。特别是进入 90 年代之后,各种传媒包括权威传媒的变化应该说是前所未有的。但需要指出的是,它的开放性和宽容度还仅仅限于市场号召和消费主义的引导。利益的驱动已经不加遮掩,娱乐性节目和报刊有惊人的收视效率和发行量,而它的背后则是巨额的商业广告在拉动。特别是白领趣味的媒体,它们事实上已不关心读者的真实需要,他在悄然地改变着年轻人的生活观念,培育着他们狂热消费、享乐欲望的同时,所做的一切都是为了迎合广告商人或跨国投资者的趣味,因为广告收入已成为进入市场的传媒的主要利润来源。它在无情地将思想文化性和不具有市场号召力的传媒挤出市场的同时,也以其对现实问题的拒绝触动而获得了"合法性"。事实上,它的意识形态宣传从来也没有停止过。因此,一种隐形的支配正在形成新的文化"领导权",这也正是当下学界密切关注的"全球化"问题的表面形式之一。

因此,当社会主义文化领导权的危机在重建中得以缓解之后,我们所面临的恰恰是一个被放大了的文化逻辑:即文化帝国主义试图实现的全球一体化的文化统治。所谓"全球化"事实上就是美国化。这一逐渐实施的美国文化战略,不仅引起了第三世界知识界广泛的关注,同时也引起了其他发达资本主义国家的密切关注。所谓"资本主义反对资本主义",也正是在这样一种语境下发生。因此,在重建社会主义文化领导权的过程中,对"文化帝国主义"和传媒政治的警惕显然是十分必要的。

注释:

①② 阿尔君·阿帕杜莱《全球文化经济中的断裂与差异》,陈燕谷译,见汪晖、陈燕谷主编《文化与公共性》,三联书店1998年,第523页,523—524页。

③《葛兰西政治著作选》(1921—1926),1978年伦敦版,第57—58页。转引自李青宜《"西方马克思主义"的当代资本主义理论》,重庆出版社1990年,第137页。

④⑤ 同上,第138页,第139页

⑥《葛兰西文选》,人民出版社1992年,第439页。

⑦ 同上,第459页。

⑧ 周穗明等《新马克思主义先驱者》,中央编译出版社1998年,第174页。

⑨ 萨尔沃·马斯泰罗内《一个未完成的政治思索:葛兰西的〈狱中札记〉》,社会科学出版社2000年,第14页。

⑩《马克思恩格斯全集》第3卷,人民出版社1960年,第52页。

⑪ 俞吾金《意识形态论》,上海人民出版社1993年,第3页。

⑫⑬⑭⑱《葛兰西文选》,第5页,第237—238页。

⑮⑰《一个未完成的政治思索:葛兰西的〈狱中札记〉》,第120页,第200页。

⑯《新马克思主义先驱者》,第151页。

⑲ 加亚特里·查克拉沃尔蒂·斯皮瓦克《属下能说话吗?》,见罗钢、刘象愚主编《后殖民主义文化理论》,中国社会科学出版社1999年,第157页。

⑳ 莫里斯·梅斯纳《毛泽东的中国及其发展——中华人民共和国史》,社会科学文献出版社1992年,第3页。

㉑㉒㉓ 毛泽东《新民主主义论》,《毛泽东选集》第二卷,人民出版社1991年,第699页,第669页,第698页。

㉔ 阿瑞夫·德里克《现代主义和反现代主义——毛泽东的马克思主义》,《外国学者评毛泽东》第一卷,工人出版社 1997 年,第 217－218 页。
㉕ 黎辛《毛泽东与延安〈解放日报〉》,《纵横》1997 年第 11 期。
㉖ 王衮吾《作为马克思主义者和中国人的毛泽东》,《历史的天平上》,工人出版社 1997 年,第 139 页。
㉗ 储安平《共产党的前途》,《客观》第 4 期。
㉘ 黎辛《毛泽东与延安〈解放日报〉》,《纵横》1997 年 12 期。
㉙ 《人民记忆 50 年》,甘肃人民出版社 1998 年,第 118－119 页。
㉚ 王景伦《毛泽东的理想主义和邓小平的现实主义——美国学者论中国》,时事出版社 1996 年,第 10 页。

第二编

传媒与公共空间

陈卫星

关于传播的断面思维

类似"传播是什么"的问题常常会在一些涉及信息转换和流通的事件当中提出来,这种时候,往往更多的是一些同样的信息所连接的截然不同效果引发人们的疑问。"传播是从符号开始的"或许是一种对于这个问题的答案进行探索的有意义的起点。对于符号的关注能够使我们的注意力回到传播的基础因素层面,从微观方面着手,触摸这一行为的脉络。

从传播出发既然遭遇到符号,对于符号的检视也就因而显得必要。按照符号学家索绪尔的说法是能指和所指;按照另一位同样重要的符号学家皮尔士的分类,传播符号主要分为指索、肖像和象征。英国学者古迪则仔细分析了传播在人类思想发展史上的贡献,尤其是文字在社会发展阶段中从思想封闭系统到思想开放系统中所起的作用。他认为在思想封闭的社会系统中,缺少一种自反性思维,是一种个人化的社会话语在起作用;而在思想开放的社会系统中,非个人化的陈述和有思辨特色的思想区分出陈述(enonce)和话语陈述(enonciation)。古迪认为传播系统和思想"模态"之间没有惟一的对应关系:"每个传播系统对思想体系有它的特殊效果。我不认为这个过程是单线性的,更不能说它只依赖惟一的原因;在传播层面上是思想在起作用。宗教信仰系统、阶级区分对文字用法的扩展进行了修改和限制;换一个背景,用马克思的术语来说,我们不能真正分开传播手段和传播关系,它们在一起组成传播模式。"①事实上,传播关系也就是社会关系。

在人际层面上来观察传播,可以将符号视为把人的经验转化为建构人与人之间关系的素材。人际关系是社会关系的基础,于是,传播的符号体系成为人类文明和社会演变的制度性内容。大概说来,不同文明形态的社会运转都和传播符号的开发和利用水平相关。世界各国的传播学教科书都不会忽略是中国首创了造纸和印刷术,但是令人感到遗憾的是,把传播符号的开发利用真正纳入推动社会生产力解放和社会制度更新的工具却是从古登堡利用金属活字印刷术翻印《圣经》开始。如果说书写文字的发明是保存思想,使知识的私有成为权力的来源,那么传播工具的发明就使得人类在不断丰富思想和扩大权力的历史旋律向多声部发展,直到今天成为社会发展的经纬线和产生意义的中心。

  需要注意的是,传播是信息的形式化过程。在现实中,信息从来不是无辜的。人对信息的发现从来就是遵循着对已知信息和新信息进行嫁接的程序,正如科学哲学家们所观察到的,是观察渗透着思维从而决定着人类自我意识与客观知识的走向。在发现信息的时候,无可避免地,人们已经开始做出判断,传播在这个意义上仅仅是这个行动的延伸。传播不是和信息相遇,而是和信息相互回应,赋予信息一定的形式,图文并茂的编辑或声音图像的剪辑。从这个角度上说,传媒的第一个功能是在信息发送者和信息接受者之间建立一种接触或一种关系。与其说是让人知道一件事,不如说是让人重新确认一件事,分享社会化的经验认知或观点立场。无论是什么属性的大众传媒,要确定传播效果,首先是确定传播对象,传播工具的修辞和美学是要从形式和内容上来强化传播关系,希望再次强化受众的接受状态和接受态度。

  智力的开发,情感的投射,价值的选择,立场的定位等等自我认同和社会认同的信息过程构成了人的社会化过程。今天的大众传播是一种价值化行为,在其中扮演出一种诱惑方式,通过费用预算来设计的传播战役总是期望在目标受众中制造一种自发的信仰。借助传播媒介把一个事件予以客观化和对象化的表现是为了在意识层面上制造一种意识形态化的欲望。传媒工具的辐射框架规定了社会关系,本身成为社会制度一部分的传播体制对目标受众的信息支配建构了个体的社会想像。人在社会实践中,为指导和规范自己的行为,建立了各种各样的制度,制度的效力在于它可以成为无声的约束性力量和内化的力量。制度的内化恰恰是通过意义的内化,也就是社会想像的意义的内化得以实现,而这种社会想像自从进入现代社会以来已经越来越多地来自于传播媒介的影响。传播越来越驾轻就熟地制造一种象征意义上的制度的秩序,这个秩序几乎从未中立过,在其所有立足之处,始终在为了自身的有效和持续性而寻求合法化资源。传播以当今社会政治、经济和文化赌注中的集体自恋情结的面目出现,强调人类已经进入了意识被符号所操纵的时代,自此,传播的世界化打开了操纵世界的通路。近在眼前的影像,是今天的高科技传播手段轻而易举地把血腥的战争简化为一场视觉快餐。

一　传播是环境的意义

十多年前在阿尔卑斯山脚下的一间大学教室里,曾经有一位法国教授说,根据他对《真理报》的研究,把西欧国家的报纸和苏联的报纸相比较,形式上最大的区别在于一边有广告和社会新闻,而另一边则没有。没有市场经济,当然没有广告;没有市场经济驱动机制下的社会分工和社会分化,乃至由此产生的社会流动和人际关系的分化组合,当然社会新闻就是不在场的(且不说意识形态标尺对趣味的排列的偏爱)。他并不知道,几乎就在同时,在市场经济还未全面覆盖大众生活的中国,有一部影片《野山》几乎是以一个极具真实性的社会新闻作为故事内核,描绘了改革开放后的中国农民积极参与社会生产再分工的生活形态,通过两个家庭的裂变和重组,在对其中的人物禾禾和灰灰的形象刻画和对待生活与困境的态度描述中,暗示了农民对待新生产力的态度决定了自己的社会关系的价值取向。

犹如《野山》里的禾禾和灰灰一样,每个人都生活在一定的自然和社会环境中;影片中的人物面对改革开放的新政策所带来的信息冲击,在重新定位自身的同时以自身的性格对信息做出反应。信息首先界定了人与环境的关系。环境事实上成为产生社会关系的一种介质,以维持一种接触或一种关系。环境永远和社会主体产生关系的,在人们所能找到的每个例证中,环境无一例外地对主体进行着补充。没有环境,主体不能进行自我解释,甚至没有存在的机会。环境对个人产生作用,个人也反过来修改环境,共同生产环境,这样人与环境完成了一种共生关系。

新环境产生新观念,新观念产生新标准,媒体内容的演变过程与社会发展的自我更新过程同步,特别是社会主体的自我分化水平。如果说计划经济时代的信息分配是由点到线,那么市场经济时代的信息形态则是由面到体。如何对信息流量进行再分配成为大众传播的工艺标准,视听媒体的全天候播出成为文化工业的新景观,瞬间的历史变成滚动的历史。社会主体对社会环境的创造亦是对信息进行选择:只保留对自己有意义的那一部分作为交换的素材和记忆的文本。如果说过去对信息传播流程中的把关性质是意识形态管理,今天面对网络化的信息洪流,把关的重心逐渐移位到公共关系的窗口。社会传播的逻辑总是和社会组织的逻辑相关,社会的组织化水平越高,信息的社会需求量越大,信息的选择层次越丰富,对人们的观念和情绪进行象征疏导的渠道就越多。毕竟,社会环境对信息的选择性反应首先是要借助产生意义的刺激来激活人的能动性,同时亦要维持一个解释、期限、休息和自由的边缘。

在社会生态圈中,个体的意义来源于自身价值的不可替代性。网络文明的意义之一就在于个体通过信息和符号的选择来产生对环境的认同在技术上有了新的可能。网络传播使得人类自身的社会形态具有无限的丰富性,传统传播形态中所设定的认知栅栏、组织栅栏和信息栅栏遭遇真正的冲击,人们对周围社会和心理环境的反叛和超越有了量化的可能,信息的流量越大,"擦边"信息的机率越高,元环境的边界线越来越模糊,人类开放自身的潜力与传播技术的展现能力取得同步。

社会的发展过程是传播的加速过程,我们的知识和那些挑战环境的信息相遇,环境有一种本体论意义上的身份。当人们和事物接触的时候,事物的存在状态很少是单一的,而更多是处于流量状态和互动状态。什么是传播的发生状态?只要存在着人与物、人与人的地方,就会产生相互作用,就会产生传播意义上的交换过程。人类在自身的发展中形成的主体对主体的关系是一个意识对另一个意识的关系,这构成传播关系的本质。尽管人们容易把信息发送与接受限定在一个封闭的线性关系中,而实际上,主体之间的传播关系从来不是线性的。

无论是原始时代的集体巫术,还是后现代的人机对话,人类的传播行为强调了一种信息传播活动的内部反应或者是互动反应的关系。传播行为是一种社会性行为,难以设想传播行为的操作者是单数:动作意义上的思想就是传播。思考的场域中至少容纳了两个人:从《论语》的问答或柏拉图的对话体文本开始就是如此。在今天激烈的网络论坛中,一个有意义的原创后面,无数跟贴的景观再现了思想总是要和对象在一起的原理。传播本身是参与一个环境或加入一个符号学意义上群体。当一个传播主体发出一个讯息时,回应的基础在于考虑体现环境身份的媒介是否予以合作、批准和引导。

不得不传播,这是社会发展的逻辑。传播的本质寓于传播关系的建构和传播主体的互动之中。那么在传播活动中,往往存在着两个要素:一是内容,二是关系。人们往往会以为内容是最重要的,在理直气壮地如此想像的时候,往往就忽略掉了内容常常是由关系所决定的,通过社会关系的层次决定内容筛选的角度和信息分配的等级这样的方式,关系按照自身的意志裁剪了内容。传播是透过被传播的内容来反映或说明一种关系,往往是被建立或被确定的传播关系决定了或包括了可能被传播的内容。恰如法国学者德布雷所言:"一个社会共同体最能接受的真理是那些能够向这个社会共同体提供组织担保的真理。每个历史集团摸索着发现它自己最佳状态的信息栅栏,这能为它保证最佳状态的组织性和永久性,并向它的身份提供担保。"②

人和社会的传播行为中不仅仅限于意识层面,有时候,无意识也可以浮出水面,呈现在关系的表面。当传播者和接受者之间的关系达到最饱和状态时,传播将产生一种催眠效果,这个时候的内容接近零度:被传播的内容在信息量的维度上几乎无限趋近于零度状态,甚至已经没有任何信息量可言,而只能是通过对信息的场面调度来一再重申或重复已经存在的信息发送和信息接受的传播关系。最枯燥的信息内容转化为一面空空如也的镜子,清晰地折射出最纯粹的传播关系,这时候,被传播的内容成为传播本身,只有不能间断的接触来维持着传播者的影响力,如此借助自反达成了自我的求证。热恋情侣的恋人絮语是一个典型的案例;那些喋喋不休的交谈中有效信息极少,甚至是没有信息量可言的,但正是在对"真实的废话"的不断重复中,情侣之间的关系得以建立和巩固;而有过"文革"阅读经验的人也不可能从当时任何形式的文艺"作品"中去寻找活生生的人物形象,因为所有的细节和场面都决定了符号配置的意识形态性。

二 媒介是传播的容器

"媒介即信息"。我们与事物的联系始终是通过一种技术状态,在信息循环过程中的物质限制和技术制导系统就是媒介。我们要让一个信息通过或噪音被转化为信息,就意味着要有媒介——物质载体(如纸张、银幕或屏幕)、物理管道(如声音、光线、形状)、社会时空和能够分享同样符码的接受者。媒介这个词所产生的多种含义表现出一种潜藏在全部现代传播方式历史中的矛盾因素在语言学上的遗留物。因为每一种传播媒介都是制度发展、社会反应和文化内容的渊源,这应当被理解为相互对立和相互协调的力量和趋势在时间的进程中的冲突和衍化,它们不断地产生出自己的对立面。这些矛盾一方面是由新的传播技术提供的进步的或是乌托邦的可能性;另一方面是这技术在社会空间部署中的定位所具有的手段性质。广义地说,矛盾是由这两方面之间的张力表现出来的。

传播的时代是信息爆炸的时代,传播的信息越多,人越是无所适从;媒介越是对生活进行渗透,越是反证出人们对环境的逃逸企图。媒介显然是社会主体的无意识养料,是现代人的思想来源。在一个媒介化的社会,被分享的大众传播媒介成了人们形成个体认知的依赖和人际关系的中介。当视听媒体的直观影像在维护着观众观赏心理中的自恋栅栏时,毫无疑问在起着调节社会心理张力的作用。而在互联网世界的汪洋大海中,网友对影像和声音的信息操纵(因电视遥控器的使用而盛行的 Zapping 行为也属于类似的现象)使网友自身成为"虚像现实"的制造者。媒介在此时已经不是信息,而是网络(包括频道和波段)世界中与人们有关的信息本身成为人与外界的媒介。

法国社会学家波德里亚说:"传播不是说话,而是使人说话;信息不是知晓,而是使人得知。助动词'使'表明这其中涉及一种操作,而不仅仅是一种行为。"③能不能想像,在社会主体的传播活动中，任何形象和词语的自治、自发和自我满足的效能可以离开媒介的魔术。作为康德哲学中"先验主体",人的存在和思维需要载体,需要工具,需要媒介如纸、笔、语言、文字、实验室、图书馆、数据库和互联网络等等作为自己"被隐藏"的伙伴。所有的思想一般来说是和技术基础在一起发生作用,后者是前者隐蔽的伙伴,我们所处的技术环境创造了某种思想的无意识条件。好的媒介是要使自己被忘记,透明,它好像让人表达事物本身直到现实的虚拟,以虚幻的客体来诱惑主体。媒介本身有一种自我隐藏的结构:阅读不会去计算字数,我们只会对故事和人物感兴趣;人们在进行思考时更不会去感觉神经系统的运转。我们一般把媒介上的舒适定义为瞬间幻觉,所有的媒介技术革新都缩短了直接进入的通路。媒介越发达,人的思维通道越短。电影比戏剧更具观赏性,多机位电视转播的角度显然要多于现场坐位提供的视觉可能性,移动电话的接触方式比台式电话更舒适自由。当然,这种在使用中的便利性假定了在技术现实的形成过程中,有一个长长短短的把技术和商业调解在一起的社会合成过程。

媒介化的世界是一个技术化的世界,生活局限在一定的技术环境中,林林总总的商品不断放射出令人眼花缭乱的诱惑,新的消费品仿佛时代的媒介化标志,改变了人的感知、行为和意识维度。技术是社会主体活动的伙伴,人们对技术的追逐始终围绕着四个中心支点:能源、材料、时间尺度、与生物有机体的关系。今天的技术形态在社会发展中的干预性作用日益明显,市场经济的理性扩张不能缺少技术和科学的中介作用。在哈贝马斯看来,社会的增长是直接和科技的制度化分不开的。人们往往容易把技术理解为"硬件",实际上任何技术形态本身都不可能脱离"软件"。科技发展在相当程度上改变了生态环境和社会环境,在今天已经渗透到我们的思想和社会空间,这就提出了一个问题:我们在认识论上需要对技术采取什么样的态度? 技术从纯自然的形式转化为纯社会的成果是一个扩散性过程,被纳入在社会传播过程中。而以媒介形式出现的信息传播技术是社会再生产过程当中的一个重要组成部分,使知识和观念的辐射具有现实可能性。

社会上一种意识、一种观念所要达到的传播目的旨在取得一种自动化的同意或赞成,而前提是这种传播过程能够引发一种热烈的依附并予以凝固。从社会制度的民主化建构出发,不能把别人的意识工具化,不能像追求技术功效那样来处理主体之间的关系,不可能用探囊取物的方式直接取得信任、塑造尊严或树立威望等等。新技术不一定嫁接出新制度。新技术只是为社会在物质和精神意义上的再生产提供了一种可以变型、改造和阐释的话语。因此,技术形态的象征表现可以被看做技术铭文,是社会传播的支撑、载体和容器。技术铭文还是一个历时性作品,与社会传播的空间拓展相关,而虚拟空间的开拓并不仅仅是补充和平衡现实空间,同时也为现实空间的演变提供参照系。

三 传播的交换与语境

一般意义上,我们所说的传播往往是在传播者和受众之间表达一个权力的辩证关系,一个妥协谈判的场所:成功的讯息把参照物作为一个借口,经营一个多多少少具有实用功能关系、心理想像关系或社会象征关系的附加值,以求得信息发送者的价值和信息接受者的价值相互认同,形成一个象征的社会交换。

当建立起一种社会交换形式时,就同时开创了一种社会场面。这个交换过程是信息传播活动中的每一方的活动都被感知,同时又作为对信息的回答。信息的效应或效用取决于信息本身所作用的社会环境,取决于作为信息携带者的社会主体和社会环境的互动关系。同样的信息在不同的信息携带者那里产生完全不同的结果。一个信息的贴切性是有边界条件的,这就是它所处在的传播环境和传播网络当中的位置。也就是说,一个信息是否有意义和有什么性质的意义要由具体的社会环境和这个环境中的社会主体来决定。由社会主体和社会环境所组成的媒介环境才能激活、培育和再生产这个信息。对个人来说是这样,对集体性的社会实践来说,也是同理。黑格尔在19世纪预言的"历史的诡计"在20世纪并没有绝迹。20世纪30年代年西班牙共和党人的浴血奋战带来的结果是一场40年的佛朗哥专制,希特勒的纳粹主义的猖獗和破灭为后来横行半个世纪的斯大林主义提供了历史合法性,中国"文革"把"无产阶级专政条件下的继续革命"变成全民族的空前灾难。社会主体意义上的人对信息的完整把握不是一个自发反应或瞬间过程，需要提示的是在什么尺度内，人的认识工具支配人的理性。

理性在科学发展史上往往是指一种可以被证实、被重复的对象。也就是说，理性的力量来自真实，而真实的强力是被构成的，是葛兰西所指出的"文化霸权"的结晶。我们看到所有的话语是一种争论，一种在主体之间相互力量的摩擦和损耗，没有人在等待什么真理，因为结论往往是客观形势和主观力量加在一起以后的结果。争论的赌注更像是在战场上赢得位置或强化面子，这在传播策略日益渗透进政治和经济领域以后更是如此。美国的传播学家大卫·里斯曼在20世纪60年代初期提出了一个被实证的观点：人们的思考内容和思考线索是由大众媒介来引导的。④那么人们就会提问：有没有孤立的真理？是谁在让信息循环？一个被传播的信息是要让人产生兴趣并得到重复，这意味着信息受众是以一种储存的方式或是合作的方式来把这个信息据为己有的。在信息的扩散过程中，信息的转移、简化和熵（信息量的大小）是信息被扩散的条件，衡量信息的传播效力的标尺。

追寻信息的最大效益是为了实现布迪厄所说的"象征利润"。信息越是一般，越是简单，它的循环和再生产越容易。一个思想越想传得远，就越需要简化。越是神话，受众越容易得到满足。当然，传播在成为寻找广告口号的技术的同时，也透过讯息对载体形式进行价值塑造：或者使信息的陈述对象贬值，或者使讯息的携带者升值。但谣言和流言同样是对讯息的传播产生积极效果，这是因为它把接受者转化成发送者，引发社会群体的惊恐，如关于传染病的谣言本身像传染病一样蔓延。一个讯息的最佳状态是在它的陈述当中包括一个再生产的指令，每个类似这样的讯息都给它的携带者一个在中介过程中的附加值。信息在被不断进行引用、翻译和扩散的时候，成为具有一定属性的象征权力的符号载体。

人们在信息传播活动中所使用的符号或符号体系是人类生活借以形成感知模式和认识板块的外在资源，是用来感知和作用于世界的操作机制，或者是社会心理遗传的信息模板。⑤从传播学的角度来说，一个能够产生效果的话语肯定允许个人予以认同，而且给他一个自己的形象，对集体有所贡献。宗教、政治、审美等信息的产生是为一个群体带来一个话语和一个躯体。我们所称的意识形态首先是社会存在的形式,它把大众转化为有热力的躯体,转化为整体意义上的有机体。在社会群体的行为、思想或感情的制度化坐标定位模糊或缺席时,意识形态的出场亮相发挥最关键的作用。能够赢得人心的思想首先是它的组织功能,而不是它的知识行为。一个学说的真理性并不自动产生权威,首先是要有一个躯体,这个躯体就是这个思想的社会组织形式。作为象征权力的意识形态是社会躯体的符号架构。意识形态的支配不是通过信息的内容,而是通过对信息内容的排他性形式。在一个既定的社会,意识形态所赋予自身的功能是象征行动的词典。意识形态作为一种组织手段,是把大众转化为社会的行动主体。

葛兰西说:"应该区分两种意识形态。一种是历史上有机的意识形态,它对一定的结构是必需的;另外一种意识形态是裁决的,理性的和'愿意的'。作为历史必需性,意识形态的有效性是一种'心理'有效性,它'组织'人群大众,形成人们相互作用和相互斗争的领域,获得他们自己立场的意识等等。作为'裁决',意识形态仅仅创造个人的'运动'和争论等。"⑥在意识形态现象和社会之间的关系同时是简单的和复杂的,这要看它的阐释范围。或许意识形态很简单,因为它对阐释本身来说是内在的;也可以说意识形态很复杂,因为一种阐释好比艺术,它是否具有影响力要看是否能够回应时代的呼唤,是否能表达最能激发社会反响的思想。一个社会的深层结构不是严密的逻辑结构,一种传播形式的意义是由采用这种形式的主体来界定的。在阐释过程中,主体指定的参照系允许意义的产生被纳入社会结构的象征属性中,作为指称的表象来建立一种传播状态。意识形态的生产性意义在于被它观察和测量到的事实可以在其引导下成为一种普遍性的规范和对现实进行阐释的律令。一个历史环境的生产和再生产往往是通过它的象征产品,象征起到了组织作用,构成了历史情境。

四 媒介者的身份悖论

信息传播从语言表达方式来说,需要通过媒介者。在传播行动中,媒介者可能是一个操作者,借助它,我们才得以认同什么或者聚集起来。实际上也就是说,人们往往通过媒介来表达自己属于什么或者在什么范围以内。话语与身份的挂钩决定了媒介者的谱系聚焦了象征权力的社会交易过程,启蒙运动或者说文艺复兴运动以来的人类理性的进步旋律就是对象征权力一元化的祛魅,从神圣化到非神圣化,从神秘性到透明性,从中心化到非中心化。

的确,在人类还没有找到理性这一解放自身的工具时,人们容易把与自己产生联系的场所确定在人们之外,人们依恋这种外在的东西作为精神资源或"最高指示",让帝王成为真理和法律的化身。慢慢地,这种超验性成为实体的幻觉,把一种关系的思想变成一种普遍的中介,一种传播的动力,并慢慢地腐蚀实体或大写的主体。从皮尔士的实用主义真理观来看,对真理有两种理解:一是把真理理解为与客观实在相符合,另一种是把真理理解为人们对于对象的信念。⑦传播过程中的话语陈述现象往往证明传播者的权威性更容易产生传播效果。因为权威有一种人们习以为常的可靠性和认证性,经常表示出一种修辞的力量、神赐的魅力、说服力的逻辑、爱与恨的萌发、催眠术的幻觉效应等等,立即产生心灵(理)冲撞。权威性是要建立一种接触,是对群体力量的鼓动,让被引导的激情爆发出能量。

从现代社会制度民主化的发展趋势来看,在我们所追求的现代性中有一个核心任务,即政治上把政治回归到人与人的互动范围,形成制度的民主,使政治成为永远的协商。这里要提出的问题是社会的自我组织问题,需要从人类学的角度来演绎和解释幻觉或迷信的起源,为什么在人与人之间需要信任或信赖?并且把这种信任或信赖给予别人?一种浪漫的意识形态不可能和个人自由结盟,而有可能成为专制的同盟。因为"每个非神圣化的阶段通过暴力手段再生产一种新的神圣。连续不断地揭穿骗局的特点是打着建立普遍和超验秩序的旗号,结果是建立新的假普遍和新的假超验"⑧。一个一元化的意识形态的最高价值产生不出一个真正的有理性的对立面。真正的多元化可能存在于浪漫的乌托邦中,但是,更根本的和更真实的是,要存在于个人现实当中。

社会意义上的社会群体把自己组织起来不仅仅是源于共同的信仰或利益诉求,同时也是相对应一种超验的外在力量或外在事物的功能需要,从而构成演绎自身社会实践行为的象征支撑点。从法国文化人类学家勒内·基拉尔在《暴力和神圣》⑨一书中的观点来看，这个超验被构成是从一个牺牲品开始的，以便保证组织上的封闭和价值的标志性。这个牺牲品可以是英雄或叛徒，或者是英雄转化为叛徒，抑或相反，人类在永恒的价值评价的置换当中寻求自己的理由。

在左翼意识形态高涨的20世纪70年代初期，天才的意大利电影导演贝托鲁奇在根据著名阿根廷作家博尔赫斯的小说所改编的影片《蜘蛛策略》中演绎了一个历史悖论的寓言：人类社会的一个运行机制是把牺牲品或牺牲者神圣化，作为象征意义上的社会躯体的化身。影片主人公阿索思回家乡塔拉镇去了解父亲当年被法西斯处死的真情。他从父亲生前的情妇和战友处探听出，这位远近闻名的反法西斯英雄原来曾失足做了叛徒，他悔恨之余想出了一个计策，即让战友们把自己杀死后再嫁祸于法西斯分子，这样既可维护反法西斯事业，又可以激励人民的斗志。战友们于是按照他的意思把他处死，从此他就成了人们敬仰的烈士。主人公阿索思了解了真情后十分痛苦，几度在广场上父亲的塑像前徘徊，沉重的良心重负无法解脱。尽管他非常想揭露真相，却终于认识到这是难以办到的，因为连他本人也成了有关父亲神话的一个部分了，或者说已与父亲一起被缠入同一张蜘蛛网内，这个网是由父亲亲手织就的，谁也摆脱不掉。父亲，他自己，老战友，人民，都需要这个神话继续存在下去。英雄和叛徒的时空重合构成历史悖论的注脚，真相无法揭露，人们需要神话作为存在的理由。神话的建构和解构并不是像小说和电影一样离我们的生活无限遥远，仅仅是在二十多年之后，一个公司使用了这样的广告词来为自己的"富贵花开"品牌大张旗鼓："让烈士的鲜血浇灌富贵花开。"为理想信念而献身的红岩英烈形象在市场逻辑的运转当中失去了自身的全部质量，被改造为商业意识形态中轻飘飘的标签。在人类的媒介化行为当中，往往都要使符号本身产生象征意义上的权力的呼唤，从一个被传播的权力再生殖出一个被呼唤的权力，从而产生传播影响力。甚至，象征权力的诡计在于可以以导演自己的死亡来重新寻找它的存在和它的合法性。

信息化时代的媒介传播功能是在不同社会成员当中传递知识。在当代社会中，知识资源早已是一种权力资源，知识的生产和分配存在着制造社会不平等的风险。从某种意义上讲，信息传播的形形色色的赌注都指向了权力的转移。然而我们所期待的媒介传播的要义应该还存在这样的可能,那就是借助知识来建立客观性和真理的解释秩序,来实现伦理意义上的公正和规范,最重要的是,要为人的解放性自我反思提供一个社会理想的希望。

注释:

① Jack Goody, *La raison graphique*, Minuit, Paris, 1979, p. 100.
② Regis Debray, *Cours de Mediologie generale*, Editions Gallimard, Paris, 1991, p. 156.
③ Jean Baudrilard, *La transparence du mal —Essay sur les phénomènes extremes*, Galilée, Paris, 1990, p. 53.
④ [美]大卫·里斯曼《孤独的人群》,南京大学出版社 2002 年。
⑤ [美]克利福德·格尔兹《文化的解释》,上海人民出版社 1999 年,第 244—245 页。
⑥ Antonio Gramsc, *Oeuvres choisies*, Editions Sociales, Paris, 1975, p. 207.
⑦ 涂纪亮《英美语言哲学概论》,人民出版社,1988 年,第五章。
⑧ Jean—Pierre Dupuy, *Ordres et desordres, enquete sur un nouveau paradigme*, Seuil, Paris, 1982, p. 163.
⑨ Rene Girard, *La Violence et le sacre*, Editions Bernard Grasset, Paris, 1972.

陶东风

大众传播·民主政治·公共空间

在大众传播研究领域，一个最富争议的主题之一，是大众传媒与民主政治以及公共空间的关系。① 与此相关的，是大众在信息的生产与传播中的地位以及由此带来的文化政治问题：大众是否以及在多大程度上能够参与信息的生产与传播过程？如何保证大众能够获得应该获得的正确而可靠的信息（尤其是与他们的公民权利密切相关的涉及公共事务的信息），以便有效地参与公共事务？他们是主动地接受信息还是被动地受信息的引导，乃至完全丧失自己的独立性与主动性，沦落为传媒的奴隶？

总体来看，无论是中国还是西方的传媒与文化研究，越来越对大众传媒对民主的威胁表示了担忧。比如法洛斯的一本谈论媒体的书题目就叫《号外新闻——美国民主怎样被新闻媒体破坏》，此书集中批评了美国的大众媒体对于民主的威胁。书中指出："由于新闻媒体漠视民众的意见，民众因而无法真正参与他们身处的社会，政府官员亦因此无法听到民众的声音，从而堵塞了政府与民众之间的沟通渠道。新闻媒体之所以失去了公民精神，是因为新闻媒体与政府圈子纠缠在一起。"② 同时，旅美的中国学者李宪源的长文《媒体控制下的美国》非常详细地揭露与批评了美国媒体的非民主化倾向。文章引述了美国作家查尔斯·瑞奇的话："通过控制通向媒介的渠道，像电视这类大众媒介大大降低了民众思想交流的自由。当然一个人仍然可以站在街头角落向行人发表自己的见解，但是其声音却完全被媒介的声音所压倒和淹没。"可见即使在美国这样号称新闻自由的国家，媒体的非民主、非公众化也十分严重（当然我们也不要忘记在有些国家即使是站在街头角落发表自己见解的自由也是没有的),而这种非公共化的结果是导致大众的政治冷漠与参与热情的丧失。③这里,关键的问题是大众传播与政治权力、市场权力的关系以及它自身的权力化,这几种情况都会导致大众传播的非大众化与非民主化。

一 大众传播的特点及其与公众的关系

首先还得从大众传播作为一种传播类型的特殊性谈起。显然,与大众传播相关的传播类型迥异于日常生活中的交流("交流"与"传播"在英语中都是 communication)。在日常生活的交流中,交流双方是面对面(face to face)的,信息的流动一般也是双向的(对话性的);而在大众传播中,信息的流动一般是单向的(one-way flow),信息或文化产品是为那些基本上不在生产与传播现场的人们生产的,接受者参与或介入传播过程的能力极其有限,从而也就很难影响传播的内容。也就是说,在大众传播中信息的生产者与接受者之间的关系是断裂的。符号形式虽然是为了(姑且这么假设)公众生产与传播的,但这个过程恰好发生在公众的直接反应缺席的时候。由此决定了大众传播与日常生活中的对话情境极为不同。正因为这样,有的外国学者认为,在谈及大众传播时,应当用"传递"或"传送"(diffuse, transmit)的概念取代"传播"(交流)。

此外,大众传播的另一个特征是符号商品的机构化生产与传播,大规模的信息生产与传播机构的形成和发展,是大众传播的前提条件,而这种机构出于外在的压力或自身的利益考虑常常尽可能严格地控制信息生产与信息流通。这就涉及一个重要的社会问题:大众传播是否可能成为一种新的蒙蔽、控制与统治的手段?尤其是如果它与一定的政治权力或经济利益集团相结合或被它们操控,会不会是对于民主与真正的公共生活的威胁?这正是许多大众传播的研究者所担心的状况。比如哈贝马斯在谈到"公共领域"在19—20世纪的衰落时,就把这种衰落的原因之一归结为大众传媒的兴起。他认为:原先由面对面相互辩论的市民所组成的公共领域,在现代社会已经瓦解为由消费者组成的碎片化世界。这些消费者沉迷于传媒景观与传媒技术之中不能自拔,成为它们的奴隶。这是对于民主政治的一个严重的威胁。哈贝马斯认为,公共性的主体应当是作为公共意见之载体的公众(在英语中,"公众"这个词与"公共的"相同,均为 public),行使批判性裁决者的功能,而在大众传媒领域,公共性已经改变了它的含义,变成了任何吸引公共舆论的东西的一个属性,其目的就在于生产出虚假的"公共性"。④

　　大众传播不但可能与政治权力结合,而且它自身也可能成为一种新的权力。以中国为例,戴锦华认为,在工业化、后工业化社会,传媒早已成为新的权力中心之一。中国当前的大众传媒所显现的空前的力度,事实上是权力的媒介与媒介的权力在特定的历史条件下相互结合、彼此借重的结果。同时,经典的政治权力已经不是惟一的权力中心,新兴的媒介权力本身显现出自己的暴力特征。媒介本身的权力化以及它与经典政治权力的复杂关系,应当引起我们的高度重视。"从某种意义上说,90年代中国的'大众传媒'不仅在某种程度上行使并接替了经典权力的功能,而且履行着超载(或曰越权)的多重社会功能",而这种"越权"的最典型的例子就是中央电视台的"焦点访谈"节目。⑤

　　对于大众传播的这种担心由于它的另一个特征而得以强化,即,大众传播在空间上具有极大的延展能力与距离化能力。借助于现代技术,大众传播的"魔爪"可以触及以前不能想像的公共空间与私人空间。大众传播的产品是为极大多数并不拥有共享空间的接受者生产的,是在"公共领域"流通的,它们在原则上是任何拥有传播媒体(如电视)的人都可以获取的(在这方面它不同于私人交谈式的交流)。由此决定了大众传播生产"公共性"的能力大得不可思议。正因为此,规范化、机构化的权力很可能利用大众传播的力量,出于自己的利益与立场实施对于大众传播的控制,其结果就是公共生活领域丧失了真正的公共性。

　　但是也有一些学者显得不这么悲观。他们认为,大众传媒只是重构了而不是取消了公共领域。比如汤普森(J. Thompson)在《大众传播、社会理论、公共生活》(Social theory, Mass communication and Public life)一文中指出,通过强化信息的延展力与渗透力,大众传播的发展必然打破公共生活与私人生活的原有边界。也就是说,私人事件(private affairs)可以经由大众传媒而被转化

陶东风/大众传播·民主政治·公共空间　131

为公共事件;反过来,公共事件(public affairs)也可以被在私人的背景中得以经验。由于大众传播在社会生活中的极大渗透力,公共事务与私人事务的本质以及两者之间的区分,正以特定的方式发生变化。这对现代社会中政治权力在国家机构水平上的获取方式、实施方式以及维护方式必将产生深远影响。⑥

二　公共性的类型以及私人领域与公共领域的转化

我们不妨首先从界定"公共的"与"私人的"这两个概念的含义入手。一般认为,这对概念的区分有两个基本的含义。首先,"公共/私人"指的是机构化的政治权力(它可以越来越集中于主权国家)与外在于国家直接控制的私人经济活动与私人人际关系之间的区分。这个宽泛的区分当然不是僵化的,甚至也不是十分清晰的。比如资本主义经济活动的早期发展就发生在由国家权威确立的法律框架中,从而具有了公共性;但反过来,国家的活动也受到资本主义经济发展的不同程度的影响与制约。而且从19世纪晚期以来,作为国家干预政策(目的是抵消资本主义经济增长的不稳定性)的一个结果,大量的经济与福利组织在公共领域中创立。这就使得公共领域与私人领域之间的上述界分变得更加复杂。

"公共/私人"的第二个基本含义必须从上述的区分中分离出来。根据第二个含义,"公共"意味着向大众公开。在这个意义上,"公共的"意味着可见的(visible)或可以观察到的(observable),是在"前台"上演的;而"私人的"则是隐蔽的,是在私下或有限的人际环境中的发生的言谈或行为。

有了以上的区分作为背景,就可以进而切入大众传播在重构公共生活与私人生活的边界时所发挥的重要作用、所使用的方式以及经过大众传媒中介化以后的公共性(mediated publicity)与传统社会中的公共性的区别。

对于现代传媒持激烈批判态度的哈贝马斯断言公共领域在19与20世纪因传媒的发展而衰落了。这与哈贝马斯理解的真正的或理想的"公共领域"概念相关。哈贝马斯的"公共领域"的概念本质上是一个对话性的概念(a dialogical concept),也就是说,它是以在一个共享的空间中聚集在一起、作为平等的参与者面对面地交谈的相互对话的个体观念为基础的。这个"公共领域"的概念主要是在传统公共性,即以古希腊城邦为典型的、以在一个共享的空间中面对面的交流为形式的"公共生活"概念基础上形成的,后来又演变为18世纪由私人构成的资产阶级公共领域,其主要场所是市镇(town)与文学界(the world of letters)的公共领域(如各种沙龙、咖啡屋、剧场等),它们是自由平等的公民之间一种理性-批判性的公共论辩(rational-critical public debate)。正如汤普森指出的,哈贝马斯在谈到公共领域的时候,一是强调交流的面对面的性质,二是强调它的口语性。虽然他在谈到资产阶级公共领域时关注了印刷媒体,但是他的"真正的公共领域"的理念依然是以口语交流为蓝本得以理论化的。在这个方面哈贝马斯对于资产阶级公共领域的解释带有古希腊"公共生活"的印记:巴黎与伦敦的资产阶级沙龙、俱乐部、咖啡屋,在早期欧洲的背景中,都是同古希腊聚会与市场相同的东西。就像在古希腊一样,早期欧洲的公共领域首先是在言谈(speech)中建构、在共享空间的口头争论中形成的。

显然,这样的"交往"概念与经过媒体中介而确立并维持的交往的区别是明显的,因而也与媒体所创造的公共领域类型相去甚远。带着这样的公共领域概念,哈贝马斯毫不奇怪地倾向于对更加现代的传媒类型(如广播与电视)对于公共领域的冲击做出否定性的解释。这不仅是因为媒体工业已经变得更加商业化,而且因为它们所创造的交流情景的类型远离哈贝马斯心目中那种发生在俱乐部或咖啡屋中的面对面的、以口语为媒介的对话性交流。哈贝马斯当然承认广播、电视等创造了新的交谈形式,如广播电视中的公开讨论(TV chat show, panel discussion),但是他认为这种讨论形式绝对无法与建构资产阶级公共领域的那种批判—理性的论争相比。

问题是如果我们依然把眼光局限于对话性的公共性,那么至少在阐释的层面上我们就无法达到对于现代世界中的公共生活新本质的令人满意的理解。在汤普森看来,与其像哈贝马斯那样以传统的公共性理念为依据指责大众传媒扼杀了公共领域,不如重新思考公共生活的变化着的本质。换言之,我们应当承认传媒的发展已经创造了新的、传统模式不能容纳的公共性类型。随着传媒的发展,公共性现象已经越来越脱离共享的公共空间,它已经变得解空间化(de-spatialized)、非对话性(non-dialogical),而且越来越与由传媒(尤其是电视)所生产并通过传媒而获得的独特的可见性(visibility)类型紧密相关。这就要求我们重新思考在一个由新的传媒形式渗透的世界中"公共性"的含义。所谓"解空间化",是指在大众传媒时代,某个事件或某个个体的公共性(可见性)不再与一种"共享的公同场所"相关,因而可以获得一种新的、可称之为"被传媒中介化的"公共性或"经传媒调节的"公共性(mediated publicity),其特点是常常独立于(不借助于)他们(它们)被大量个体直接观察的可能性。也就是说,个体不必直接参与观察(不在现场)就可以通过传媒的报道而参与这种公共性。公共性已经变得越来越与由大众传播的技术媒介创造的新的可见性(公共性)类型相关。电视与其他媒介创造了一种新的公共领域的类型,它几乎是没有空间限度的,也不必然地维系于对话性交谈,它已经能够被无限多的、可能是处于私人化的家庭空间中的个体所接触。

总之,在汤普森看来,大众传播的发展与其说是标志着公共生活的死亡,不如说是创造了新的公共性类型,并从根本上改变了人们经验公共生活、参与公共领域的条件。哈贝马斯的理论的缺陷就是不能解释现代传播媒介的发展以什么方式改变了公共性的本质,他的理论基础是建立在一种本质上是空间性、对话性的公共性观念之上的。

以这种方式,大众传播的发展促进了具有自己特点与结果的两种类型的事件的出现,即经过媒介转换或参与的公共事件与私人事件。所谓"经过媒介转换的公共事件",是指这样的事件:它们原本发生在一个处于公共领域内的机构化的背景中(如发生在国会或法庭中),但是它们通过大众传播媒介的记录与传递而获得了新的情形:变得公开化并面向大量的接受者——这些接受者并不在现场,也不曾目击事件的原始发生,他们只是通过传播而获得关于公共事件的知识。如果没有大众传播,那么目击或了解此类事件的人就非常有限;相似地,所谓"被媒介转化的私人事件"则是指这样的事件:它们原先发生在私人的领域,但通过被大众传播记录、报道与传播获得了公共性。后面的一种情况最常见地发生在一些著名的政治活动家与各类明星身上。他们既深受其益(想想中国的明星们是如何炒作自己的私生活以提高知名度),也深受其害(想想戴安娜的悲剧)。当然,受其益与受其害原本是一体两面的。正如有学者就戴安娜事件指出的:"名人与名人周围的许多人都在想方设法地利用传媒,甚至包括不幸的戴安娜本人……在一定意义上,她在观众面前的那个'人民的王妃'的形象就是她与传媒的合谋。"但是"权力并不是哪一个人绝对拥有的'东西',而是一种可能会发生流变的关系。当你利用了传媒,那么就意味着你不可能不被传媒所利用;当你通过传媒说话,传媒也在通过你生成自己的影响……尽管玩火者并不必定都自焚,然而灼伤却难以避免。对于那些准备利用传媒的人,那些急于出名,急于包装自己、出售自己形象的人,这一点也许是一个重要的启示"。⑦另外一位作者这样写道:"许多情况下,公众人物与大众传媒本来就是相互利用的关系,这一点用不着遮遮掩掩。传媒对公众人物的需求永难满足,而公众人物对传媒往往又爱又恨,二者既相互依恋,又冤家路窄,仿佛一对在打打闹闹中厮守终生的夫妻,很难说谁对不起谁。"⑧

三 政治家与传媒

可见,公共性经验与共享空间的分离,或公共性与共在语境(the context of copresence)的分离,必然导致公共性本质的转化以及(同样重要的)个体参与公共性的方式的转化。正是这种被中介化的公共性的易获取性已经产生出新的机会与新的问题。就与本文相关的大众参与与民主问题而言,新的机会是指,媒介的发展(尤其是电视)使得更多的个体可以经验时空上相隔遥远的地区发生的事件,参与几乎是全球性范围的被中介化的公共性,从而使得自己的参与机会与民主权利得以提高;而新的问题则是,更大的可获取性与可参与性使得那些实施权力——无论是在公共领域还是私人领域——的人一方面更难控制人们对于信息的接触(而这种控制对于他们的权力可能是至关重要的),但另一方面一旦他/他们控制了传媒,那么他/他们的权力将借此而覆盖更广阔的空间、导致更可怕的传媒专制。

至此我们可以讨论一个至关重要的问题:大众传播创造的这

种新的公共性与政治权力的关系是什么？因为这对于理解大众传播与民主政治或大众参与的关系是正面的还是负面的具有基本的意义。首先应该强调的是：大众传播所创造的公共性类型是一把双刃剑。在由大众传媒创造与维持的新公共领域，政治领袖可以通过以前没有的方式出现在其臣民面前。如果说以前的政治领袖与臣民之间的关系是非媒介化的（即面对面的）或媒介化的程度非常有限，因而其范围必将是非常有限的；那么现在，这种关系已经越来越受到作为中介的媒介的影响。这样，臣民对政治领袖的认知与评价、他的忠诚或反抗态度，在很大程度上必然由传媒来建构。显而易见的是，技巧圆熟、深谙传媒之道的政治家可以利用这一点。他们可以通过精心设计自己的自我表征，通过巧妙安排他们在现代政治的中介化领域的可见性（公共性）来获取乃至骗得民众的信任与支持。正如汤普森指出的，"今天可见性（公共性）的设计已经被广泛地视做机构化政治的重要方面"。由于大众传播的优势，这种设计行为极大地超越了时空的限制。现代的政治家不仅频频地出现在本国的观众面前，而且在世界的观众面前"登台亮相"。现代政治的中介化场所是全球性的。这样现代政治与媒体的关系就非常密切，一个政治家"在镜头中的表现不能打动观众几乎就不能当选"。⑨

话说回来，虽然大众传播为政治家的可见性（公共性）的设计创造了前所未有的"可乘之机"，但是它也为政治家与政治权力的运作带来了前所未有的风险。在大众传播出现之前，政治家能够把可见性设计行为（自己的公众形象）控制在一个相对封闭的圈子（如参与者有限的集会）中，而作为整体的全体居民则难得一睹其尊容。他们的权力合法性在一定意义上就是通过这种距离（不可见性、神秘性）来维持的。今天的政治家则已不可能用这种方式控制可见性的设计，现代政治的中介化领域以传统的集会与法庭所无法想像的方式向大众开放，而且大众传播的本质决定了传媒所传递的信息可以通过传递者无法监视与控制的方式被接受。这样，大众传播所创造的可见性可能也是一种新的对于权力与统治的威胁。尽管限制依然存在，但是总体而言今天的政治权力运作发生在越来越看得见的领域，美国的军队在东南亚的部署，或在南非发生的镇压示威活动，都是在新型公共领域中的演出的，可以同时被成千上万散布于全球的个体所"目击"。这样,政治权力的运作从属于一种全球监视类型,这种全球监视系统在大众传播,尤其是电视出现之前当然是不存在的,也是不可思议的。正是这种新的全球监视的可能性使得政治行为带有前所未有的风险。无论有多少政治家寻求精心设计并控制他们的公共形象,但这个形象仍然可能逸出他们的控制,削弱他们已经或正在寻求的支持。政治领袖可能毁于一次情绪上的偶然失控,一次即兴的失当评论,或一次思虑不周、判断不慎的行为。权力的丧失可能是在一瞬之间。在现代政坛上不乏被传媒搞下台的总统(其中最著名的例子或许就是《华盛顿邮报》揭露水门事件致使尼克松总统下台),甚至可以说现代政治家的命运离开传媒是不可思议的。总之,"大众传播创造的可见性是一把双刃剑:今天的政治家必然持续地寻求操纵它,但不能彻底地控制它。被中介化的可见性是现代机构化政治的不可避免的条件,但它对于政治权力的运作同样具有不可控制的结果"⑩。

由此可见,对于政治家与公众人物而言,大众传播是具有两面性的。有学者在戴安娜不幸因车祸死亡以后大众对于传媒的一致谴责与愤怒指出:"将这些不同的传媒机构或不同的人放在一个范畴来加以谴责是不公正的;这正如不能因为德国出了一个希特勒,所有的德国人就都得对希特勒的罪行负责一样","世界上并不存在铁板一块的传媒,那样的传媒是我们自己的创造,是'传媒'这个词实体化以后的一个错觉"。⑪

对于这种两面性,捷克总统哈维尔曾有出色的论述,并认为它是当今文明双重属性的一个组成部分或一种体现。哈维尔指出,一方面,传媒扩展了公共空间,以至促使跨国性的民主力量的生成,"多亏有了电视,全世界一夜之间发现有个叫做卢旺达的国家,那里的人民正在遭受难以置信的痛苦;多亏有了电视,它使我们有可能向那些受苦的人提供至少一点儿帮助;多亏有了电视,全世界在数秒之内就被发生于奥克拉荷马城的大爆炸所震惊,同时明白,那是对所有人的一次重大警告;多亏有了电视,全世界都知道有一个获得国际承认的波斯尼亚——黑塞哥维那的国家,并知道从世界承认这个国家的那一刻开始,国际社会就在徒劳地试图按照一些从未被任何人承认为任何人的合法代表的军阀们的意愿,将这个国家分裂成一些奇形怪状的小国"。他认为,这是当今大众传播,或者说,那些采集新闻的记者的神奇一面。传媒之于公共空间的拓展的重要性由此可见一斑。

然而哈维尔结合自己的经验,也指出了电视的不那么神奇甚至令人讨厌的另一面,比如,"它仅仅陶醉于世界的各种恐怖事件中,或无可饶恕地使这些恐怖事件变成老生常谈,或迫使政治家首先变成电视明星。但是哪里有谁白纸黑字地写明,某个人在电视上表现出色,就意味着他政绩骄人?我不能不震惊于电视导演和编辑怎么摆布我,震惊于我的公众形象怎样更多地依赖于他们而不是依赖于我自己;震惊于在电视上得体地微笑或选择一条合适的领带是多么重要;震惊于电视怎样强迫我以调侃、口号或恰到好处的尖刻,来尽量贫乏地表达我的思想;震惊于我的电视形象可以多么轻易地被弄得与我的真人似乎风牛马不相及。我对此感到震惊,同时担忧它不会有什么用处。我认识一些只懂得以电视摄影机的方式来看自己的政治家。电视就是这样剥夺他们的个性,使他们变成有点像他们以前的自己所制造的电视影子。我有时候甚至怀疑他们睡觉的姿态是不是也像电视里那样像模像样"。这就必然导致政治家在媒体上"作秀"的现象,他们不是对公民负责,而是对媒体"负责"。总之,"就像原子的分裂能够以千百种方式无穷尽地丰富人类,同时也能够以毁灭来威胁人类一样,电视也可以有善恶两种结果。它快速、富于暗示,且能在前所未有的程度上传播理解、人性、人类团结和灵性的精神,它又可麻醉整个民族以至各大洲"。⑫

四 比传媒更重要的是政治体制

鉴于大众传播的这种双刃剑的性格,许多人呼吁强化大众传播从业人员的责任,即他们的责任感与道德自律的问题。不过也有人更加关注传媒自身的体制以及传媒所处的社会体制。认为传播从业人员的道德自律固然是重要的,但更为关键的还是大众传播所处的具体政治体制环境,亦即大众传播与什么样的政治制度相关联。有学者指出:"媒体以在制度上与经济上独立来保证公正,这一直是一个没有完全实现的理想,而这个理想的实现除了媒体自身的道德追求和对社会责任感的自觉担当,更重要的是,要靠媒体所在社会的制度保证","社会制度与媒体制度之间其实是有着唇齿相依的关系,唇亡齿寒。它决定了任何媒体制度的改革都必须和社会制度的改革匹配而行"。⑬我完全认同这个观点,尽管我对此文的一些具体分析有所保留。

显然,传媒与传媒的权力不是存在于真空中,而对于传媒的运作以及社会效果产生最重要制约的无疑是传媒所处的社会体制环境。大体而言,现代的民主政治与法制社会为传媒提供的是一个竞争性的、舆论相对自由的社会环境。在这样的环境中,大众传播常常不能被操控在某一个政治力量或经济利益集团手中(尽管这样的政治与经济集团不可能很多),而是各种政治与经济力量共同争夺与使用的工具。正是这种相对来说多元的竞争格局,使得某个党派的政治家或经济利益集团不能彻底控制更不能垄断大众传播。换言之,各种政治/经济力量常常都可以利用大众传播来服务于自己的政治/经济目的。多元的政治格局与多元的大众传播形成紧密的相互联系与相互支撑。这也就是说,民主的政体是大众传播不至于与极权主义政治联姻、彻底落入某种社会权力集团控制的基本前提。人们经常谈论的"二战"期间德国法西斯利用大众传播来推行极权政治,从反面证明了抽象地谈论大众传播是有利于还是有损于公共生活或民主政治是没有意义的。大众传播既可以是极权主义政治的帮凶,同时也可能是民主政治的良友(现代社会中的所谓民主监督离开了大众传播是不可思议的,因为人们亲身经历重大的公共性事件的可能性已经越来越小,我们通过现场目击的方式获得信息的可能性同样也越来越小,我们的信息来源越来越依赖于媒体,这是一个无法改变的基本事实)。这主要取决于它生存在什么样的社会政治环境中。

同时现代的民主社会是一个法治的社会,在这样的一个社会中,不但传媒的权利得到了法律的保障因而可以行使对于政府及其他权力集团的监督,同时它自己的权利也受到法律的制约,从而制约了传媒的权利无限扩大化,不能为所欲为。当前中国的传媒呈现出一种奇怪的现象:一方面是经常有关于新闻记者正当权益被粗暴剥夺甚至被殴打的报道,同时也存在一些"权威"的媒体超越法律的限制而剥夺被采访者的权利的现象。这两个看似矛盾的现象说到底都起源于同样的原因,即对于传媒权利的保障与对传媒权力的制约都不是法制化的,而是处于依赖行政权力甚至个别领导人的个人权力的状态。比如中央电视台"焦点访谈"栏目因经常揭露一些重大的冤假错案而被群众称为"焦青天","焦点访谈"的记者所到之处各级贪官污吏闻风丧胆。但是这并不是因为记者本身有如此神力,而是"焦点访谈"的记者手中持有别的记者没有的"特别通行证",由此不难理解没有这种"特别通行证"的记者的被冷落、刁难乃至殴打的命运了。⑭

当然自由民主制度中的大众传播也会有它的弊端,比如信息的混乱与芜杂,泥沙俱下。但是相比之下,信息的自由传播(当然是在法律的规范之下)总比信息的垄断与独家控制好,至少是更有利于民主政治与公共参与。正如有学者指出的:"与新闻自由与言论相伴随的这些弊端是难以克服的,假如硬要加以克服,那么势必走向另一个极端。"他认为即使是对于那些专门热衷于炒作"名人"无聊隐私的小报,也不能因其表现得"不严肃"就将其全部取缔,以便整个社会"耳根子清净"。这是一种"只想要好处,不想要坏处的幻想"。⑮

问题是,中国媒介权力的这种状况依然是依附于中国特定的政治－文化制度,不对这个制度进行分析就不能很好地解剖这种畸形的媒介权力。比如人们常常提及的记者以违法的方法"迫使"被访者出示"罪证"。记者或媒体之所以拥有这样的权力,依然是源自权力的过分集中,实际上各级被曝光的官员或权力机构惧怕的不是法律,更不是所谓的"媒介权力"本身,而是媒介背后的那个官员或权力机构。

五 媒体与市场

在90年代以前,西方的主流传媒理论一般是依据市场自由主义的理念提倡通过市场的自由调节来保证媒体的自由、多元与公正。但是从90年代开始这种理论遭遇极大的质疑。依据赵斌的介绍,J. Keane 的《媒体与民主》一书就批评了这种市场自由主义观念,提出媒体应当"既不为不民主的政府又不为不民主的市场所左右"的理想。相似地,在中国,如果说在80年代知识界主要是针对"文革"时期的思想文化专制来倡导新闻自由与民主监督,那么到了 90 年代虽然上述的批评取向不能说已经销声匿迹,但是我们经常听到的似乎是另一种声音:警惕市场与商业对于媒体的控制。事实上,现在越来越多的中国学者也倾向于认为自由竞争与市场机制对于媒体具有负面的作用。赵斌的《依然怀念一九六八》、李宪源的《媒体控制下的美国》,以及吕新雨的《媒体的狂欢》等文章都对市场与媒体联姻表示了深切的担忧(虽然它们的分析对象都是资本主义社会的例子)。

《依然怀念一九六八》一文中列举了英国莱斯特大学大众传播研究中心墨多克等人的研究成果《示威游行与传播:一个个案研究》。该项研究对于英国传媒对英国伦敦 1968 年 10 月 27 日的反战游行的报道进行了分析,结论是这个基本上是极为温和的、组织严密的和平示威游行活动被断章取义地片面报道为一个暴力事件,抓住个别的暴力冲突场景大加渲染从而误导了观众。由于绝大多数观众只能通过媒体的中介接触这个"事实",所以这种误导的后果是极为可怕的。这也可以说是公共事件在被中介化的过程中发生的一个负面结果。研究者由此提出一个尖锐的问题:"在一个民主的社会中,多种传播渠道应该向公民们提供多方面的关键信息,保证其政治与社会参与的权利。但是,在一个传播媒体日益迈向兼并与垄断的时代,公民的这种基本权利正在受到威胁。"那么是什么因素决定传媒以这种方式进行报道呢?研究者认为情形比"阴谋理论"(即资本主义的国家意识形态机器为了控制大众故意歪曲报道)要复杂,"事实上,大多数新闻记者并无意去掩盖和扭曲事实的全部和真相。恰恰相反,他们的职业训练首先强调的是真实报道"。问题出在媒体的商业化上,媒体为了迎合观众的猎奇与感官刺激需要,故意渲染个别的暴力场面,而不是详细介绍事件的整个经过。当各种媒体都这样进行"竞争"的时候,其结果是不但没有导致媒体内容的繁荣与多样,反而使它变得千篇一律。⑯但是话说回来,墨多克等人的研究成果之所以能够纠正媒体对于 1968 年事件的片面报道,全面记载了这个事件的全过程以及它的社会历史背景,也依然有赖于民主制度提供的新闻自由的土壤。可以设想一下,如果在一个专制的根本没有新闻自由的国家,主流的媒体完全控制了新闻,那么对于它的歪曲报道的批评与纠正也是不可设想的。也就是说,只有在民主的政治环境中,对于由商业化所导致的媒体的垄断与歪曲报道的批评与纠正才是可能的。同时也必须指出,作为理想的自由民主的社会体制不能同于某种特定国家的社会制度(如某个历史时期的美国或英国)。比如墨多克分析的这个例子在赵斌看来就与媒体的兼并与垄断的趋势相关。⑰但是我们也没有理由认为这种趋势就是资本主义社会或市场社会的必然常态。资本主义社会或市场社会本身也在通过各种法案(比如反垄断法)来制约垄断与兼并的趋势。然而这种反垄断的行为同样也只是在基本具备了民主的平台以后才是可能的。试问,在一个国家权力渗透到社会每个角落的现代极权国家,谁来保障对于国家这个最大的垄断者的反抗呢?在批评别人的时候批评者切莫忘记自己的真实处境。比如在希特勒掌权的时代,谁能够挑战法西斯对于媒体的垄断?

　　经济力量对于媒体的干预在西方资本主义国家可能是一个不亚于政治的重要因素。吕新雨指出,古典自由主义认为市场化可以提供一个"意见的自由市场",从而确保思想的自由与媒体的公正。"但是当今社会,媒体的市场化发展其实已经形成对自由主义理念的挑战。"首先,媒体的经营需要大量的资金,从而政治上或理论上的平等被经济上或实际上的不平等置换;其次,媒体的市场本身也不是建立在理性基础上,媒体可以迎合人的低级的非理性的欲望而在市场走红。总之,市场化的方案能否保证媒体的民主理想值得怀疑。甚至"新闻自由能否必然导致客观和公正?新闻自由是否必然导致民主的实现呢?这之间是否能划等号?看来并不是一个不需要质疑的问题"。⑱作者的答案当然是否定的,而且在我看来也应当是否定的,因为完全的客观与公正是任何时候、用任何方法都不可能实现的理想,因而有意义的问题毋宁是:是新闻自由还是新闻专制相对而言更加有利于媒体的客观与公正?就以吕文所谈论的台湾的媒体而言,是报禁解除以后的媒体更接近(而不是完全实现,完全实现是不可能的)客观公正,还是解除以前?相信每一个有良知与尊重常识的人都不难得出结论。即使解禁以后台湾的媒体进入了一个并不美妙的"狂欢节",解决问题的方法也绝对不是重新颁布禁令。至于由于没有新闻方面的法规限制导致台湾新闻人员滥用新闻自由造成的问题,似乎不能归咎于新闻自由,因为真正的新闻自由或言论自由从来就不等于新闻记者的无法无天。李宪源的《媒体控制下的美国》列举了许多事实证明了这一点。他甚至认为:"不管美国社会如何赐给自己的记者们'无冕之王'的称号,不管有些人对于这个称号感到如何艳羡不已,一个不能忽视的基本事实是,这些貌似可以呼风唤雨、权倾一世的'无冕之王',不过是那些私营企业大老板的雇佣伙计。私营企业财团掌握的新闻媒体可以大谈特谈民主运作的规则,而私营企业财团自身的运作却并不遵守这些规则。"这番话讲得似乎颇有其理,但是下面的举例就显得有点似是而非了:"无论中国还是美国的普通百姓,都清楚没有哪个伙计,可以一而再、再而三地忤逆老板的旨意恣意妄为。"中国的新闻媒体是国家事业单位,在性质上是党的宣传武器,尽管也要通过各种渠道搞创收,但是在党性原则面前别的都要让路。绝对不可能只听老板的而不听党的话(除非李先生把党也看做老板)。

注释:

① 比如在英国,传媒研究涉及的范围尽管极为广泛,但一个最为重要的问题是媒体与民主政治的关系。这方面的重要著作有:戈尔丁(P. Golding)、墨多克(G. Murdock)等人的《传播政治》(Communicating Politics),P. Dahgren 与 C·Sparks 的《传播与公民权:新时代的新闻与公共领域》(Communication and Citizenship: journalism and the public sphere),J. Keane 的《媒体与民主》(The Media and Democracy)等。参见赵斌《英国的传媒与文化研究》,第 38—39 页。
② 参见《法洛斯谈:媒体如何破坏民主》,《天涯》1997 年第 6 期。
③ 参见李宪源《传媒控制下的美国》,《天涯》2000 年第 1 期。
④ 参见哈贝马斯《公共领域的结构转型》,学林出版社 1999 年。
⑤ 参见戴锦华《隐形书写》中"媒介的权力"部分,该书第 38 页。
⑥ J. Thompson: *Social theory, Mass communication and Public life*, see The Polity Reader in Cultural Studies, Polity Press, 1994。本章的讨论在很多地方以这篇文章为基础展开。
⑦ 苏力《我和你都深深地嵌在这个世界中》,《天涯》1997 年第 6 期。
⑧ 胡洪侠《公众人物与传媒》,《天涯》1997 年第 6 期。
⑨ 吕新雨《媒体的狂欢》,《读书》2000 年第 2 期。
⑩ J. Thompson: *Social theory, Mass communication and Public life*。
⑪ 苏力《我和你都深深地嵌在这个世界中》,《天涯》1997 年第 6 期。

⑫ 哈维尔的文章是笔者在网上读到的,题目的《全球化的两面》。
⑬ 吕新雨《媒体的狂欢》,《读书》2000年第2期。
⑭ 据《中国经济时报》2000年1月15日报道,湖南湘阴县东塘镇政府违法殴打农民,岳阳电视台的记者同时也是市政协委员赵俊赶去采访的时候反被村干部粗暴无理殴打。从这个事件中我们可以看到中国新闻传媒部门的典型的命运:他们的权力来自背后有人撑腰,而他们无权也是因为背后无人撑腰,这两种在性质上一样的,即都没有法律的保护。
⑮ 贺卫方《从另一个角度看》,《天涯》1997年第6期。
⑯ 赵斌《依然怀念一九六八》,《读书》1999年第9期。
⑰ 关于资本主义国家媒体垄断的情况还可以参见李宪源《媒体控制下美国》。
⑱ 吕新雨《媒体的独欢》,《读书》2000年第2期。

章戈浩

传播政治经济学的核心理论与学术地形图

一 传播政治经济学的核心问题与核心理论

美国批判学者科尔勒指出,对媒体或文化研究的政治经济学侧重文化的生产与流通,而非文本分析或是受众研究。"政治"、"经济"这两个术语便提醒着这一事实:文化的生产与流通发生在一个特定的经济与政治体系之中,由国家、经济、社会机制、文化以及如同媒体这样的机构之间的关系构建而成。政治经济强调政治与经济,它们之间的关系,以及社会与文化的核心结构。当然政治经济学这一名称本身也暗示着政治经济学者对传播研究的两大逻辑:政治的与经济的。政治逻辑即权力逻辑,让经济决策的权力逐渐落入少数集团和个人的手中。经济逻辑即生产的逻辑,它不可避免地支配全球的经济活动。依照这种思路,传播业发展的根本趋势是商品化和空间化。对这一趋势的分析,实际上就是摆在传媒政治经济学者面前的核心问题:商品生产的逻辑如何制约传媒的运作?谁以何种方式控制传媒?

在90年代出版的《传播政治经济学》一书,针对传播政治经济学的理论框架,莫斯可提出了三种过程:商品化、空间化与结构化。他认为结构化研究为今后传播政治经济学提供了新的思路。

商品化

将商品化作为政治经济学对传播以及媒体考察的起点是理所应当,而且师出有名的。马克思本人对资本主义的分析也正是从商品这个基本元素开始的。按照马克思的说法正是通过庞大的商品堆积,资本主义才得以表现其自身。莫斯可认为"传播政治经济学的确讲到商品与商品化的过程,然而它有一个偏向,即把大量注意力放在生产和分配商品的商业制度和商业结构以及规范这个过程的政府机关上"。他认为政治经济学者之所以如此为之,是因为其他的传播学研究中过分关注分析内容和理解内容的不同方式,而不去思考产生传播产业结构的原因。莫斯可认为商品化与传播的关系具有两个普通意义:"第一,传播过程和传播科技对经济学中的商品化的一般过程起了推动作用……第二,整个社会的商品化过程渗透到传播过程与传播制度中,使这个过程中所出现的深化和矛盾也对传播这种社会实践产生了影响。"

总的来说,对传播商品化的考察可以分为三个层次:媒体内容的商品化、受众的商品化和传播劳动的商品化。虽然不同的传播政治经济学者有着各自的阐释,但是他们大都倾向于强调企业与国家的制度和结构,因此政治经济学分析商品时,重在对作为商品的媒体内容,然后是媒体的受众,而对传播的劳动过程的分析并不多见。如果套用经典的马克思式的政治经济学对媒体及其工业进行考察,那么媒体内容的商品化过程是这样的:撰稿人作为赚取工资的被雇佣者,他们出卖自己的劳动力(也就是他们的撰稿能力)。资本控制了印刷机、办公室之类的生产工具,将他们的劳动力转化成为新闻稿和其他文章、节目,最后他们被组合成一整套的产品,拿到市场上销售。销售成功后,资本家得到利润,并将部分利润用于支付工资,扩大再生产。最后资本家获得剩余价值。资本家通过延长劳动时间,保持工资不变的方式可以获得绝对剩余价值;或是提高劳动强度获得相对剩余价值。在另一方面,资本同时也力图采取系列手段控制消费者,以实现利润最大化。这些手段既包括市场垄断地位,也包括采用广告,增加产品种类来应对市场。

无论对于劳动者,还是对于消费者,资本能否获得最大的剩余价值都与他们的抵制能力相关。劳动者的反抗与抵制取决于劳动者的组织力和诸如新技术和新的劳动力替换可能。消费者的反抗则受制于他们的消费者的组织以及替代服务、替代产品等等。在传播政治经济学中,除了加汉姆与斯密塞以外的绝大多数学者都将传播当做一种特殊而强大的商品,它不仅生产剩余价值,也制造符号与形象,并通过它们影响人们的意识。特别是赫尔曼、乔姆斯基与席勒等人认为,资本主义社会的大众媒体主要通过生产反映资本家利益的信息,通过不断支持整个资本或特定集团的利益来扩展商品生产的过程,而这一过程充满了矛盾、抗争。一般来说,传播政治经济学者倾向认为意识形态是整合在生产过程之中,当然也有学者持类似后阿尔都塞式的观点,将生产过程当做与意识形态分离的,也有学者较靠近法兰克福的立场,将生产过程完全视为意识形态工具。

斯密塞以其"受众商品论"在传播政治经济学中另具一格。1951年,他是在瓦萨(Vassar)学院消费者联盟研究所的一次会议发言中提出这一理论,此后他将这一理论称为马克思主义盲点的受众商品论。他在晚年的集大成之作《依附之路》中进一步发展了这一理论。他以为受众才是大众媒体的主要商品。媒体公司生产受众,并将他们卖给了广告商。斯密塞打了个形象的比方,将这种情况比做提供免费午餐的小酒店,大众媒体就像免费午餐一样,最后还是会算到顾客的头上。因此斯密塞将受众劳动或受众劳动力作为大众媒体的主要商品。对于斯密塞提出的这一事实,英国传播学者加汉姆也有过类似的分析,只是两者着眼角度不同,导致了对于商品化的不同认知。相对斯密塞的观点,加汉姆略显折衷,他将商品化认做两个方向:其一是直接生产的媒体产品,其二是通过广告完成。而且加汉姆强调媒体产品乃至文化商品的特殊性(如不会在使用中被损坏,可以廉价地进行复制等等)。对于受众商品的争论被英国默多克和戈尔丁归因到欧美媒体业的体制结构不同上。他们认为斯密塞的主张更加适用于北美的土壤,欧洲的媒体产业中公营部门占有相当的比例,而北美的广告商媒体的支配能力明显强于他们在欧洲的同行。这场"马克思主义盲点"的论争,在80年代末90年代初渐渐趋向缓和。这主要因为所谓公营部门与私营部门的区分不再那么明显,同时全球化的浪潮也使美国式广告业发展的特例几乎成为全世界的共同榜样。

对于斯密塞观点的批评也不乏其人,其一是他避开了媒体内容,将受众劳动作为惟一的媒体产品。其二是斯密塞提出的受众劳动概念所指的劳动是否等同于一般意义上的劳动,也值得推敲。不过众多的传播政治经济学者也公认斯密塞的观点为思考商品化提供了一个全新的视野。斯密塞将媒体、受众和广告视为三位一体的相互关系,媒体是用来建构受众,广告向媒体支付金钱而获得受众。对这个过程的分析无疑将商品化从媒体公司的制作过程,扩展到广告商和资本的介入。

商品化的过程使得媒体产业从头到尾都被纳进了资本主义的经济体系,对商品化的认知从媒体产品生产意识形态产品,到认识媒体产业为广告商生产了符合广告商需要的特定的受众,使得商品化的分析足以跳出法兰克福学派的阴影,受众商品也因而成为传播政治经济学里一个核心而且长盛不衰的探讨主题。

另一种对商品化的考察被称为控制论(cybernetic)的商品化。这种由米汉提出的观点,相对于受众商品的讨论并不是研究的热门。不过近年来也有部分学者特别是加拿大学者莫斯可对此评价很高。米汉认为在商品化过程中,"交换的不是信息,也不是受众,而是收视率"。他指出,广播电视生产的商品,并不是实际的受众(所谓受众的人头数),而只是关于受众的信息(观众的多少、类别、构成、使用媒介的形态)。媒介与广告客户之间的交易,是通过收听收视率行业进行的商品交换,而由这种交换过程产生的商品,是收听收视率这种信息性、资料性商品,而不是有形的商品。收听收视率调查公司从事的,是这种信息的检测过程。

传播劳动的商品化是一个较少为传播政治经济学者谈论的话题。在最近出版的传媒政治经济学专著中,莫斯可提醒学者注意另一种传播商品化的趋势,即传播劳动商品化的趋势。这种传播劳动的商品化,传播者的专业创作转化为规范化生产的过程,由于传播新科技的发展,这一过程在近年变得特别突出。米格曾划分甲乙丙三种类型的传媒产品:无需创造性的劳动的硬件,属甲型产品;制作投入大,由劳方控制的软件是乙类;丙型产品介乎两者之间,既需创意,又易复制。

空间化

传播政治经济学中另一个重要的切入点是空间化,这是因为"传播过程和传播技术在空间化过程中占据了核心地位"。在传统的政治经济学,甚至马克思那里其实就可以找到类似空间化的概念,譬如马克思本人就曾提到资本主义的发展趋势是时间消灭空间。此外社会学家们对此也曾做出不少论述,比如吉登斯提出过时间空间延伸,哈维提出过时间空间压缩。以研究城市、网络著称的社会学家卡斯特尔也提过流动的空间。传播学者英尼斯以及麦克卢汉也对这一概念有过研究。不过与探讨组织活动地理延伸和制度延伸的空间化研究不同,传播政治经济学的讨论重点落在了传播业中企业权力的制度延伸。企业规模与企业集中是现当代媒体行业发展的主要特征。

通常来说,集中可以分为横向与纵向。所谓横向是指一家媒体公司购买另一家媒体公司的主要股份,后者可能并不直接与前者的行业相关,或者其主要资金来源根本与媒体不相干。这其中既有传统媒体行业购买新媒体,也包括媒体企业涉足非媒体行业。纵向集中则是指相同产业生产线上的多家公司的集中,集中后的公司得以控制整个生产过程。二次大战后,跨国经营企业是另一种新型的集中形式。这些被传播政治经济学者称为"巨子"的媒体公司通过控制生产、发行与放映来完成纵向融合;它的横向整合跨越了一系列的媒体产品,包括硬件与软件。它们还通过国际分工,能够灵活、符合成本效益地使用劳动力、资本、研究与发展成果,进行全球融合。传播政治经济学者对集中的各种形式都进行了思考,而其中最引起他们兴趣的则是所有权。对于媒体而言,所有权的集中限制了生产者和发行者的多样性,因而会限制传播和信息的流通。

政治经济学对国家的角色也给予了当代国家机器对企业与产业结构的变化。莫斯可就认为,商业化、自由化、私有化"说明了国家的构成角色。更重要的是它们显示了政治经济学取向的价值,因为它的起点就是产业界与国家共同建构了调节与规范的形式"。所谓商业化,是指国家的形式取消了公共利益、公共服务以及相关标准,而采取市场标准,建立市场规范。自由化是指国家介入来增加市场参与者数量的过程。私有化是指国家介入而出售国有企业。国际化是指国家本身创造自己的团队协定与策略联盟进入国际市场。此外,全球化也是空间化的一种特殊形式,自然也是当前传播政治经济学者关注的重要话题。

结构化

莫斯可认为结构化是一个可以提升传播政治学内涵的重要学术课题。他认为,政治经济学分析一向重于结构,特别是在商业企业与国家之间的结构与作用。传播政治经济学对社会结构、社会实践的考察，倾向于将焦点聚在社会阶级之上。阶级结构化是传播政治经济学理解社会生活的核心起点，此外性别、种族等学术思路的引进，使得传播政治经济学的结构化研究得以拓展。

传播政治经济学的阶级观主要从分类的角度出发，揭示阶级权力的意义。也就是说，传播政治经济学者所研究的是所谓社会精英对传播控制权的创造与再造，他们的阶级成分以及他们的分化。这方面代表性的作品是戈尔丁对收入与传播硬件的拥有状况的研究。此外传播政治经济学者对阶级权力的研究还放在传播业的工作场合。不少学者认为，在这一领域，阶级权力是通过对体力劳动的瓦解和对工作者的监控来实现的。由于传播政治经济学十分重视阶级分类，因而资源对阶级的意义在这里格外受到强调。上层阶级拥有资源，因而拥有了权力。就传播而言，没有传播工具，对大众媒体与电信的享用机会也会受到影响。

相对阶级的课题，对性别、种族等方面的研究在传播政治经济学中要薄弱得多。通常来说，从阶级开始考察性别与权力关系。按照莫斯可的观念，传播政治经济学派重在分类观，即对某一类人群进行界定，进而判断其社会地位。此外，使用联系观与形成观的思考方式，将会对传播政治经济学带来些新的研究理念与思路。

二 传播政治经济学的学术地形图

采取政治经济学取向从事传播研究、媒体研究与文化研究的学者大多倾向自称为传播政治经济学或是大众传媒的政治经济学。例如，莫斯可的《传播政治经济学》一书在学理脉络的梳理上遵循了既有的政治经济学流变方式。尽管默多克倾向于将他和戈尔丁所作的研究称为"批评的政治经济学"，不过他在最近所作的一篇为《大众媒体的政治经济学》的学科自传中也采用了类似莫斯可的表述，类似的例子还可以在尼古拉斯·加汉姆那里找到。

在采取政治经济取向的传播学者中有相当一部分具有经济学背景，因此可以说，在传播政治经济学研究中，学科的母体或者方法论是政治经济学，研究对象是以传播媒介为核心的人类传播行为及其活动。传播政治经济学是将传播活动作为一种经济活动，以生产、分配、流通、交换及其宏观决策活动这种政治经济学的思路来观察媒介及其传播行为。同时传播政治经济学者大多是马克思主义者或者倾向于马克思主义的学者。因此,传播政治经济学的源头也就上溯至大卫·李嘉图、亚当斯密,而以马克思作为主要的理论来源。在方法论上,传播政治经济学者反对以多学科整合的知识背景为起点,反对传统传播学引以为天条的经验主义的方法论,反对将以实证调查为主的行为主义的研究范式。尽管在反对行为主义的论争中,传播政治经济学与如今成为国际显学的文化研究并肩作战。特别是在英国,如默多克等知名的传播学者甚至还参与了早期文化研究的一系列重要活动。此后,传播政治经济学与同样反对行为主义研究的文化研究学者分道扬镳,后者指责传播政治经济学是惟经济论,是对《资本论》在传播领域的翻版。进入90年代后,部分传播政治经济学者也致力于文化研究与传播政治经济学的学科整合。

根据默多克与戈尔丁的概括,政治经济学有三大特征:社会变迁与历史、社会整体性、道德哲学和实践,正是这些特征将政治经济学与经济学区分开来。

古典政治经济学以笛卡儿的理性论和培根经验论为其理论基础。莫斯克认为,古典政治经济学试图通过将伽利略和牛顿机械力学的原理用于18世纪与19世纪的资本主义世界中,来拓展17世纪物理科学革命的成果。默多克也将政治经济学的起源上溯至18世纪,他认为:"政治经济学作为启蒙运动的一部分出现于18世纪的欧洲,主要是力图以人造的秩序与变迁理论模型来取代宗教神学对世界的叙述。作为日后社会科学的重要基石之一,政治经济学紧密地追踪了资本主义机器大生产带来社会机构与政治生活后果。"

在此后的发展中,政治经济学出现了各种各样、五花八门的学术流派。总的来说,可分为自由主义学派、马克思主义学派与制度学派。

新经济学的自由主义学派继承了斯密的某些观点,主张自由竞争,市场的中心作用,反对托拉斯、垄断等影响自由经济的商业权力,但他们主张排除了政治因素的经济中心主义。新经济学派的自由主义是当前西方的主流经济思想。新经济学派有几个重要的特点:一是研究买者与卖者关系的个人主义重心;二是认为市场是人的自发本性具体化的观点;三是市场本身具有调和冲突能力的和谐理论。

制度学派也称"制度和改良经济学派",制度学派将制度(而非个人)置于分析的焦点。制度经济学认为,只有制度才能解释社会的变化或者改良。积累的变化使得文化、社会和经济转型。制度学派批评自由主义的市场和谐论,认为制度才是中心,而制度是冲突的和变化的,以此区别于古典主义试图建立永恒不变的普遍法则的努力。

尽管政治经济学的自由主义学派与制度学派都对传播进行过研究,他们当中的部分理论家对传播政治经济学的研究基础的建立有所建树,但总的说来,传播政治经济学主要还是受到马克思主义的影响。

默多克曾经对传播政治经济学的学术化过程作过一番考证。他指出,早期从政治经济学角度对媒体与传播的研究出现在19世纪上半叶。当时,大多数评论家认为公开的民主讨论最好的保证就是有一个观念和争论的自由市场,大部分出版商互相竞争争取读者,同时最低程度地不受政府干预。"当进入报业市场的名义上自由被放宽时,更有效的生产技术的引进(改进的印刷术,机械化的排字和新的绘图能力)提高了进入市场的成本并开始将出版业的所有权集中到有钱人手中。这种发展趋势对出版业是否有能力去履行它的诺言,即为辩论提供一个论坛和监督权力滥用提出了一个巨大的问号。"在传播政治经济学发展中,卡尔·马克思和弗里德里希·恩格斯1846年发表的《德意志意识形态》是一部重要作品。他们指出资产阶级对经济资源的控制使他们能调节他们那个时代的思想的产生和分配,并按他们的利益操纵大众文化。马克思与恩格斯的影响之大,以至于在对传播政治经济学持批判态度者的眼中,传播政治经济学的努力不过是在对马克思的论点进行修修补补。

此后对媒体的政治经济学研究包括俄普顿辛克莱1920年的作品《美国商业报的攻击——无耻的审核》,他重新评论了报纸所有者和广告商滥用权力的可能性。Danielian在他1939年对AT&T公司的研究中,则将注意力转移到可调节的垄断下权力的运作。英国的Klingender和Legg,注意到本国电影产业中的垄断趋势和好莱坞日渐增长的力量,写出了第一本详细论述一个主要媒体部门的政治经济学的著作《幕后的金钱》(1937)。但对建立综合的政治经济学起了全面作用的则是两位德国学者,阿尔多诺和霍克海默。这两位法兰克福的干将深受马克思的影响。他们在1944年发表的文章《文化产业》中,为逐渐增长的商业化和文化作品的产业化之间可能存在的关系,以及他们认为的创造性和批判的范围越来越小的可能性描绘出了一个通用的模式。

"不过传播政治经济学大部分早期的理论贡献来自工作在大学之外或学术界边缘的评论家。直到60年代大学教育体系得到扩展,传播和文化研究快速发展成为一门学术专业,大众传播的政治经济学才在学院找到了可靠的基石。"

默多克认为:"早期以政治经济学取向研究传播的学者主要致力于争取公用并控制传播系统而发起的社会运动。随后兴起的全球私有化产生的不对等享用权及媒体内容的变迁的市场压力,政治经济学又重新将兴趣放在开发一系列替代性的公共领域、市民社会及社区的传播模式上。"

莫斯克将北美的传播政治经济学划分为四代学者。他将加拿大学者达拉斯·斯密塞作为这个领域的开创人。斯密塞以"受众劳动论"著名于传播学界。这位早年曾在美国联邦传播委员会任职的经济学家,在北美率先开设的传播政治经济学的课程,使得传播政治经济学正式走进学院体制。他对传播政治经济学的贡献在于他对于媒体消费的研究重新定义的传播政治经济学。他将媒体受众视为创造交换价值的消费行为。他率先研究媒体中广告内容与非广告内容的联系,以及媒体这两种所谓功能的象征性关系。

乔姆斯基是另一位在北美传播政治经济学领域的重要人物,他也是一位极易被忽视的人物。他对传播政治经济学的贡献,在于尖锐地指出了市场力量对媒体的影响,以及被他称为新闻的"宣传模式"与企业、国家的联系。他指出了媒体力图边缘化异己,并允许强势企业与国家通过媒体影响大众。乔姆斯基由于自越战以来一直对美国的外交政策提出尖锐的批评,他的观念理论通常被主流传播学者认为是带着冷战思维,甚至被称为"阴谋理论"。他的"宣传模式"与"新闻过滤器"等理论代表了自由主义传播学理论,对所谓"新闻自由"等美国主流新闻学观念最为激愤的批评,对资本主义媒体"制造同识"的深刻揭露,是这一理论的主要内容。

赫伯特·席勒是一位与斯密塞一样不仅在理论上对传播政治经济学做出重大创建,同时也为传播政治经济的学科化建设立下汗马功劳的学者。他是从国际经济视角研究媒体与文化的先驱,他也建立了传播、信息与政治经济的理论联系。他对美国大众文化的传播,直接引发了日后在传播学、媒体研究与文化研究中自成体系影响深远的"文化帝国主义"理论。

近年来在传播经济学舞台较为抢眼的北美学者还包括杜克大学的教授苏珊·威利斯。她对现代消费社会的政治经济学研究重在对"使用价值"的反思。她通过对广告等传播手段是如何诱使消费者进行消费与掩盖日常生活中的事实贫困,进而提出资本主义逻辑对日常生活的影响。此外,赫伯特·席勒之子丹·席勒也是一位近年十分活跃的传播学者。他的研究继承了乃父的风格与思想,侧重于对现代信息社会的分析。

相对北美的传播政治经济学具有明显的薪火相承的特点,欧洲的传播政治经济则是志同道合式的研究。英国则是传播政治经济学的另一个大本营。其中尼古拉斯·加汉姆是一位重要的人物。他一方面积极投身英国传播行业的实际工作,同时也是一位重要的理论家。他试图对经济基础—上层建筑的模式进行修订,以反击传播政治经济学是经济简论和经济决定论的指摘。他的核心观点在于大众文化的生产与销售是建立在物质基础上的。而默多克与戈尔丁则将自己的理论定义为批评政治经济学。

传播政治经济学在学术地形图上与政策研究、传播经济学、文化研究都有着时而泾渭分明、时而有些模糊的界限。

相对传播经济学或是政策研究,传媒政治经济学却致力于揭露传媒的两个神话:一是关于"公众服务神话",不否认传媒有公众服务的功能,但这"公众服务"不妨碍媒介企业大亨们赚钱的需要;二是关于言论自由竞争的神话,人们常一厢情愿地认为,观点的自由竞争是获取真理的惟一可靠的途径,不同的信仰,不同的思想,若能够自由竞争,最后得胜的会是真理,但实际上只是一个神话。

相对于文化研究,特别是后阿尔都塞式的意识形态分析,政治经济学者们对文本、意识形态的兴趣远远比不上对于所有权、商品的兴趣。借用政治经济学的术语,传播政治经济学者们更重视文化商品的"交换价值",而意识形态主义者关注的则是使用价值。对于政治经济学者来说,在商品生产主导的社会里,传媒产品的交换价值是第一重要的,资本家投资传媒首先是为了赢利,意识形态只是传播工业的副产品。传播学者应优先研究信号的经济运作,而不是它的意识形态运作。默多克甚至认为,20 世纪 90 年代以来处在十字路口的文化研究恰恰需要政治经济学所提供的思路。当然,基于文化研究的立场也十分容易提出对传播政治经济学过度重视经济决定力的疑问。

孙海峰

虚拟与现实
——数字仿真的实在性问题

数字化生存的关键在于将世界转换为电脑可处理的形式,因此当代生活越来越适应于计算性的表达。借助于数字仿真技术,电脑网络建构了一个与以往经验世界迥然不同的虚拟世界,使人们对千百年来居于其中而确信不疑的"真实世界"提出了质问。虽然任何文化都有虚拟的一面——尤其是神话、宗教、艺术所构造的虚拟世界,是每个民族、每个时代的文化中最有魅力的部分;然而,当代网络文化的虚拟与此前诸种虚拟形式有了质的差异。简单地说,神话、宗教、艺术以至政治意识形态所建构的虚拟世界是想像的产物,而电脑网络所建构的虚拟世界却是计算的结果。想像与计算是两个完全相异的过程:前者是康德所言的"审美表象的自由运动",在感性直观中构造出本身并不出场的对象;后者却是海德格尔所言的限定(stellen)和强求(herausfordern),让世界以指定的方式向存在者展现。网络文化的技术基础——数字仿真,正是对于世界的强求和限定性展现。电脑网络基于计算而构造的虚拟形象、虚拟空间以至虚拟现实,使人类生活日益进入虚实难辨的状态。但它并非虚假的而是真实的,是一个在交往中建构起来的感性世界。正是通过它,世界被长期遮蔽的另一面才得以揭示,也为反思已有的生活世界提供了对照与契机。

一 "数字化"的语义分析

希腊大哲毕达哥拉斯(Pythagoras)曾断言:数是万物的本原。这话在当代网络文化的背景下听来尤其大有深意。从根本上说,网络文化是一种建立在数字技术之上的文化,一种将世界进行抽象编码而又重新构造的文化。基于数字仿真与数字通讯的网络文化正在深刻改写着当代人的生存秩序。① 海德格尔曾悲叹人类进入了技术的白昼和世界图像的时代,他若有幸体验一下当今世界的数字化生存,看到整个当代生活被数字这个超级框架(gestell)所摆弄,不知又该作何感想。数字(digit)这个词来自拉丁文 digitus,原意"手指",据考证与初民以十指计数有关,这一点至今仍在儿童身上得到生动的体现。从人类学和语言学的角度来看,手指在每一文化中都有特殊的含义:当用手"指"向一物时,便在手与物之间创造了特殊的指称关系。这种符号性的意指行为是人类区别于其他生命形式的根本特征,"能指"和"所指"两词的文化意义正在于此。② 在这个意义上,手指是一个基本的象征物,它在抽象观念与具体事物之间承担着意义建构的职能。当我们在互联网的数字世界中畅游时,如果鼠标指针移动到"所指"目标链接的上方,形状马上会变成一只伸开食指的小手;此时只要用食指轻轻点击,一个新的网页空间便豁然开启(伴随的是电脑与远程主机的一系列运算)。同样,当我们的双手十指在电脑键盘上飞速地敲打,目驰神骋于屏幕中磷光闪烁的数字世界时,实际上也是在原初的意义上恢复了"手指"与"数字"的语义关联。此时的手指犹如上帝之手,它们是虚拟世界的创造者;键盘和鼠标便是激活存在的魔杖,将一个魅影幢幢的数字世界从虚无中召唤出来。数学史表明,从最初的算术(对客观世界的模拟)到后来关于群、场等非经验的数学模型(纯观念的建构),"数"作为一个最核心的范畴,都被认为与某种内在的宇宙秩序有关。但这个秩序究竟是先验的还是经验的,哲学家们几千年争论不休。按照海德格尔的现象学,存在是由语言揭示(去蔽)的,现代科学的基本精神恰恰在于:不是在经验中理解数,而是在数中理解经验。在这个意义上,电脑仿真不仅帮助人进入既存的世界,更使人借助数的推演而唤出一个可能的世界(seinkoennen)。手指,这个以最原始的感知形式(触觉)与世界打交道的身体部位,竟与最抽象的符号形式——数字重新获得语义关联,构成了一个意味深长的文化隐喻。

数字作为这个时代的超级能指,可视之为对事物属性的极度抽象。这个抽象意义重大。根据康德的现象哲学,纯粹质料(materie)的世界本身是无形式的,而呈现于感官中的表象却拥有了特定的形式(form),这是因为人以自身的时空框架对混沌世界进行条理化,使之获得了可知的结构(struktur)。这个赋形的过程也是一个抽象的过程,将无限连续的质料分割为量子式的感觉脉冲;接下来,再通过概念化、符号化等层层的分割与抽象,将丰富细腻的感觉进一步赋予条理,使之成为种种清晰的象征形式,直至最终摆脱暧昧的质料性。二进制数字(bit,比特)正是这样一个极度抽象物,除了以正反两态表示纯粹差异性之外,不再负载任何具体的意义内容。所谓数字化,便是通过对事物的属性进行分割采样而化约为数据,进而纳入适当的算法程序中加以处理。文字、声音、图像乃至质感与气味都可以在一定算法下进行抽象,转换成纯形式的数据结构。在"数字"这个超级能指面前,任何事物都是编码操作的可能对象,因此现实也变得越来越适于通过电脑来表现。实际上,媒介对日常生活的影响不仅在于提供了一种映像,在更深层的意义上是提供了一种自我认同的途径。在照相机和电视出现的短短几十年内,人们的言谈举止已经变得越来越适合于上镜;同样,在网络时代,人们正通过人机互动而习得新的生活风格:清晰明快,追求速度,崇尚计算。如果必须用一个词来概括电脑网络与传统媒介的区别,那就是"数字化"。数字化对当今世界的影响之深是难以尽述的,尼葛洛庞帝在《数字化生存》一书中将电脑网络时代称为"比特时代"。正如原子是构成物质世界的基本单元一样,比特是构成信息世界的基本单元。这使得当代世界在能指形式上获得了空间的统一性,世界由此被压缩到比特的空间阵列所构造的数据库之中。③

二 从机械复制到数字复制

数字化推动了形象的巨量复制。作为通讯媒介的电脑网络,通过信息的数字化而实现了无损复制和无损传输,这是纸张、电话、电视等非数字媒介所无法企及的。在此,事物的属性经过抽象而得到确定编码,以数据模型的方式建构了众多无差别的对象,使完美的远程显现(telepresent)成为可能。形象经过电脑的数字化处理和网络的远程显现,摆脱了时空和重力的约束而变得灵动飞扬;整个世界经过数字化的编码,失去其原初的神秘幽深而变得日益透明。从技术上,电脑的生产特性可以归结为四点:(1)数字化描述——将对象进行特定精度的取样,其属性以一系列数值表示。这是一种在时空上离散的量,不会被波形失真等因素造成的杂音所干扰。(2)模块化构造——作品由一系列独立的数据记录组成,显现过程中以临时合成的方式产生,而不依赖于某一固定的质料载体。(3)自动化处理——编码、传输和解码过程都由特定的软件程序控制,不要求人力的现场干预,一切加工都均可事后进行。(4)个性化使用——数字产品可有无限变体并能反复修改,在不同的符码间形式间随意转换以满足特定的需要。如此一来,任何感官形象均可重新组合,一切人为失误均可精确修正,而不再依赖于传统艺术对"决定性瞬间"的捕捉。

本雅明在1936年指出:照片截断了时间,赋予瞬间一种"追忆的震惊",从而引爆了一场美学上的革命,这是从手工复制(绘画)到机械复制的转折点。机械复制是模拟复制的晚期形式,在美学意义上却和传统的手工复制大不相同:首先,机械复制比手工复制更独立于原作;其次,技术复制能把摹本带到离原作更远的地方。本雅明对绘画与电影做了详细比较之后说:"艺术作品的可机械复制性在世界历史上第一次把艺术品从它对礼仪的寄生中解放了出来。"④由于制作了无数脱离原本而存在的拷贝,因而众多的复制品取代了独一无二的原作;又由于作品脱离了对教堂、博物馆等神圣语境的依赖而进入日常空间,因而赋予了复制品以现实的合法身份。这个"祛魅"的双重进程导致了审美传统的大动荡,并且与现代社会的群众运动密切相联,因此蕴含着可怕的革命力量。如果本雅明活到如今的数字化复制时代,定会对"复制"这个命题的深刻性有进一步的认识——比起如今的数字化复制来,电影的模拟式复制已经算显得含情脉脉而成为"传统"艺术了。后者毕竟还残留着人性特有的暧昧和误差,而电脑制作却可以做到一丝不苟的干净,抹去仿制品与原作之间的任何区别。

从金石、简帛、图画、书籍到照片、录音、电影、电视,都属于模拟媒体范畴,信息以连续变化的物理痕迹来记录,它们与暧昧的肉体生活有着密切的关联性。然而数字化的电脑网络与它们相比有了质的飞跃:"比特"与"原子"遵循着完全不同的运动法则,它摆脱了质料的惯性,消除了模拟复制带来的噪声。经过模一数(A/D)和数一模(D/A)的双向转换,隐含于形象中的不再是一个变化流动的时空结构,而是一个无时间和无距离的信息结构。正如作为价值代码的货币促进了商品的生产和流通一样,作为普遍描述手段的数字技术的出现,也大大改变了人与世界、人与人之间的交流方式。当代生活日益被纳入编码与数字计算的技术框架中,对艺术形象的任意改写也成为常态。海德格尔指出:用物质化的方式展现事物,把存在者降格为单纯的材料,最不相同的存在领域被千篇一律化,因此事物所享有的独特的意义和作用都被否决了。当物质材料被进一步抽象为数据,世界被以数字化的方式展现时,更使当代文化充满了差异与同一、贫乏与丰富的深刻悖论。在这个意义上,我们可以化用本雅明的话说:艺术作品的可数字复制性在世界历史上第一次把艺术品从它对物质的寄生中解放了出来。如果机械复制(照片、电影)带来的是时间的定格(空间化),一种"追忆的震惊",那么数字复制(音像文档数据库)带来的是则是物质的消失(信息化),一种"存在的震惊"。

三　数字仿真对知觉的编码

在进一步的意义上,数字化不仅意味着完美的复制与传输,更使脱离原型的形象制造成为可能。当数字多媒体从科学家的实验室中走出,变为艺术创作和形象设计的手段时,电脑真正爆发出巨大的审美冲击力。数字化的声音制作(MIDI、MP3)、数字化的影像创作(FLASH、DV)以及数字化的场景设计(MUD、VR),为当代人的感官提供了深广而丰富的知觉空间,也给审美经验带来了前所未有的新鲜与混乱。网络借助于数字多媒体,打开了比书籍、广播和电视更为丰富和深层的感知渠道,人们正在通过这个"延伸的感官"体验一种"遥感"和"遥在"的生活。在佛家所说的眼、耳、鼻、舌、身五蕴之中,物理性的视觉、听觉和触觉已经成功实现数字编码,化学性的嗅觉和味觉传递在理论上也完全可能。在不远的未来,古人所描绘的"太虚幻境"将不再仅仅存在于艺术幻想中。然而,数字采样的离散性决定了其内容只能是有限片段的组合。在这个意义上,媒介经验相对于原初的自然经验来说永远是贫乏的(假如仍然承认有一种"自然经验"的话)。但是数字仿真的可怕力量在于能够"无中生有",其所引发的"震惊"(借用本雅明的术语)达到了自然经验无法企及的地方。换言之,数字媒体由于其计算的本性,能够利用其所摄取的表象要素,构造出现实世界中根本不存在的事物形象。数字(手指)这个当今时代的超级能指,以纯粹的差异性(0和1的组合)消灭了自然世界的丰富与暧昧,谱写了人工世界的清晰和明快。

"数字化"的直接后果便是对当代知觉环境的重构。尼葛洛庞帝解释道:"比特会毫不费力地相互混合,可以同时或分别地被重复使用。声音、图像和数据的混合被称为'多媒体'(multimedia),这个名词听起来很复杂,但实际上,不过是指混合的比特罢了。"⑤这些混合信息离开传播源之后,可以转换成各种不同的形式以不同的方法被使用。可以存档也可以删除,可以传送也可以收藏,一切都取决于用户的需要。根据不同的使用目的,更可以借助不同的软件程序使之形象化。而此前的媒体,无论是印刷媒体还是广播电视,从根本上都是单媒体的组合,其符号与承载方式受制于固有的材料规定性:文字就是文字,声音就是声音,图像就是图像,相互之间壁垒森严而绝不可相互转换。当然传统媒介中也可能发生通感现象,但那属于心理幻觉层面而非基本的感官知觉层面,因此难以保证主体间的普遍有效性。它们通常都遵从结构上的捆绑原则,读者不可能自由决定接收或拒绝哪些内容。数字多媒体则不同,它开启了终端用户参与内容建构的可能。从形象传达方式上看,多媒体电脑集电视、录像机、音响、传真机等于一身,是一种全方位的综合感知环境;从文本解读的方式上看,数字多媒体作品的终端解码方式是相当灵活自由的,用户不仅可以借助不同的效果插件(plugin)定制自己喜好的个人风格,还可以用自己的软件对之润色或改编,甚至将一幅图片直接作为音乐来播放,这在利用非数字媒介的条件下是难以想像的。数字化的生存方式意味着对世界的抽象编码,而多媒体解码作为能指的还原,则意味着数字在(脱离原有时空的)任意终端的感性显现。因此"数字多媒体"这个词意味着:以极度抽象的编码传达极度丰富的知觉。那么其间会不会遗漏什么,或添加什么呢?

对于数字仿真的美学功能,几十年来争论得沸沸扬扬。有人欢呼知觉的全面复苏和感性经验的重组，也有人面对充满虚拟形象的世界焦虑不安。然而，即使随着数字编码与远程通讯的完善，直到某一天"所有的"感官刺激都能超出身体而在网络上传递，现实世界中丰富的感性关系是否能得到完整的再现（representation）呢？换言之，数字化多媒体的仿真能否向我们传达一个真实的世界？如果存在一种作为原型而无法编码传达的"真实世界"，它与我们日常的经验世界又是什么关系？在媒介与现实、文化与自然、现象与本体，或者用更古老的术语——影子与真实之间，康德那绝对的"物自体"与利奥塔那无限的"不可呈现者"似乎成了人文主义者最后的堡垒。波德里亚对这个充斥着"超真实"仿真的世界忧心忡忡，他在《完美的罪行》一书中怀着最后的侥幸写道："世界的这种虚拟行动是一种荒谬的空想。——列举世界上所有的数据，与一一报出上帝的所有名字同样是幻觉……幸好，所有这一切都是完全不可能的。尽管有制造你们从未见过、也永远见不到的微影像的、立体观察的影像、声音、信息、物体的野心，但极高清晰度是不可实现的。"⑥然而愿望毕竟只是个愿望，虚拟世界的入侵是不可阻挡的。数字虚拟体现了世界向人生成（去蔽）的一种可能性。如果动物的片面性使它只能生存在自己所属的自然环境中，那么人则需要并且能够在更大程度上追求自身的丰富、开放与普遍性——数字仿真使人类第一次完全摆脱了材料的束缚，更充分地展开想像力的自由游戏（康德）与美的创造。当然，指责数字仿真破坏了艺术感觉的也从来不乏其人，这正说明艺术与技术之间深刻的辩证性。历史证明，当大师们被新技术吓退，而以巫师的名义捍卫其原有领地时，总会有更鲜活的力量起而代之，创造出新的文化形式。

当代生活的数字化绝非一日之功。毕达哥拉斯关于"数是万物的本原"论断便已暴露出一个深远的动机——以计算的方式把握世界，将纷繁复杂的现象归约为最简单的符号关系，通过纯形式的操作来掌握世界的奥秘。牛顿在《自然哲学的数学原理》一书中建立了完整的经典物理学体系，将宏观世界的运动规则抽象为质量（M）、时间（T）和长度（S）三个基本量纲之间的数学关系；莱布尼兹则明确提出了将一切逻辑归于机器运算的思想，由此迈出了走向数字信息技术的关键一步；现代电子计算机的先驱诺依曼

(V. Neumann)指出,人脑的神经元像双稳态继电器一样只有兴奋和抑制两种电位状态,因此对思维进行二进制表达是符合其自然运动机制的。通过将思维过程化约为0和1的二值操作,电脑网络在很大程度上实现了对人脑与神经系统的延伸,因此计算机通常被称为"电脑",生动体现了数字技术的仿生学底蕴。对思维的模拟(确切地说是对神经脉冲的模拟)必然导致知觉、推理以至想像的仿生学再现。虽然这种再现是建立在无机材料的结构之上,但生命行为正在越来越失去其神秘性而得到仿真,甚至使人面对完美的虚拟形象而自惭形秽。海德格尔将现代技术的本质归结为"框架"(gestell,又译为座架),所谓框架就是一种"令世界会聚(ge—)到面前来的摆弄(stellen)",即事物按照纯客观的规则自行去蔽,呈现为功能性的材料和可统治、可预测的对象。⑦数字技术正是这样一种当代框架,它将物理实体抽象为数学符号,将事物属性抽象为信息代码,将质的区别抽象为量的差异。最后,自然空间的物—物关系被转换成技术空间中的数—数关系,使现象世界被当做一个数据库来操作。电脑多媒体仿真和网络数字化通讯作为对存在者的技术摆弄,建构了一个新的感性世界——虚拟现实。

四 虚拟现实的两类形式

数字仿真的极致便是虚拟现实。"虚拟现实"(VR)最初作为一个技术心理学术语,指兴起于20世纪80年代的知觉模拟系统。其目标在于建立一种新型的人机交互界面,使用户可以沉浸于电脑数据库所制定的三维知觉环境中,从而产生身临其境的现场效果。这种技术在医疗内窥、航天遥控等领域已经有所应用。这个意义上的虚拟现实又被称为"灵境"或虚拟环境(VE),目前许多三维游戏可以看做是其在个人电脑上的简化版本。利用VR系统可以对真实世界进行动态模拟,产生的动态环境能对用户的姿势、语言命令等做出实时响应,也就是说电脑能跟踪用户的输入,并及时按照输入修改模拟获得的虚拟环境。这使用户和模拟环境之间建立起一种实时交互性关系,进而产生逼真的沉浸感,仿佛蓦然置身于另度空间中。虚拟现实技术如今已成为网络游戏的重要构件,在增强式的普通网页浏览(VRML)中也得到了初步应用,网上已出现不少虚拟太空、虚拟城市等VR空间。有些网站甚至推出了远程电子性爱(cybersex)系统,这在伦理和美学上的冲击都是颠覆性的。虚拟现实技术的发展,使一系列隐藏许久的问题以尖锐的形式被提出来:技术仿真的限度何在?虚拟和现实究竟是什么关系?"虚拟现实"能否取代真实世界中的感受和生活?更进一步说,我们日常所身处的现实又在多大程度上是一种虚拟的产物?英文中"虚拟"(virtual,来自拉丁文 virtus,本意为具有可产生某种效果的内在力量、功能、品德等)是一个奇特的词汇,兼有"虚构的"和"实际的"两个相反的意思:它一方面表示对象的非实体性、不存在,另一方面却又表示其效果与真的一样,在实际功能上是等同的。虚拟现实技术所强调的正是一种功能上的、现象上的显现(present),而不是实体意义上存在(existence),人们在这种虚拟环境中所获得的真实感主要来自知觉上的体验。

但另一种意义上的虚拟现实,则并不专指人机互动的灵境技术,而是指电脑网络空间中的在线互动所构造的言谈空间、游戏场景和电子社区等虚拟情境。在一些有名的MUD程序中,数以百万计的人每天在线上相遇,并创造出不同的角色和事件。《屏幕生活》一书的作者特克尔(S. Turkle)对这些网民作过详细的研究,观察到他们整日四处闲晃、工作、出席庆祝仪式、恋爱还结为夫妻,混淆了自我与角色、现实与仿真的界限。网虫们在谈到MUD中的情境和角色时,感到如同现实生活中一样地富有意义,终日穿梭于多个虚拟世界的大有人在。特克尔的调查结论颇有后现代意味:"现实生活不过是我屏幕上的诸多窗口之一,而且通常还不是最好的一个!"⑧显然,前一种意义上的虚拟现实(虚拟环境)是对感官知觉的仿真,而后一种意义上的虚拟现实(虚拟情境)则更强调符号活动的想像性建构。显然,后者比前者更具有语言的结构,而前者更多是发生在身体(无意识)的层面上。文字互动显然是相当单调的,人们觉察不到对方的体态、表情、语调等沟通形式,但这并不能否定在线交往的有效性。在这里,交流并非基于身体的直接在场,而是借助于不同层次的象征符号达成的文学活动——看清这一点于非常重要:虚拟情境根本上是主体间共同协商的产物,离开情感与话语的默契便没有实在性可言。在现象学的意义上,知觉、想像与思维都是将不在场者"在场化"的方式,而想像则具有更为根本性的价值,"甚至当人们望着图形'沉思'时,重新进行的思想过程就其感性基础而言,仍然是想像的过程"⑨。在虚拟情境的生成中,不论是窗口的开启、空间的展现、对象的出场、自我的行动还是双方的沟通,都是一种"境由心造"的想像建构。

两种意义上的"虚拟现实"并非截然对立,中间有着连续过渡的光谱。事实上,VR 技术刚出现便引起了哲学家的关注。受这一技术的启发,人们开始以新的眼光重读以往的哲学史。柏拉图的洞穴之喻可以说是一个古老的"虚拟现实"问题,贝克莱备受批判的名言"存在即是被感知",也在新的历史语境下展现出特殊的深刻。而在一些更为激进的论者看来,两种虚拟现实——直接的感觉沉浸环境与主体间话语情境的融合,使人类生存进入庄生梦蝶、虚实难辨的状态。根据斯劳卡(M. Slouka)在《大冲突》一书的描述,虚拟体系将不断扩张,物质空间、个性、社会之类词汇的定义也将从根本上改变。现在人们已经可以在同一时间里与地球上不同地区的人通过某种界面相聚,在不远的将来相互触摸都将成为可能。这样一来,真实事物与技术制造的幻觉就变得无法分辨了,物质存在变得可有可无甚至成为一种假象,"现实"这个词语将丧失它所有的意义,或变得意义模糊而无法确认。甚至连死亡也完全失去了它的领地:"如果你思念你的爱人,就算她(或他)的物质身体已经消亡,你也能够在虚拟世界中与之相会。你们可以谈谈心,可以喝上一杯热牛奶咖啡,甚至可以再度同床共枕。"⑩这种存在方式不仅突破了以往一切媒介的制约,也突破了自然身体的时空限度,成为赛博朋克(cyberpunk)式科幻作品中最为热衷的题材。对网络文化的早期鼓吹者吉布森(W. Gibson)而言,今天人们通过万维网(WWW)借助超文本链接巡游的方式是幼稚可笑的——真正的网络空间并非通过键盘和鼠标,而是通过植入大脑和身体中的神经传感器进入。他在著名科幻小说《神经漫游者》中提出的"网络空间"(cyberspace)概念被沿用至今,成为轰动一时的电影《黑客帝国》(Matrix)的灵感来源。Matrix 提出的一个可怕的问题是:既然可以通过虚拟技术创造一个与现实世界相同的世界,那么我们有什么绝对的理由相信,原先认为是真实的世界就不是一场虚拟?

上述构想毕竟还没有完全成为事实,但虚拟与现实的界限已经模糊。就目前的技术水平而言,高精度的网络遥感和身体互动尚不可行(但就远景而言却难以限量),纯粹意义上的文字通信也难以造境。更多情况下,虚拟现实是由文字、图像、声音、动画与想像情境等多层次的符号意象共同构成,使当代人的感知环境进入了相当程度上的虚实交错。在虚实交错的情境下,网络游戏等数字仿真等所体现的不仅是某种逃避或消遣,而是窗口式交往对整个当代生活秩序的重构,虚拟现实以最直接的游戏形式展现了世界最深刻的一面。正如海姆(M. Heim)所言:"也许虚拟现实的实质完全不在于技术,而是体现在艺术,或许是最优秀的艺术中,非但不是用来控制、逃避、娱乐或交流的,虚拟现实的全部使命就是为了改变和重塑我们的现实意识——这些便是杰出的艺术作品所尝试表达的东西,也是隐藏在'虚拟现实'旗号背后的东西。"⑪那么,虚拟现实与艺术之间究竟有何内在关联?它究竟是艺术的拯救者还是艺术的终结者?这个问题将我们拉回到古老的诗学传统。

五 模仿论诗学的颠倒实现

在电脑虚拟现实出现之前,艺术是虚拟形象的最大策源地。虚拟与现实的关系,即人造形象与原型的关系,从古希腊开始便是一个关键的诗学问题。柏拉图指出:诗和艺术都是对现实事物的模仿(mimesis),而现实事物又不过是有了最高真实——理念的光辉,因此艺术形象作为"影子的影子"是对真理的双重远离。亚里士多德的《诗学》则主张:诗和艺术不仅是模仿,而且还应当按照"必然律和可然律"去体现(represent,又译为再现)感觉到的现实。古罗马的普罗提诺认为,艺术除模仿感性世界外,还可以直接模仿理念世界,这可以视为柏拉图主义与亚里士多德主义的某种调和。到了文艺复兴时期,达·芬奇在总结绘画经验时说:"画家应该研究普遍的自然,就眼睛所看到的东西多加思索,要运用组成每一事物的类型的那些优美的部分。用这种办法,他的心就会像镜子一样真实地反映面前的一切,就会变成好像是第二自然。"⑫在这里,自然事物被认为是艺术形象的原型。直到康德在《纯粹理性批判》中发动了哲学上的哥白尼式革命,将"自然"从本体的层次拉回到现象的层次,才确立了主体对自然事物的优越性。在《判断力批判》中康德更有一段意味深长的话:"想像力(作为生产的认识机能)是强有力地从真的自然所提供给它的素材里创造一个像似另一个自然来……但这素材却被我们改造成为完全不同的东西,即优越于自然的东西。"[13]艺术虚构与自然事物的模仿关系在此似乎发生了某种根本逆转。然而康德并没有驱散模仿论的幽灵,只是使它以表现论的形式借尸还魂了。外在自然与内在心灵是一枚硬币的两个侧面,于是艺术不过是易主而事:在艺术的虚拟世界中出现了一个新的统治者——用伊格尔顿的话说是"更可怕的权威",那就是审美主体的抽象理性。在它面前,艺术虚构只是一种殖民策略,维系着理性对感性形象的绝对统治。康德的名言"美是道德的象征"便暴露了向另一种原型——无限的先验主体的攀升。

总之,模仿论作为一个强大的诗学传统长期指导着艺术活动,几乎成为千古不移的金科玉律。不论以哪一种变体出现,模仿论都坚持原型与摹本之间的二元对立关系:原型是真实的、第一位的;摹本是对真实原型的模仿与再现,因而是从属的、第二位的。形象与现实之间由于模仿的关系导致了明显的距离与差异——形象并非真实本身,而是代表着某种不在场的真实。按照詹姆逊对柏拉图的解释,后者之所以将艺术家驱逐出他的理想国,是因害怕艺术成为以假乱真的"拟像"(simulacrum)。如果心灵被各种虚构的拟像所包围,便如同置身于装满镜子的房间里,在无限反馈的自我映射中丧失对于真实的判断。詹姆逊说:"不管怎么解读柏拉图,我认为后现代主义文化正具有这种特色。形象、照片、摄影的复制,机械性的复制以及商品的复制和大规模生产,所有这一切都是拟像。所以,我们的世界起码从文化上来说,是没有任何现实感的,因为我们无法确定现实从哪里开始或结束。"[14]然而,对于当代文化而言,由于日常生活中审美表象的普遍交换,通过大量复制生产的拟像已经日渐渗入以至取代现实物品的形象,这使得模仿论意义上的再现关系和审美距离日益销蚀、解构以至颠倒了。虽然詹姆逊、波德里亚等人都对这个充斥着虚拟形象的"超真实"满怀忧虑,但柏拉图可以说是最早反对这些的思想者:他反对艺术家的绘画和描写,当然也会反对摄影、电影、电视等等一切复制形式,更不用说当代电脑多媒体的数字仿真和网络空间中的虚拟现实。那么,虚拟现实是如何颠覆以至颠倒模仿论这一古老诗学原则的?

波德里亚试图用"符号交换"的钥匙解开这个大谜。他将马克思的精神生产与商品交换理论发展为"符号交换"理论,认为社会活动实际上是一个象征符号的交换过程。在传统的封建社会,符号与贵族特权相关联而受到法令的保护,但到文艺复兴之后,自然科学促成了符号的祛魅,人们开始仿造曾经被禁止拥有的东西(如神像)。随着工业革命的来临更出现了一代全新的仿真物,批量复制使它们既无传统也无真赝之别。而目前我们所处的则是一个新型的仿真时代,电脑网络的发展使仿真不仅意味着对原型的复制,更发展为没有原型的摹本——"拟像"(simulacra)。此时仿真物完全产生于符号化的模型中,其价值取决于符号代码和代码间的关联与替换(运算)。由于拟像和仿真物的大规模出现且类型化和系列化,使得真实和原型被它们所取代,世界因而变得拟像化了。在这样的拟像社会中,人们的经验完全由模型和符号支配,拟像与真实之间的界限已经内爆(implosion),人们以前对"真实"的体验和真实的基础均告消失。从"拟像化"的角度来看电脑虚拟现实与艺术模仿论的关系,是一个极富启发性的视角。符号交换理论向人们揭示了一条模仿→复制→虚拟的逻辑链条,这个链条最终消灭了艺术,甚至也消灭了现实世界本身——现实世界本身已经成为一场杰出的艺术虚构。在《完美的罪行》一书中,波德里亚揭露了虚拟世界谋杀现实世界的罪行的始末:符号与现实的关系日益疏远,仿真物日益取代真实的事物,比真实的事物更加真实。原先人们笃信的那个不以人的意志为转移的外在世界,突然变得难以辨认了。人与现实的关系变得令人怀疑,虚拟世界如此地"超真实"而变成了一桩完美的罪行——"完美的罪行就是通过使所有数据现实化,通过改变我们所有的行为、所有纯信息的事件,无条件实现这个世界的罪行——总之:最终的解决方法是通过克隆实在和以现实的复制品消灭现实的事物使世界提前分解。"⑮当虚拟比真实还真实时,真实便反而成了虚拟的影子——当代生活就成为一个完全符号化的幻象——技术媒介不仅不需要模仿现实,而且本身就生产现实。在数字仿真和实时反馈构成的当代世界图景中,虚拟与现实的模仿论关系发生了彻底颠倒。

六　虚拟的现实与现实的虚拟

从拟像和仿真、超真实的角度剖析虚拟现实无疑是深刻而尖锐的,代表了相当一部分人文知识分子对数字时代的看法,然而循此得出的结论却是荒谬的:既然人类用以判断"真实"的标准不过是易受蒙蔽的感官,那么在数字化复制的时代人们甚至已经无法确认生存的真实性,因为真实与非真实的界限已被电脑技术彻底地消除;既然"符号交换"是一种历史必然,那么主体对客体没有任何反抗能力,惟有在客体自身的符号逻辑和技术赝像中苟且偷生;因此,审美主体本身的主体性已完全取消(甚至根本不曾存在),符号的自我生产支配着当代生活,将个体的感官与思维赋予特定形式,使之顺从消费社会的媒介机器。这真是一幅令人绝望的世界图景。但实际上,世界能否完全归结为符号运作是甚为可疑的。那些无法纳入数字运算的部分——人的无限细腻的感受性、主观的能动性、自由的意志与暧昧的情感,在理想化的模型抽象中遭到了遗忘,而它们恰恰是当代人走出技术统治的希望。如果我们将波德里亚所强调的客体间"交换"置换为主体间"交往",那么虚拟现实所带来的"真实性危机"便会展现出其积极的一面。问题重新回到交往上。从交往的观点看,包括电脑网络在内的当代信息媒介实际不过是主体间交往的具体环节之一。科技革命使交往手段由文字化转向了数字化,但这恰恰奠基于交往本身的主体间性。既然现实的人并非一种先验的主体,而是在不断交往的历史中建构的存在,那么就没有理由认为,离开交往关系的个体具有什么绝对的主体性(正像康德所预设的那样);同样也没有理由认为,离开了交往着的人还存在某种叫做"现实"的东西(如果把"交往"换成"思维",笛卡儿必会双手赞成)。换言之,人所身处的现实,以及现实中的人,都只有置于具体的主体间交往关系中才能成立。所以波德里亚的真正问题在于,他将"拟像"当成了一种独立于交往主体的客观存在,而不是一个由设计者、使用者、技术与文化共同建构的历史进程。一旦找回了在交往中相互建构着的主体,那么虚拟现实与"日常现实"一样,都是现实生活的一种展开样式,或者如海德格尔所言是"此在的存在的敞开"。

虚拟现实向人敞开了什么呢？海德格尔在《存在与时间》中曾对此在的"在场"(present)进行了严格的现象学追问，厘清了存在者(Seined)和存在(Sein)的本体论差异。所谓存在者也就是在场者，既有时间的规定又有空间的意味，是此时此地的呈现。作为此在(Dasein)的人无法直面存在本身，而总是借由在场者的不断去蔽而使之敞开，海德格尔称之为存在的澄明(Lichtung des Seins)。从现象出发而不是从理念出发，柏拉图关于两重世界的划分便需要加以修正：天上世界（真理世界）是隐匿之物的去蔽；而洞穴世界（影像世界）的影像或假象(Schein)，就自然经验而言却并非虚假之物，而是来自大地深处的隐匿者的涌现(physis)。"涌现着进入自身的返回，它指说的是那种逗留于如此这般成其本质的作为敞开领域的涌现的东西的现身在场。"⑯海德格尔对自然形象的涌现充满欣悦之情，然而对人工制品尤其是现代科技产品的态度就不那么妙了。他顽固地拒绝马克思关于改造世界、生产实践、社会交往、对象性等命题，认为那是一种非本真的显现方式；但他承认世界本质上是随着此在的存在展开的，因而此在的生存论建构（在反本质主义的意义上）与历史实践论又颇有相通。海德格尔关于现身(Befindlichkeit)、领会(Verstand)与言谈(Rede)的现象学存在论对于理解虚拟现实很有启发性：虚拟环境是在人机互动中显现的，其存在包含了主体现身其中的行动建构；另一方面，虚拟情境也是通过主体的亲身领会而达成的。因而，虚拟现实这种被海德格尔所痛斥的现代技术的产物，竟在最富有现象学意味的水平上参与了此在的生存论建构，这种在场方式大概是他做梦也未曾想到的。更重要的是，网络空间为个体的此在提供了一个言谈的场所，敞开了与他人的共在(Mitsein)。虽然在海德格尔看来日常言谈伴随着作为常人的沉沦(verfallen)，但网上交往由于现实压力的弱化而摆脱了常人的号令，又为从常人抽身提供了某种可能。在这个意义上，虚拟现实反而比日常现实更本真，它敞开的是一种作为可能性的能在(Seinkoennen)。

虚拟现实所展现的可能性，往往正是日常现实中的不可能（更不在场）。因此海姆在《虚拟现实的形而上学》一书中称之为真正的艺术。然而用数字这一极度抽象的人工语言来表达丰富的感性关系，不可能是一种事无巨细的展现，而只能是一种象征性的指涉。从象征的角度看，日常现实也暴露了其虚拟的一面。正如波德里亚所言，文化既然由沟通过程所构成，而沟通形式又奠基于象征符号的生产与消费，那么在现实与象征性再现之间并没有什么本质区别。透过波氏对虚拟现实的激愤与绝望，会发现他与卡西尔在符号论上的一致性：任何社会中的人都生存于象征环境中并通过象征环境来行动，否则必将寸步难行。在这个意义上，"现实"在感知与行动上本来便是虚拟的，因为现实总是经过重重的象征编码而被建构。卡斯特尔在《网络社会的崛起》一书中指出，当代文化是一种基于符号互动的"虚拟文化"，新的电子媒介不仅产生了虚拟现实（virtual reality），更建构了一种"真实虚拟"（real virtuality）。⑰所谓真实虚拟其实潜在于任何文化中，当代网络文化不过是作为一把猴体解剖的钥匙使之得到了充分的展现。当占据着既有文化权力的知识精英们指责新媒介歪曲了现实时，他们实际上退回到了关于赤裸裸的自在之物的神话。至此我们可以说，当代现实生活便是一个最大的虚拟，或者可以颠倒过来说，虚拟是我们这个时代最基本的现实。现实并非某种绝对的实体，而是一种由主体参与建构的社会关系；而虚拟作为一种对"可能性"的展现，正是现实关系的基本达成方式。要抛开符号建构而寻求某种原始的真实，不过是一场刻舟求剑的闹剧而已。

注释：

① 现代社会多数部门都有了数据库：政府、公司、银行、学校、警察局……没有身份证、驾照、信用卡等将寸步难行。每次使用都被记录、编码再加进数据库，这正是福柯所说的全景监狱。

② 《楞伽经》卷二："如人以手，指月示人。彼人因指，当应看月。"卷四："如为愚夫，以指指物，愚夫观指，不得实义。"

③ 数字化作为一种特殊的抽象方式，从来就非科学世界所特有。即使在艺术世界中，"抽象"也是一个关键的因素。现实中的四维事件（戏剧）被抽去时间而定格为三维形象（雕塑）；三维立体被抽去深度而压扁为二维图形（绘画）；二维平面被抽去幅度而简化为一维线条（书写）；一维的书写符号进一步被抽象，失去广延而成为无形的"数"。然而物极必反，康德曾经指出计数本身隐含了时间序列，柏格森则进一步揭示出计数是一个空间序列。对于电脑存贮器中数据的记录方式而言，0和1的空间序列（对应于数据读写的时间序列）构成一维数组，但在逻辑结构上又可以形成二

维、三维以至更高维的矩阵,能够记录和还原任何维度的多媒体信息。在编码和解码过程中,时间之维实际上并未消除,相反它是最为关键的制约因素,因系统繁忙而造成的"等待"是网民们最痛切的时间体验。

④ 本雅明《机械复制时代的艺术作品》,浙江摄影出版社1993年,第59页。
⑤ 尼葛洛庞帝《数字化生存》,海南出版社1997年,第29页。
⑥ 波德里亚《完美的罪行》,商务印书馆2000年,第36页。
⑦ 绍伊博尔德《海德格尔分析新时代的技术》,第60页。
⑧ http://www.south.nsysu.edu.tw/sccid/book/publisher/ylib/9573236486.html。
⑨ 胡塞尔《纯粹现象学通论》,李幼蒸译,商务印书馆1995年,第173页。
⑩ 斯劳卡《大冲突》,江西教育出版社1999年,第25页。
⑪ 海姆《虚拟现实的实质》,载《新媒介与创新思维》,清华大学出版社2001年,第323页。
⑫ 伍蠡甫、胡经之主编《西方文艺理论名著选编》上册,北京大学出版社1985年,第161页。
⑬ 康德《判断力批判》上册,第160页。
⑭ 詹姆逊《后现代主义与文化理论》,陕西师范大学出版社1986年,第200页。
⑮ 波德里亚《完美的罪行》,第28页。
⑯ 《海德格尔选集》,上海三联书店1996年,第335页。
⑰ 卡斯特尔《网络社会的崛起》,社会科学文献出版社2001年,第463页。

欧阳友权

互联网的哲学追问与人文诉求

互联网技术从一开始就体现着人类改造与控制自然的权力意志,并给自然和人类自身施加巨大的影响,因而在以人文主义的眼光考辨网络技术的时候,必须确证人性与价值的先在性。互联网的无远弗届和触角延伸不只是一种技术拓展或工具创新,而是负载价值的——网络的人文关怀和人性底蕴。不过这种价值不是自因自明的,而是需要理性沉浸、哲学追问和观念规约的。

一

被称作"数字革命传教士"的美国麻省理工学院媒体实验室主任尼葛洛庞帝教授在他的《数字化生存》中宣称,人类社会已进入"比特"的时代,正以"信息 DNA"重建世界,媒介革命的横空出世带来的生存新定义,无限宽带创造的人类新空间,产业大变革建立的地球新秩序,虚拟现实的人性化界面,以及后信息时代的数字化生活方式等等,足以让人类豪迈地步入"乐观的年代",安享曼妙绝伦的"数字伊甸园"。然而,现代高科技的圣火在照亮人类光明前景的同时,也在不断地灼伤人类自身。例如,互联网的延伸与网络犯罪同步增长,计算机信息产业给世界经济指数带来的增长与计算机黑客对经济破坏的与时俱进等,足以击垮人类对数字化信息科技的乐观和盲从。近年来,网络犯罪以年均105％的速度增长,在全世界造成的经济损失仅 2000 年就达到 700 多亿美元,网络黑客恣意妄为对国家安全和个人隐私带来危害,计算机病毒的日新月异和防不胜防常常是源于技术狂徒的智力游戏和欲望冒险。大而言之,"科学沙文主义"的阴影更是玷污着技术进步的每一个足迹,如20世纪军备竞赛产生的5万枚核弹头将人类推到了战争和仇杀的火山口上,其核威力足以将人类炸回到旧石器时代;技术经济导致的生态灾难使得平均每4分钟就有一个物种从地球上消失;人类发明的航天器及其导向与定位系统使美国"9·11事件"的制造者恐怖分子得以准确无误地实施疯狂的预谋,让现代科技文明象征的纽约双子塔楼在全世界惊恐的目光中轰然崩塌……这不由得使人想起法兰克福学派的霍克海默和阿多诺在他们合著的《启蒙辩证法》中所追问过的那个老问题:为什么笛卡儿开创的新科学的理想——数学宇宙却在奥斯维辛集中营和广岛原子弹爆炸的噩梦中化为泡影?为什么在培根、笛卡儿、伽利略所热烈呼唤的新时代里,人类并没有进入一种真正的人类状况,而是沉沦到一种新的野蛮之中?

人类对科学神话的反省和对技术目的的追问,在逻辑上必然延伸出两个话题:其一,科学是一柄双刃剑,它能为社会进步开辟胜利的航程,也可能成为毁灭人类的掘墓者;其二,技术并不像许多人所理解的那样是中性的,只是那些创造和使用技术的人使它成为一种善的或恶的力量;相反,技术是负载着价值的,具有其作为伦理、政治、人性、文化等诸问题的丰富含义,它在体现技术判断的同时也体现价值判断。例如,中世纪寺院中机械钟表的发明适应了当时僧侣们有规则的祈祷生活,汽车工业的勃兴体现了资本家"时间就是金钱"和效益最大化追求的信念,计算机及其网络技术诞生于美国,与美国人对个性自由、平等交流、民权分享和隐私权的倚重有关。所以技术所体现的不仅是技术判断,还要体现更为广泛的社会价值,以及那些设计和使用它的人的利益。正如斯塔迪梅尔(John M. Staudenmaier)在论及技术的社会性时所说:

> 脱离了它的人类背景,技术就不可能得到完整意义上的理解。人类社会并不是一个装着文化上中性的人造物的包裹。那些设计、接收和维持技术的人的价值与世界观、聪明与愚蠢、倾向与既得利益必将体现在技术的身上。①

基于对技术的不同理解和对科技与人文关系的关注,许多人面对技术的无限制扩张与虚无主义膨胀,毅然为技术的发展辩护,视技术为人类的福祉和永不消歇的社会进步因素,并认为技术才是建立平等社会的最可靠的凭借,因为科学技术创造出空前规模的生产力和极其丰富的物质财富足以坚定人们对它的无限信任;但另一些人文主义者却留意于技术进步中人性的尊严和人的精神价值,对技术发展所造成的社会问题、文化断裂与人性戕害等持一种激烈的批判态度。这种批判从亚里士多德对工匠技艺的蔑视中就初见端倪,18世纪以卢梭为代表的新人文主义者视新生的机器文明为恶魔;19世纪则有非理性主义的人文主义运动以生命的表现与技术世界图景相抗争;迎击20世纪新技术浪潮的,有存在主义对技术本源的人学追问,又有法兰克福学派对现代技术的猛烈抨击。直到今天,有关原子恐怖和生态主义、反技术运动和后现代主义等鞭挞"技术拜物教"的声音仍不绝于耳。

这一切都在警示人们,在互联网把这个世界一"网"打尽的今天,人类不能仅仅从技术本身来看待网络技术,而必须从人性、人文、人伦、人生、人类的角度,以一种悲天悯人的人文关怀来审视网络的意义和功能,在数字化的赛博时空中追索人文大化的目的和价值。在数字化技术席卷而来时,人类不要吝啬对人文目的性的追问。这种追问庶几可以包括以下内容:

其一,现代技术与人的生命向度,即这种技术能否使人类更加珍视生命,热爱生命,敬畏生命的天然合理性,尊重生命的自然历史过程,并排斥贱视生命的观念,抵制和抗争涂炭生灵的暴行。

其二,网络科技与人的生存状态和生存方式,即网络能否使人类得以符合人性的、自主的、作为真正的人来生存,而不是像动物那样活着。在人文哲学的视野中,人之为人的生存不仅需要丰衣足食,还要有精神的追求、生存的境界和对理想的憧憬;不仅要使每一个体安享当下的幸福生存,还要尊重后代人合理享受的同等权利,保证生存质量的不断提高和社会的可持续发展;不仅要在生存中协调好天人关系、社会关系、身心关系,还要有利于丰富人的个性、创造性和自由本性。即如美国的人文主义者芒福德(L. Mumford)所说的,技术进步的目标应该是关注人类成长过程中的所有方面,而不是只关心科技需求的功能;人类活动的基础是精神,人类要想在现代技术"巨机器"面前有尊严的生存,就不能把自己完全交托给技术,而应该审慎地考虑人类本性与技术的关系。②因为早在人类正式出现之前,动物界建造的复杂的鸟巢、海狸的水坝、蜂窝、蚁丘、大猩猩的谋食工具等,就已经有了大量的技术发明。人类的技术发明不管多么先进和复杂,如果不能在技术的圣殿上添加人文的装备,这种技术在质的规定性上仍然不能与动物界的生存本能区分开来。

其三,数字化生存与人活着的目的与意义,即技术的赐福能否使人们既知道"何以为生",又明了"为何而生";不仅活得快乐,而且活得高尚,并且以活得高尚为快乐;不仅善于"为稻粱谋",还要能够"为天下忧",懂得理解、顾及他人、社会和自然的需要,从而把科技追求"事实的知识"与人文追求"价值的知识"统一纳入人类的认知视野,让科技前沿探索与知识创新的旋律中渗入人性原点的伦理情感和人文情怀。因而从"原道"之义上,数字文明的峰峦仍然需要高标"人是目的,不是手段"(康德);"人是万物的尺度,是存在者存在的尺度,也是不存在者不存在的尺度"(普罗泰哥拉)等字眼。在现实的选择上,人类更要警惕在技术的凯歌声中变成价值迷失的羔羊或"思想的失踪者"。人一方面要重视人,重视人的幸福、人的权利,重视人的生命的价值和意义,尊重人格独立和平等的文化精神;另一方面人又要挣脱技术依赖、工具束缚和物欲诱惑,使自己真正成为精神上自觉、自主、自由的人,谨防失落人之为人的理性自觉、社会责任、精神修养和道德理想。否则,当技术进步飙升为技术沙文主义的时候,当人们从技术的福祉中获得多彩而巨大的商品堆积的时候,他们就将被引渡到两种不寒而栗的可怕境地:要么他必须投入这架高速运转的社会机器中,用"技术之手"大把地捞钱,以满足被消费社会鼓动起来的物欲追求;要么被激烈的社会竞争所抛弃,失去生命的激情而沦为一片枯萎的败叶。

最后还应该追问数字化社会中人的主观合目的性与客观合规律性能否实现统一的问题。卢梭曾尖锐地指出:科学技术与人类的主观目的时常是背离的,如天文学诞生于迷信,几何学诞生于贪婪,物理学诞生于虚荣的好奇心,因而随着科学技术的光芒在我们的地平线上升起,德行也就消失了,而"怀疑、猜忌、恐惧、冷酷、戒备、仇恨与背叛永远会隐藏在礼仪那种虚伪一致的面目下边,隐藏在我们夸耀为我们时代文明的依据的那种文雅背后"③。海德格尔则认为,现代技术是形而上学的产物,是笛卡儿的主客体二元论导致现代技术的勃兴,并通过尼采的权力意志怂恿现代技术虚无主义的发展。这种执拗于存在遗忘之中的技术中心论缺少对人的本体论的追问,从而构成我们时代的最高危险。不过他引用荷尔德林的话说:"哪里有危险,哪里就有拯救的力量!"正是在现代技术所导致的危机的最后时刻,走出危机的希望也应运而生,这种希望就蛰伏在对技术本质的追问之中。实际上,技术本质的哲学追问最终会凸显为主观合目的与客观合规律的价值统一问题,只有从作为技术的创造者的人的终极关怀出发,从技术的社会文化条件和技术后果出发,全面分析技术与人、社会和自然的相互关系,深入考量技术之于人性的意义和价值赋予,我们才有可能真正把握现代技术的本质。科学史家萨顿曾将科学、宗教、艺术分别对应于人文价值的真、善、美,认为它们犹如金字塔的三个面,当人们站在塔的不同侧面的底部时,它们之间距离很远;但当他们爬到塔的高处时,它们之间的距离就近多了。人文目的性的价值支点,就是登临这个塔尖的阶梯。

二

在以技术和经济因素为主导的全球化时代,网络的旨趣表面上是诉求于工具理性,实际上却是越来越渴求于人文关怀,越来越依赖于价值理性。这一方面是因为现代技术的高度分化又高度综合,迫切需要精神层次的思维统觉,以解决因人文精神缺失而驾驭、统摄不了浩如烟海的信息资源,从而出现"科学-社会-人"的关系失衡和价值不对称,以及由此导致的科学创新的停滞和衰退问题;另一方面则是因为网络兴盛于20世纪八九十年代世界冷战"雅尔塔结构"解体以后,世界范围内的信息流、资金流、物流的循环突破了意识形态和社会制度的语义学背景,却又强化了全球化与民族化的矛盾,引发了尖锐激烈的文化心理冲突。当信息高速公路上数以万亿计的美元得以在全球以兆位乃至吉拉比特的速度流动的时候,当欧洲许多国家取消签证、统一货币,欧洲经济区、美洲自由贸易区和环太平洋经济共同体已成为全球经济增长的大三角而鼎立天下的时候,人们忽然发现,全球化带给人们的不仅有跨国公司和产业重组,还有民主、人权、国际关系准则的巨大差异,全球化与民族化的巨大矛盾,技术与人性的鲜明落差,以及人类对人文精神的深层渴求与依赖。这时候,科技进步不能只停留在"感性"领域和"知性"层次,而应该挺进"理性"的科技哲学领域和人文精神层次;不仅要有居里夫人式的艰苦的技术实验,还要有爱因斯坦那样的源自灵魂的"思想爆发",从而把科学技术与人文精神、技术智慧与终极关怀、"技治主义"与人道慈爱协调起来,实现科技进步的人文化、科学效果的人性化、技术社会的人道化,这样才不会使技术的福祉成为悬浮于人类头顶的达摩克利斯利剑,才会有人类文明元典和人性原点的同步和统一。这种有人文精神底蕴支撑的技术进步正是马尔库塞所倡导的"自然的解放",因为"由科学进步所葆有的想像力一旦从剥削中解放出来,就能够将其生产性的能力转变为经验与经验的重建",而"世界的合理性重建将导致一个由人的美学感性所构成的现实","创造一个在其中人的非攻击性的、爱欲的、接受性的官能,与人的自由意识共同服务于人与自然的和解的环境"。④

　　计算机及其网络的出现正是源于人与环境的和解,其观念基础是如哈贝马斯所说的"交往旨趣",而不是"技术旨趣"——是人文、社群和经济、伦理的诉求奠定了网络技术的价值根基。微软帝国的成功,固然离不开创业者锲而不舍的坚韧品格和顽强进取的科学探索精神,但更离不开他们对现代社会架构、人类精神需求和社会心理的理解与迎合。比尔·盖茨和他的同伴们将他们所理解的现代社会人性化诉求——如个性独立、平等交往、意志自由、信仰多元、资源共享、市场机会扩展、跨境交流等,用"比特"的技术演绎实现出来,创造了可用于世界收缩而信息扩散的视窗平台,从而为世界新经济起到了伟大的支撑作用,是人文主义背景和数字技术的合谋打造出了"世界首富"的幸运儿。如果追溯到发明微积分的莱布尼茨,发现"三定律"的牛顿,发现天体演化的布鲁诺、康德,甚至像解答"哥德巴赫猜想"的陈景润等,他们的科学思维无一不是超越了实证科学"一加一等于二"的层次,而升华到了人文精神和哲学素养的境界。康德曾经说过,人类的"理解力"的功用在于认识世界,获取知识,并技术性地改造世界;人类的"理性"的功用在于思考世界,为生活世界提供"意义",并对技术运用提供思想指导,他号召人们"推拒知识,以便为信仰留出空间"。后来胡塞尔、海德格尔和马尔库塞等人呼吁"欧洲科学的危机"、"存在的被遗忘"、"人的单向度化"等,技术的心灵旨趣和人文诉求一直响彻在科技文明史的每一扇窗口。历史一再证明:只有作为生产力的科学技术为作为解放力的人文精神服务的时候,它才是福音;相反,如果简单地把科技进步作为衡量社会进步的惟一标杆,或者将技术霸权认同为人文诉求是否得以合法存在的仲裁者,那它只可能带来灾难。价值理性的任务就是在新技术的剑锋上锻铸道德律令和制度约束,让科学精神与人文精神一道回归"认识你自己"这一古老的人学命题。

具体来说,网络旨趣的人文诉求大抵体现为这样几个方面:

一是意志的自由。互联网是一个没有控制中心的开放式网络,它能最大限度地体现每一个体的自由意志。在这片自由的天空中,网民可以充分享受到进出网络的自由、选择身份角色的自由、发表言论的自由、与人交往的自由、选择信息的自由等。当然,网络上的自由是以奉行理性、平等、宽容等人类共处和交流的基本准则和遵守有关法律法规为前提的,但自人类创造人体以外的传播媒体以来,网络媒体是迄今为止最能体现人的自由意志的大众化媒体。我们知道,技术(包括网络技术)导源于人类的"求知意志",人文精神则源于"意志自由",因此在技术时代,人容易沦为"求知意志"的奴隶;而在信仰时代,人的自由意志易于被"无知"和"盲从"所蒙蔽。意志在朝着"自由"迈出第一步时,为了实现自由,常常要以放弃一部分自由为代价,即科技进步总是在自然界的必然和精神界的自由之间存在一定的裂隙或虚位,从而限制了自由意志。如海德格尔在《关于技术的追问》中所言:在技术世界,人们不"思",他们粘滞于存在者,忘记了存在,沉溺于现代技术的控制,拒斥人进入原初的展现并进而去体验更原初的存在,而现代技术的追问就是要"使人获得一种我们在现代世界中所拥有独特地位,变成为主体,高踞于所有存在者之上,统治和支配着世界"。⑤网络的起点是"求知意志",终端则是"意志自由",而这种自由是通过"个体的孤独化狂欢"和"信息耗散的充分涌流"来实现的,所以网络在一定程度上阻拒了主客"二元分立"的形而上学,而使意志的自由挺立在这样的观念平台:立足技术前沿,高擎人文精神。

二是知识的民主。人文精神的构建离不开知识的传承和教化,网络的出现为知识撒播打通了最为便捷的民主化渠道,为知识信息的最大化交互和最优化利用提供了蛛网重叠和触角延伸的全新方式。在社会分工的制度模式下,专业知识的纵向积累和横向分割造成了知识增长与信息壁垒的同步延伸,隔断了社会群体之间的交往和理解,形成了如哈贝马斯所说的"专家文化"和"知识精英"。问题在于,专家文化的知识权威有时并不提供生活的意义(如技术知识),一旦专家文化摧毁了传统意义的权威(如上帝)之后,人的意义也将随着信仰的隐退而消失("上帝死后,人之若何?"),这便是弥漫于20世纪西方思想界的"现代性危机"。互联网则提供了这样一种技术可能性:在不破坏甚至有助于专业分工的前提下,以快捷方式和廉价手段为大众提供接近各种专业知识的机会,其意义不仅在于"公众理解科学",还在于知识走进生活、科学接触人文、技术贴近生命力的感受,这便是知识民主化的人文精神价值。这方面的突出例子是以"Linux"为代表的自由软件运动(free—source movement)。1991年,21岁的芬兰大学生Linux Torvalds在学生宿舍里编写了一个操作系统的内核Linux,并将其源代码在互联网上公开发布,目的是建立不受商业软件版权制约的、全世界都能自由使用的Unix兼容产品,从此引发了全球程序员和电脑爱好者的开发热情,经过全世界千百万网民的增补、修改和传播,Linux已被雕琢为一个全球最稳定的、最有发展前景的操作系统,并堪与微软的Windows操作系统分庭抗礼。"开放源代码"精神所倡导的知识民主和资源共享,其意义已远远超出了技术本身,而表达了人类社群对技术垄断的抗争和对知识民主化的人性渴望。

三是交往的平等。互联网为现代人提供一个比以往任何一种交往方式都广阔得多的对话界面,它培育和强化了一种关注个体、尊重平等的文化形态,是对传统金字塔权力控制模式的价值、效率和存在必要性的直接否定,又是对个体参与精神的激励和平等交往伦理的张扬。而且,由于互联网可以无限地横向扩展和相互交流,每一个节点都是平等参与交往的自由个体,这就使它能够最大限度地利用人类的智慧和经验来强化交往的平等观念,以人性的心灵沟通来达成"对话的逻各斯",打造出哈贝马斯所倡导的那种

"交往伦理",为沉溺于物欲焦虑中的现代人搭建一个平等对话、倾吐心曲的栖息地。在网络的平等王国里,现实社会中的等级、特权、财富、身份、背景等因素都失去效应,用于日常生存智慧的角色面具被匿名的主体所替代,只有鲜活的自我在以最"无我"的方式表达最"真我"的本色。于是,平等交往与尊重个体结伴而行:互联网的游戏规则尊重个体自由——可以自由进出、自由访问网站、自由发表言论等;尊重个体创造性——可以自由建立个人网页,发表自己的观点或作品等;尊重个体对自我的选择——虚拟社区真实自我的表现和确认;尊重个人的尊严——不能强迫他人接受自己的观点,也不能强迫某人接受别人的观点。由于网络的平等交往具有技术上的保障,它对现实社会奉行的权威意识和等级观念将是一次彻底解构,同时也将提升人的个体权利,强化以个体尊严为前提的人文主义文化意识。

最后还有信仰的重塑。网络的文化逻辑源于后现代的信仰危机,而网络文化颠覆传统信仰的过程又是一种在体认中质疑、在解构中重构的过程。因为信仰的危机是基于信仰的裂变与转型,信仰的失依将带来信仰的追寻和确认。网络,尤其是"万维网"(world wide web)有两个典型的技术特征:一是超文本(hypertext),即使思维文本体系里的语词、陈述、判断等,随着体系的扩张而在体系内部其他语词、陈述、判断那里自足地获得注解和印证,从而将思维外化为平面化网络体,人的大脑也被万维网外化为网络"思维"的一部分。结果,简单元素的复杂链接造成"惟一"和"中心"观念的彻底解体,信仰和权威失去了存在的可能;二是网络记忆体逐渐取代大脑记忆体,从而将思维平面化,"正如同普遍使用'文字'使人们逐渐忘记了对生活的直接体验一样,普遍使用'万维网'会使人们失去思维的'深度'。文字的使用(符号记事)与万维网的使用都倾向于降低大脑记忆体在人类理解过程中的作用"。⑥这种平面化思维带给人类的将是"深度的丧失"和随之而来的理性本身的危机——对理性的信仰被思维"外化"所动摇。因特网上不断涌动的"后殖民主义"、"女权主义"、"原教旨主义"、"文化保守主义"、"技术意识形态"的争论,正是网络时代信仰危机和信仰重塑的表现,不过支撑它们的仍然是人文信仰的永恒冲动。

三

互联网的迅猛发展⑦不断拓展网络文学的生长空间,然而,如果这种文学仅仅止于媒介传播和时尚文化消费的意义,而不能以自身的诗性魅力抒发人的审美情怀,用技术的基质承载艺术的人文价值、建构审美的精神家园,人们对它的艺术期待就将是无从依凭的。当网络文学的媒介更新多于艺术创新、传播方式胜于传播内容、休闲娱乐消解审美意义的时候,它得到的将不是艺术的尊重,而是文学审美本体的缺失和历史合理性的悬置。于是,给这一快速发展的文学样态以学理关注和建设性审美引导就显得格外重要而紧迫。

1. 审美技术主义批判:坚守网络文学的本体论承诺

用数码技术表征艺术审美,以电子媒体彰显文学本性,是网络文学首先应该坚守的本体论承诺。当作为表征人类审美襟抱的文学踏上 Internet 快车步入信息高速公路的时候,它该怎样实现技术与艺术的融通?文学审美历程是否由此获得了传统意义上的历史进步性?弥漫于网络的文艺作品是坚守抑或延伸了人类对于艺术的审美设定,还是漠视抑或放弃了它应该有的审美承担,甚至降低了艺术的审美品位?对网络文学的价值评判是瞩目于人文性审美内涵还是采用电子化文本的"技术"手段来比量?网络时代的文学创作需要的究竟是工具理性还是诗性智慧?如此等等,如果我们不能从审美认识论上解决这些问题,势必会在艺术本体论上为之付出价值缺失和意图谬误的代价,形成审美导向的失依与失范。

网络文学是在计算机数码技术和"万维网"(world wide web)超文本链接技术联合打造的"赛博空间"(cyberspace)里找到自己的生存平台的,技术的灵性一开始就凝结为文学因子,而最早上网的文学"闪客"多以谙熟计算机技术见长,其技术优势远远胜过他们的文学修养。一旦将"技术的艺术性"演绎为"艺术的技术化",就将从观念本体上脱离文学应有的审美预设,用技术化的认知方式和感悟方式消解文学活动的审美创造性,影响文学的"出场"方式和功能范式。更为重要的是,由于电子媒介的"软载体"特性,使得文学话语失去纸介书写的线性真实感和"硬载体"印刷文本的物质当量性,其"虚拟真实"(virtual reality)将会给笛卡儿以来澄明而确定的主客二元世界带来含混与挑战——人机关系依存于虚拟的符号中介,以光速传递和转换的信息代码使作者与他所用的词语或图像之间的相遇方式是短暂、流动而非物质性的,作者和机器的关系犹如拉康所说"镜像"关系,真实空间与虚拟空间的界限消失了,主体性与客体性一道丧失了完整性和稳定性,物质现实与符号代码、网际语境与客观叙事、主体与客体在此时都走向同一,不仅文学本体成为一种虚拟状态,而且文学主体的自我确证方式也遭到改写,因为赛博空间的虚拟隐喻是无需习俗隐喻作对位式衔接的。于是,失去审美本体论支撑的电子化技术不仅耗尽了文学精神内容和价值形式的有效资源,而且抹平了主体与客体、符号与现实界限的网络书写还会导致文学本体论危机。这时候,技术霸权下的文学怎样出场以证明自己仍将是一种审美的存在而不仅仅是技术的结果,以及如何避免技术对文学审美的遮蔽,似乎就不再是一个技艺、工具或艺术形式问题,而是一个艺术审美、文学本性的学理本体性问题。许多网络作品被讥之为"电子烟尘"、"灌水垃圾"等,大抵都与艺术审美的本体缺席有关。

我们知道,面对网络文学的技术性生存,单纯的美学批判是没有力量的。如同任何艺术的审美生成都不能没有技术含量一样,网络文学所依托的电子信息技术如多媒体、超文本、虚拟现实、万维网无限链接等带来的信息资源的自由吐纳,其本身就构成美感魅力的因子,也是拓展网络文学艺术表现力的技术杠杆,它表明文学正日益强化对科学技术的依赖。不仅如此,现代技术带来的人类生活广泛的艺术化,也将促使人们走出文学"自主性视野",去关注现代技术的福祉为文学创作提供的审美化的生活及生活中的艺术。正因为如此,丹尼尔·贝尔在《后工业社会的来临》中提醒人们关注现代技术带来的"美学感觉"的变化,大卫·格里芬在《后现代科学——科学魅力的再现》中宣称现代技术的人文性张力将导致"祛魅"的科学滋生"返魅"的契机,而后现代主义思想家利奥塔则主张"叙事知识"应当在科技知识霸权的体制中寻找新的合法性通道。然而,任何技术都不可能等同于艺术,技术的审美性也不等于艺术的审美化。技术要转换成为艺术是有条件的,它只能在两个层面上与艺术结缘:一是工具媒介层面,一是理解世界的观念层面。前者是艺术创作借助的手段,后者才是真正让技术介入到艺术内核之中并对之施加影响的决定性因素,即技术化生产生活方式导致的人类理解世界方式的变化,以及由此产生的人对自身与世界的审美关系的深入体察和改变。当前的网络文学创作多是在工具媒介的层面上体现其技术的含量,未能在理解世界的方式上达成审美创造,以致出现以游戏冲动替代审美动机、以技术媒介替代艺术规律、以工具理性替代诗性智慧、以技术的审美性替代文学的审美化等"非文学化"或"准文学化"现象,这也正是数码技术难以表征艺术审美、电子媒体未能承载文学本性的重要原因。艺术起源于技术,但艺术一旦从技术中剥离出来就超越了技术,提升了自己的审美品位而朝向人文审美性迈进。计算机网络无论多么神奇,它仍然只是技术而非艺术。技术是功利的操作,艺术是精神的凝结;技术像庖丁解牛一样实现驾驭规律的自由,艺术创作则如春蚕吐丝般酿造生命的境界。同样,网络技术能为文学插上科学的翅膀,但它飞翔的目的地应该是艺术的殿堂而不是技术作坊。

2. 网络凡俗化写作:重视新民间文学的艺术提升

网络文学以平民姿态开启了一个新民间文学时代,但充斥网络空间的凡俗话语如何历经审美的疏瀹实现艺术质素的净朗和审美品位的提升,将关涉网络文学的价值定位和艺术品格。网络是一个拥有巨大包容性的文化空间,其平等、兼容、自由和虚拟的特性,使它得以向社会公众特别是文学弱势人群敞开话语权,昔日文学边缘族群的艺术梦想和社会底层的审美意识终于有了张扬和表达的契机,民间话语能以"广场撒播"的方式共享网络媒体的对话平台,从而改写了传统的文学社会学,创造了数字化时代凡俗化写作的新景观。

在文学进步的意义上,回归民间的网络文学体现出它的两面性:从积极的方面讲,网络写作打破了长期社会分工造成的职业化阈限,以众声喧哗消解权力话语对文学言说方式的垄断,通过解放文学的话语权解放文学生产力,平民话语终于有机会走进大众传播媒体,享受"文学面前人人平等"的快乐。网络作者欢欣鼓舞:"现在我们有了这个网络,于是不必重复深更半夜爬格子,寄编辑,等回音,修改等等复杂的工艺了。想到什么,打开电脑,输入、发送——就 OK 了。你甚至可以在几分钟之后看到读者给你的回应。"⑧这种全新的文学方式不仅抛弃了旧有的文学等级体制,拆卸了作家资质认证的门槛,开创了无纸时代的"狂欢化文学",更重要的是摆脱了精英霸权的贵族书写,使文学女神走下神坛,回归民间,表现芸芸众生本真的生存状态,给写作自由和自由写作以彻底的心灵解放,从而拓展文学空间,激发社会底层的艺术活力。

然而,互联网在给民间话语开启文学话语权的同时,也给信息垃圾和非文学宣泄提供了场地。网络写作追求一个"俗"字,民间本位的写作立场,平庸崇拜的"渎圣"心态和感觉撒播的表达方式,是网络文学常见的凡俗模式。这样的写作立场直接导致网络作品整体水平不高。一些上网漫游者将网络视为马路边的一块黑板,在这里信手涂鸦,这也许有利于文学回到纯真、本色和坦诚言说,但同时也为滥用自由洞开方便之门,使创作忽略提炼和思考,作品失去精致与深刻。一个文学网站一年发布的作品可以数以万计⑨,但高质量、上档次的却凤毛麟角,遑论艺术精品!那些由凡俗而低俗,乃至由世俗而庸俗的所谓"原创作品",不仅造成文学网路上的"信息过载"(information overload)和"表征危机"(crisis of representation),即如波德里亚曾担忧的"信息将意义和社会消解为一种云雾弥漫、难以辨认的状态,由此所导致的绝不是创新的过剩,而是与此相反的全面的熵增"⑩,而且恣意灌水式的写作也必将导致精力、时间、网络资源和注意力的无端浪费。更为重要的是,由于机器写作用文字的"展示价值"(ausstellungswert)替代文学深度的"膜拜价值"(kultwert)⑪,必将在文学功能上贱视神圣、消解崇高,使作品的价值取向拒绝深度、抹平厚重、淡化意义,封堵了文学通往思想、历史、人生、价值理性和终极意义的路径,回避了文学应该有的大气、沉雄、深刻、庄严、悲壮等艺术风格和史诗成分,更抛弃了文学写作者应当承担的有益天下、代言立心和艺术独创、张扬审美的责任。

由此看来,网络文学仅凭媒介优势和凡俗模式并不能为它赢得艺术尊重,大众话语的民间狂欢也未必一定能真正表达民间审美意识。如果没有艺术品格的提升和艺术质素的价值赋予,"第四媒体"的电子民主和传输神话带给文学的或许只有艺术衰退与数码焦虑,这将是文学的悲哀。网络不只是一种广延性容器,还是一个创生性意象空间,因为"传播不仅仅意味着消息的传递,更体现出文化的创造、陈述及其表达共同信仰的方式"⑫。互联网在向话语多元性敞开界限的同时,还应该为艺术独创性留出地盘,这样的民间凡俗话语才不仅仅是在场境遇的自由言说,还能够让文学回到生命的当下状态去艺术地把握永恒。

3. 重建文学范式:探寻电子文本的艺术创新

正如历史上从龟甲、钟鼎、竹简、缣帛到纸张等书写工具的变化一步步改变文学生产模式与存在方式一样,由"文房四宝"向键盘鼠标、由"读书"向"读屏"、由印刷文明向电脑文明的历史性转变带来的文学变化是全方位的,甚至是"格式化"的。面对文学生成机制与活动体制的全面"洗牌",文学需要的不是扼腕"告别",而是创造性"进入",而网络文学会在哪些方面有效修改文学成规,恰恰意味着它自身不可替代的独特内涵。以之为思维起点所延伸的两个追问便是:在经典意义上的艺术审美惯例逐步退出文学视野的同时,网络文学将带给传统文学哪些深刻的改变?如果这种改变是合理的、不可逆转的,我们将以什么样的审美创新来重建网络文学范式?

首先,在技术媒介层面上应该尽可能多地利用电子数码技术优势,增加网上写作的多媒体表达和超文本链接。这类创作超越传统文学范式的地方在于:丰富的媒介手段能形成对主体感觉的全方位表达,时间的自由编码所营造的叙事迷宫会产生复调阐释,进而将深度体验转换为虚拟式沉浸,让话语链中漂浮的能指巧置为传输语境里的艺术所指。写作工具和传播方式更新是网络创作最突出的技艺优势,德国美学家沃尔夫冈·韦尔施(Wolfgang Welsch)甚至称电子媒体的强大功能为"人工天堂",声称"依靠电子技术,我们似乎正在不仅同天使,而且同上帝变得平等起来"⑬。可目前的网络文学创作还很少有人享用这种"上帝"般的艺术自由——由于技术恐惧形成的"电子鸿沟"和习惯惰性,网络上的绝大多数作品仍然只是"书面文本电子化",不仅多媒体之作踪迹难觅,超文本写作凤毛麟角,就连最能体现网络互动特色的"合作小说"也仅止于尝试性游戏水平。要么视以机换笔为畏途而不敢迈过"电子鸿沟",要么视技术为艺术、以炫技代审美、用工具理性抵抗人文情怀,是制约电子文本艺术创新的两大障碍。

在表现技巧层面上,网络写手常用短句、戏仿、跟贴、拼接、角色扮演(RPG)、戏谑调侃作为自己的武器来打造生活化、个性化的文本。仅有这些是不够的,网络写作还需从网络叙事、电子语言、链接修辞等方面探寻艺术创新以延伸网络艺术感官。其中,网络叙事于作者是编织"曲径交织的园林",而"从读者的角度,一个叙事就像一个等待演出的乐谱"⑭。据美国后现代叙事学家玛丽－劳勒·莱恩研究,电脑叙事除运用传统语法、转换语法、几何学、电影叙事、视觉艺术、地形学、精神分析、数学、语言哲学、博弈理论、后现代社会理论以及女性主义叙事外,尤其要创造性运用"虚拟、递归、窗口和变形"等"隐喻叙事"⑮,使网络叙事富含更强的表现力。电子语言是一种用于网上交流的特殊语言,常常使用中外文缩写语、数字组合语、符号图案语、字母替代语来传情达意。在网络创作中恰到好处地使用电子语言,能使表达简洁明快、生动形象、幽默风趣,并且可以从语言美学上形成"网语"个性,创造新的表达范式。链接修辞是在网络超文本创作时,以语义关系和事理逻辑为基础,将内容节点依审美需要巧置链接,以增强作品的艺术张力的电子化修辞手段,它能加大作品容量,形成复义叙事,也能增强作品魅惑力,吸引欣赏者对作品无限可读的依恋,实现对电子文本的诗性解魅。

　　重建网络文学范式更为重要的是实现文学理念的更新。网络文学的出现打破了传统的文学观念,把"文学是什么"、"文学写什么"、"文学怎么写"、"文学怎么读"、"文学有什么用"等文学的"元问题"推到了思维的前台,而思考这些问题的基础是解决好文学"通变"问题——观念通变和技能通变。譬如,网上作品常常淡化文学与非文学的界限,模糊文学文体之间的界限,其发展趋势可能使文学走向蜕变和涅槃——随着计算机网络技术的不断更新换代,多媒体、超文本创作和欣赏将成为新的文学常规,单纯用文字表达、线性排列的作品会越来越少,图文并茂、视听融合的综合艺术和电子游戏会成为网络上的主打产品。如果按照传统的"文学"定义来衡量,"语言"不存,"文学"焉附?再如,"技术的艺术化"、"媒体的智能化"和"生活方式的电子化"趋势,可能抹平生活与艺术的边界,导致"家电文学"、"游戏艺术"、"手机创作"的诞生,使艺术化生存和生存中的艺术弥漫整个生活世界,这会不会造成人类自身审美智能的弱化和对技术霸权的更大依赖?如今用电脑程序编制情节曲折的小说、冲突尖锐的戏剧、语言陌生化的诗歌,用"文学机器"或创作软件在电脑上作画、作曲,或用三维数码技术在电脑工作室里让当红明星"缺席"表演、让作古的影星俨然"复活"等,都已不再是什么新鲜事。正所谓"文变染乎世情,兴废系乎时序"(刘勰),当网络文学、电脑艺术猝不及防竖立起自己界碑的时候,我们勿须为之莫名惊诧,也不要鄙夷不屑。这里需要把握两条底线:一方面坚信,互联网对文学的全方位覆盖不应成为科技对人文的颠覆,或技术对艺术的侵占,而仍然需要坚守网络文学的人文本位和审美本性;另一方面又要承认,网络时代的文学在创作手段、存在方式、功能模式、价值取向和社会影响力等方面都已发生了诸多变异,因而文学的观念形态也必须在思维方式、概念范畴、理论视点和学理模式等总体构架上,由观念转变推动理论创新,并由理论创新达成学理创新体系。

注释:

① 转引自高亮华《人文主义视野中的技术》,中国社会科学出版社1996年,第14—15页。

② Lewis Mumford, "Technics and the Nature of Man", *In Philosophy and Technology*, ed C. by C. Mithcham, New york: The Free Press, 1983, pp77—78.

③ 卢梭《论科学与艺术》,商务印书馆1963年,第10页。

④ Herbert Marecuse, *An Essay on Liberation*, Boston, MA: Beacon Press, 1969, p31.

⑤ M. Heidegger, *The Question Concerning Technology and Other Essays*, New York: Harper and Row, 1977, p.147.

⑥ 汪丁丁《网络技术与人文主义》,引自网站:http://www.phil.pku.cn./post/paper/14.htm.

⑦ 据中国互联网络信息中心2003年1月16日发布的第11次《中国互联网络发展状况统计报告》显示,截至2002年12月31日,我国已有上网计算机2083万台,与上年同期相比增长66.1%,而上网用户数也从半年前的4580万升至5910万,以文化娱乐为目的的网民占网络用户总数的24.6%。参见http://www.cnnic.net.cn/news/105.shtml

⑧ 李寻欢《我的网络文学观》,榕树下网站:http://www.rongshu.com/poblish/readArticle.asp

⑨ 最大的中文原创文学网站"榕树下"(http://www.rongshu.com)从1997

年创办到 2003 年 2 月,已储藏原创文学作品 19 万多篇(部)。笔者所做的网络文学现状调查表明,国内刊发汉语原创作品的文学网站已达 500 个以上,每年发布或复制的作品难以数计。

⑩ Jean Baudrillard, *In the Shadow of the Silent Majorities*. New York: Semiotext(e), 1983. p. 100.

⑪ 瓦尔特·本雅明《机械复制时代的艺术作品》,王才勇译,中国城市出版社 2002 年,第 19 页。

⑫ James W. Crey, *Communication as Culture: Eassys on Media and Society*. London: Routle－dge, 1989. p. 43.

⑬ 沃尔夫冈·韦尔施《重构美学》,陆扬、张岩冰译,上海译文出版社 2002 年,第 235 页。

⑭ 戴卫·赫尔曼主编《新叙事学》,马海良译,北京大学出版社 2002 年,第 64－65 页。

⑮ 参见玛丽－劳勒·莱恩《电脑时代的叙事学:计算机、隐喻和叙事》,戴卫·赫尔曼主编《新叙事学》,马海良译,北京大学出版社 2002 年,第 61－86 页。

聂庆璞

媒介嬗变中的文明演进

美国传播学者德弗勒(Defleur)曾说:人类历史的发展就是传播手段的阶段性发展。有人做过粗略的统计:上溯800万年(我国云南禄丰石灰坝1982年发现的腊玛古猿),人类开始出现,上溯20万年,现代人(晚期智人)形成,上溯10万年,语言诞生,上溯8千年,文字问世。公元1000年左右中国人首创活字印刷术,公元1920年美国人首开无线电广播,公元1936年英国人首播电视,1991年美国政府提出信息高速公路计划。人类社会进入了文字、声音、图像三位一体的信息社会时代——网络社会。

一

人从动物进化而来已是今天的常识。但人类进化的真正动力来源何处,自然为什么选择人的基因成为世界的统治基因,却至今还存有疑问。按达尔文的观点,生命性状的产生和生命体的产生与环境的影响无关,也就是说,自然不能主动有意识地选择某一基因。但是,生命性状产生以后,环境施加影响并做出选择。这样,环境的影响是通过干预某种生命体而起作用的,这种生命体如果能够生存和繁衍的话,它通过与原始环境相适应的方式传递它的基因,从而突出一些特殊的特征。人类学家认为,最早的古人类是动物中最软弱的一支,常常不是猎人而是猎物。他们没有飞禽走兽般完善的"专门化"的体能,为了生存,他们被迫借助工具、加强群体的合作来适应环境、保全生命。正是这些不得已的努力滋生出有利于进化的适应性与变异性,从而发展出与同类深度合作交流的"社会性",善假于物的"文化性"。这中间发挥关键作用的工具就是:语言。有了社会化的语言就有了人与人多层次的"传通",所以,很多人类学家将人类定义为语言的动物。

借助考古挖掘,我们找到了800万年前的古人类骨骼,或许今后还能找到更早的。问题是这种动物除骨骼形状上与我们有些类似外,在多大程度上与我们有相似性。亦即什么样的猿类才能算作人类,什么时候具有了人类的意味?文明的起点应有一个起码的标志,否则我们可以追溯到40亿年前的单细胞。

人类学家一般把20万年前晚期智人的出现,视为人类文明的开始,因为他们开始制造工具,这是一个易于判定的外在标志。那么,内在来看,人类什么时候具有"人味"?这种"人味"如何区别于"动物味"?时间上是不是与制造工具同步?普遍的看法是人类脱离动物的标志是他有了"心境",具有了感应式的理解,有了一种向内心深处"引得"的能力——原始的本义的语言。也就是人开始把自己与外界区分开来,开始构建二元世界——主体与客体共存的世界——人与动物的根本区别点。此时,内在的凝结着理智的情感的自我传播,促进了大脑的发达,且由于存在的同一性形成了人类共同的人性。通过体态语与同伴交流,结成群体,人也就有了社会性,文明随即开始了。此一时间开始于何时,应是自然留给我们人类的一个永恒秘密,它没有外在的标志,考古挖掘永远也不可能挖出最早产生"心境"的某一心灵。但逻辑时间应在制造工具之先。

维系群体的纽带仅有血缘与物质利益显然是不够的,否则与动物的族群还是毫无实质意义上的区分。来自于心境的引得之力虽产生了共同的人性,但并不意味着心境的完全一致性,而且正是它的不一致性产生出它的价值与意义:不一致性使"心境"本身脱离本能,导致多样化而产生矛盾,沟通变得必要和必然,传播也就由此而开始。

佩伊在他的《语言的故事》中提出一个有趣的问题:为什么人类选择了语言传播之路而不是其他身体姿态或非语言概念的方向?如果达尔文的理论是正确的,则利用语言传播恰是人类生命性状中被自然环境认可的基因。"所谓物种的进化其实是包含着物种之间的传播交流的。传播不仅是人类也是整个动物界用以维持生存发展的种性机能,而不单单是手段性的工具,而且人类因能将这种'种性机能'实现得淋漓尽致,从而自身获得了超越其他物种的飞速发展。"①"有了传播行为后,人就加快了脱离动物界的步伐,就连人类只会发简单的单音的时候,他们的相互联络、沟通最切近的信息——或避害或协同追捕猎物——这时与动物还没有实质性的区别——一旦他们相互传授经验,譬如一个猿人教另一个猿人怎样打击石器——包含了抽象的符号运作时,真正的社会传播就出现了。"②

最早的人际传播行为肯定是简单的口语与大量的身体语言、直接的"言传身教"。除了动物性的亲情传达,就是传授生产、生活技术。这种传播当然是极其低下的。规范化的语言要求随之产生。大约在距今25000年时,人类开始讲有音节的语言。人类有史以来最伟大的发明,同时也是最重要的传播媒介产生了。萨丕尔说:"我们可以毫不犹豫地做出结论:除了正常语言之外,其他一切自主的传达观念的方式,总是从口到耳的典型语言符号的直接或间接的转移,或至少也要用真正的语言符号做媒介。"③

语言的产生标志着人们可以进行较为精致的思维。由于意义与语言的关系确定,人们可以记忆、传播、接收和理解的信息,在长度、复杂性和精致程度上,都有了质的飞跃。它不仅可以使人们快速而有效地积累生产经验,增长认识能力,而且,也使人类的思维意识获得了确定的表达方式。直到今天,我们任何一种思想文化的变革,必然蕴含着语言的变革;甚至没有语言的变革,就没有思想的变革。因为语言,人类的文化因此而以越来越快的速度增长,并最终从捕猎、采集而过渡到具有更强更稳定而复杂联系的农耕文明。

海德格尔说:语言是存在的家园。确实,在许多的创世神话中,世界是被"说"出来的。有了语言,才有了世界,世界是由语言"呈现"在我们脑海中的。语言大大增强了人们在自然界中的竞争优势。事实上,借着语言人类摆脱了物的直接具象的束缚,给了四肢以更大的自由;借着语言,他们在寒冷漫长的冰河年代相互扶持,在生存竞争中占到上风;借着语言,他们能比其他动物更有效地利用信息,观察自己的环境,从而做出行动决定,组织自己的关系;借着语言,他们把自己的经验传授给社会的其他成员,把自己的思想传播给他人,从而形成人类的文化积累与传承,文明也就这样在语言媒介中绵延着。

二

文明的产生得益于传播(语言既是传播媒介又是传播内容),同样,文明的形式与信息传播的方式息息相关,而信息的传播方式决定于相应的媒介,因此,媒介是文明形式的重要决定因素。事实上,每种传播媒介的信息传播方式严重制约着文明中社会的结构形式、人员交往方式以及工作、学习方式甚至意识形态。"于历史而论,一部人类文明史,必然是一部媒介的发展创造史;于文化而论,它必然是一定媒介系统作用下的文化,一种媒介的创制与推广,往往孕育了一种新的文化或文明。"④然而,真正成为文明发展的催化剂的是传播中的传播创新,一部人类文明史,也就是人类使用和创新传播媒介的历史。中国引以为豪的四大发明中,就有一半是关乎传播的媒介——造纸和印刷术。我们甚至可以发现,人类文明的演进是在传播媒介的嬗变中完成的。迄今为止人类最伟大的发明中对文明的演进有重大影响的有一半以上为传播媒介。

如果对媒介发展过程进行分期,我以为可分为口传阶段、文字(书写)阶段、大众媒介阶段、网络传播阶段。与之相对应的社会是原始社会、专制社会、工业社会和信息社会(网络社会)。

口传媒介是人类最基本的、最自然的传播方式,也是最古老的传播方式,也是永远会存在的一种传播方式。它首要的特点在于方便。任何一个正常人都可运用自己的天然器官接收与传递信息,进行交流,无须借助外界任何工具和中介。其次,口传媒介具有亲密性。它是人与人之间的直接交往,面对面的直接交流,交流双方处于同一环境,同一氛围,容易产生一致的立场,达成一致的观点。即使网络时代,有着最为方便的沟通方式,如可视电话、虚拟场景交流,也不可能完全取代这种亲密的交流方式。如今,很多人已可在家中上班,但处理重大事件(如解雇员工)时还是亲自到场,就因为面谈的亲密性更容易熄灭怒火,获得更多的理解。再次,口传媒介具有随意性。口传的无中介性使得传播无法控制,防民之口甚于防川,川流是堵不住的,硬堵只会使其更加泛滥。

另一方面,口传媒介有着自己的局限:第一,口传媒介传播面狭窄。口传无中介,只能口耳相传,因而传播距离短,传播周期长,传播速度慢,最终导致传播范围狭窄。第二,口传媒介传播具瞬时性。口传的信息从信息源口中传出后,迅即消逝于周围环境之中,被耳朵捕捉到的信息被接收人接收,没有捕捉到的信息则永远消逝,无法复回。这种瞬时性使得口传信息的准确性不能得到保证,信息传播容易被切断,传播范围不具历时性与空间性。

由于口传媒介的这些传播特点,信息的传播往往是塔型或单线式的纵向传播,如部落盟主——家长——部落成员。在这样的社会中,传统和权威受到尊敬和模仿,代代相传;信息刺激少,人群安于现状,社会结构稳定,进步缓慢。

与纯粹口传对应的是原始社会。由于信息传播的限制,它不可能组织起大规模的社会组织,更不可能建立起国家,因为口传媒介无法满足大规模、多层次、严格管理的需要,只能应用于小集团、有限区域的松散组织,如原始部落等。

文字(既是传播媒介又是传播内容)的出现则使人类产生质的飞跃,开始了文化的传承。从语言学的立场看,文字仅是记录语言的符号,但这一符号在某一意义上却具有比之本体更为重要的意义。卡西尔说"人是符号的动物"。他不说人是语言的动物,因为动物也有自己的语言,它可能没有人类语言复杂,但肯定有自己的表意系统,否则,动物之间就不可能有任何的交流与合作。因此,语言(仅有语音)不是人类根本性的特点,表示语言的符号(文字)才是人类与其他任何种群的区别所在,所以是文字最终把人类从动物之根中拔出来。文字是人类的第三宇宙速度,借着它,人类可以飞离太阳系,去探求无穷宇宙的奥秘。

与口传不同,文字(书写)的传播功能体现在它的空间性与历时性上。有了文字,人们就可以逾越时间和空间限制,使信息的更远距离传播成为可能,也使信息储存成为可能,我们也就有了与千年古人相视而笑的可能。从文明发展的视角看,文字是人类进入真正文明——建立国家——的首要工具。我们甚至可以说,没有文字的民族就没有真正脱离动物界,将永远处于原始社会之中。国家既不是血缘形成的,也不是自然形成的,是人类有意识的组织构建,是统治和管理的结果;而管理和统治需要记录,需要可靠的文献取信于民；显然虚飘的言语无法担此重任，而文字能之。中国传说仓颉造字后，天为雨粟，鬼为夜哭，龙乃潜藏，世界一片惊恐。可见文字威力之巨大，也难怪古代中国人对文字、对识文断字的人都充满了深深的敬意。因为以文字为证，鬼神都难以否定。

但是，文字的书写是非常困难的。它既要有价廉而持久的书写之物，还要有书写的技能。文字本身非常方便，随处可写，但要找到价廉而持久的书写之物却不简单，人类为此竟花费了数千年。埃及人找到的是石头与草叶，巴比伦人找到的是泥板，中国人早期找到的有牛肩胛和金属，此外，至少还有数百种可进行书写的五花八门的物料被尝试或使用。直到中国人找到了一种叫"纸"的东西，"写字的地方"才算真正解决。书写的技能的获得虽比书写之物来得容易，但也不是等闲之事。既要有长时间的耐心培训，还需要时间和金钱。因此，文字在书写阶段的传播事实上不可能普及到整个社会，只能在某一层面上传播，需要口传作为重要补充。实际上，在国家统治层面或社会的上层以（书写）文字传播为主，而在社会中特别是社会下层仍以口头的语言传播为主。

与文字（书写）相对应的文明是专制社会（奴隶社会与封建社会）。由于文字信息传播的空间性与历时性，统治者利用它能够对更多的社会层次进行管理，因而形成国家及复杂的多层次社会。但是，掌控文字技能的非本能性，致使这种技能仅掌握在少数人手中，社会自然将人划分为两大阵营——识字的与不识字的。识字的把持着所有有价值的信息，从而形成社会的特殊阶层。这些人凭借自己掌握的技能维护着自身的既得特权利益，统治着社会；不识字的人既无法获取有价值信息，对国家的统治亦无法参与，命运任凭他人摆布。专制体制就在这样的情形中形成了。

印刷媒介与电子媒介都属于大众媒介，是与工业文明相适应的传播媒介。但二者各具特色，有着巨大的差异。

印刷媒介属于最初兴起的大众媒介，在历史上，它打破了封建时代的愚民政治，促进了人文主义、文艺复兴、宗教革命等运动的蓬勃兴起。马克斯·韦伯在他的《新教伦理与资本主义精神》中把资本主义工业社会的产生归结为宗教改革与勤俭节约及禁欲主义的人性美德。但其中的重要问题是，路德的宗教改革取得成功在很大程度上得益于印刷机的帮助。"为自己阅读《圣经》"只有在

《圣经》容易购买并买得起的前提下才是有广泛号召力的口号。"作为马丁·路德的宗教改革运动和传播异教学说的工具,印刷机注定将永久性地削弱教会的霸权地位。"⑤书籍的广泛流行,知识的普遍传播,把欧洲人从黑暗的宗教势力中解放出来;地方势力崛起,国家主权确立;一种新的文明诞生了:

  宗教改革运动带来的教会霸权的瓦解,为其他一些非宗教势力的出现开辟了道路,其中包括国家政权及其政治权力的崛起以及科学革命和一些新的知识力量的出现。而且,印刷机不仅传播宗教教义,而且向人们传播关于一个新世界的信息,这对国家政权的出现起到了推波助澜的作用,它还向人们报告各种科学发现,从而为科学的诞生提供了条件。这些新事物反过来又进一步削弱了教会的势力,并且为自身的发展开拓了更加广阔的空间。很快,公众教育出现了,最初是为了满足人们参与印刷的需要——也就是学会阅读——接着又成为了一种可获得各种新信息的工具。作为宗教教育的替代物,非宗教性的公众教育进一步削弱了教会的影响,相反则有利于国家政权和科学革命的出现。于是在这种信息的温室里(有些是关于人们买卖、投资、贸易、吃、穿等活动的信息),一种非常适合于新时代的新经济形式——资本主义诞生了,它是对劳动和财富的抽象概括。⑥

  印刷媒介传播的主要特点表现为:第一,传播信息的准确性稳定性高。印刷媒介以稳定的物质载体承载信息的符号,向外传播,信息从信息源发出后,到达任一接收者手中的信息符号都是一致的,信息符号始终保持恒定的初始状态,受到噪音的干扰相对小,不会变形走样,保证了信息的准确性。第二,信息的超时空性。因为传播的信息能保持长久的稳定,所以,信息传播距离远,传播时间长。我们今天能读到苏格拉底、柏拉图、亚里士多德、孔子、老子等的著作,了解他们的思想,就得益于印刷文字的这种特性。第三,传播时的慎重性。文字信息的超时空性促使信息发送者在发送信息时尽量避免随意性,保持慎重性。印刷的文字信息一旦发出就长留时空之中,无法消除,所以信息的发出者不得不慎之又慎,避免错误。第四,信息接受的可选择性。印刷传播借助长留时空的物质(纸等)为介质,使我们对其中的信息可以任意取舍,大大提高了信息接受的主动性与效率,发展了我们的思考能力。

　　印刷媒介无疑具有巨大的优点,但也有着不可避免的缺陷。首先,印刷媒介信息的接受需要条件。印刷媒介的信息以符号形式传播,所以识字(符号)是其必备条件。识字是一项特殊的技能,不是人的本能,因此,它必须经过特殊的训练才可获得。这无疑增加了它传播的难度与可能性。与口传媒介相比,它还需要一定的物质、技术条件,如机器、纸张等。其次,印刷媒介比口传更容易受到控制。"给我控制印刷业的权力,我就能控制整个民族。"⑦印刷媒介是容易受掌控的被生产性物质载体,只要将其消灭,传播就不可能延续;或者,控制其生产,不让其进入时空之中,传播也就不可能进行。中国历史上不断出现的舆论控制、焚书活动就是最好的明证。当然,青山遮不住,毕竟东流去。完全的控制只能是一种梦想,不可能真正实现。不然,罗马教皇就不可能在路德的进攻下溃败。再次,印刷传播是一种单向传播。与口传不同,印刷传播有中介而无法进行应答,加剧了印刷传播的权威性与专制性。但印刷传播中信息的选择性似乎可部分消除其权威性与专制性。

　　印刷媒介的社会是一个标准化的社会。符号的统一是印刷传播的基础,超时空的存在必然要求符号的稳定,标准化由此而产生。文字(符号)的标准化自会要求意识形态的一致,从而倾向社会标准化,最后产生出民族国家。希利斯·米勒说:"印刷制度使文学、爱情信件、哲学、精神分析学和现代的民族—国家概念成为可能。"⑧印刷媒介时代的另一显著特征是教育的普及。接受信息的识字要求不得不促使教育普及到大众,它反过来又促使印刷进一步发达,信息更加广泛传播的良性循环。在某种程度上说,我们要感谢印刷媒介的先期出现,使我们的社会得以建立在教育普及的牢固根基之上,从而保证了社会的良性进步基础。假如电子媒介出现于印刷媒介之先,社会的文盲将会大大增加,社会的文化水平将停留于较低水准,社会专制化程度难以想像。印刷媒介稳定的信息存储还保证了科学技术的快速发展。科学技术的发展基于人类知识的积累,口传时代积累的知识信息非常有限,教育普及的程度低又限制了知识的全面广泛积累与接受,因而科学技术进展缓慢,社会停滞不前。电子传播媒介虽有自己的优势,但由于诸多条件的限制,在知识积累方面还远远比不上印刷媒介。是印刷媒介产生了牛顿、爱迪生和爱因斯坦。

广播、电影、电视等借电力形式传播的媒介我们称之为传统电子媒介。它们各自有自己的特点,也有着某些方面的共同性。首先,电子媒介传播的信息具有形象直接性。与印刷媒介相比,电子媒介信息的获取无须特殊的训练,基本凭借人的自然本能就可获取。广播是口语传播的延伸,它在口耳相传中增加一种媒介,使信息的稳定性提高,传播的距离延伸。电影和电视的信息都是图像、声音等相结合的形式进行传播,对两者信息的获取都是人天然的能力,无须任何训练。因此,电子媒介是人通过技术把信息向其本真面貌还原以方便获取的从而提高人获取信息能力的努力。其次,电子媒介传播的目标的大众性。就印刷媒介而言,不管教育多么普及,但不可能普及到每个人,因而总有人不能借助它获取信息。任何需要经过训练的技能都不可能让每个人学会,阅读也不能例外。而电子媒介通过技术手段解决了该问题,每个自然的正常人都能借助电子媒介获取信息,因而它把信息获取能力普及到了甚至最底层。调查证明,电子媒介对底层的影响力最大,越是底层的人通过电子媒介获取的信息越多,他们除人际交往中的信息获取外,惟一的信息来源依赖于电子媒介,正因为此,也就决定了电子传播媒介内容的低俗性。再次,电子媒介传播能力的巨大性。麦克卢汉有一个词"地球村",就是基于电子媒介传播的巨大能力而言的。电台广播、电视能把信息迅即传遍全球,就像古老社会中村子里的事能迅速让村里每个人知道一样,所以叫地球村。今天,电子媒介的影响力是如此巨大(特别是电视),以至于它已经不是被视为一种单纯的媒介,而是被视为独立的社会力量,一种控制国家的有力工具。我们经常看到,政变者首要的攻击目标总是电视台和广播电台;由于电视、电台或报纸的干预,许多司法案件或政府决定出现改判或改变的情况。尼克松的"水门事件"在某种意义上已说明媒介的力量已超越于政府力量之上。

电子媒介的缺陷亦非常明显。第一,信息的接受没有选择性。所有电子媒介的信息都只能按播放人的意愿顺序播放,信息接受人无法选择,造成信息接受的被动。长久的被动"训练"将使人的主动性受到抑制,培养出"受动人"。第二,与印刷媒介一样,电子媒介的传播也是单向的。电子传播媒介本身不能回传反馈信息,它的反馈只能通过其他途径,因而反馈是迟延的、间接的,不是应答式的,这种反馈无法对发送的信息施加影响,造成信息传送事实上的专制性。大众媒介变成了专制媒介,所以雅斯贝尔斯说,电子媒介有使社会重新封建化的可能。第三,电子媒介的图像型播放及无间歇连续播放,剥夺了信息接受者思考的空间与时间,压缩了人的想像力。所以,很多人说,电子媒介培养起来的人是空心人。长期疏于思考与想像,势必使这两种能力退化,变成应对性的"模仿人"。第四,电子媒介比印刷媒介更容易被控制。由于电子媒介空前的传播能力,势必吸引政府与大集团的高度关注而加以控制;另外,电子媒介昂贵的设备与全套的人员配置,使得个人难以通过它发送信息,控制变得容易。事实上,毫无例外,各国的电子传播媒介不是受控于政府,就是控制于大的利益集团。

  与电子媒介相对应的是工业社会后期,它不仅是标准化的社会,还是垄断的社会,一种强制标准的社会。在这一社会里,你所需的信息似乎有人洞察先机,已经替你挑选好,做成一幅幅的图像并配合着声音硬塞到你的眼耳之中,你既无须思考也无暇思考,除了照单全收,无须作任何事。它们已经考虑好了一切,如你应该受什么样的教育,如何寻找理想的工作,如何谈恋爱、结婚,甚至买什么样的衣服,怎样刷牙、性交等等,无所不包。套用中国的一句俗话:你想到的已经替你想到,你想不到的也已经替你想到。马尔库塞的"单面人"就是这样造就的,"模仿人"就在如此的环境中长大。

  电子媒介还为我们带来色情、暴力、浅薄、庸俗等。确实,印刷媒介(包括书籍)也可传播这些东西,但文字的想像性使这些东西的震撼力减弱。而电子媒介却是赤裸裸的呈现,以视觉的方式呈现,视觉感受是人体感觉器官中震撼力最大的,它带给我们的冲击力超过任何其他感觉器官,因而电子媒介的色情、暴力等就格外地突出,这是它的传播符号所决定的不可避免的缺陷。至于庸俗、浅薄等则根源于它们的传播目标和巨大的影响力。当庸俗、浅薄为个人所有时,是受鄙视和批判的,但电视传播目标的大众性,使得这些东西又不得不反复出现。在信息爆炸的时代,只有反复出现的东西才有价值,才能为人所认知,它会成为一种标准,成为模仿的对象。庸俗、浅薄就这样成了社会的目标和标准。

希利斯·米勒认为,印刷(文字)区分出主体与客体、意识与无意识等二元世界,但电传媒介泯灭了这种二元世界的障碍,使主体与客体,意识与无意识之间的界限消失,从而使过去建立于其上的哲学、文学、精神分析学失去根基,并最终消逝。因为我们好像已生活于所有现实的场景之中,无须任何想像。过去的书籍是"我"在读它时,凭借想像力唤起鬼魂(作品中的或作者的),这种鬼魂具有私密性和个人性,但现在,"电视或电影屏幕上的幽灵,比之阅读一部书的私下行为,似乎更加客观、公正,并为大家所共享,而不那么依赖我个人的想像"⑨。这也许就是同为大众媒介的印刷媒介与电子媒介的区别所在。

报纸、广播、电影、电视等都是工业文明中出现的大众化传播(叙事)媒介,但这些媒介或因政治的原因或因技术的原因都不是真正意义上的大众媒介,只有互联网能真正享有这一殊荣,完成这一使命。因为只有它可以通过四通八达的网络"将每个人都连在一起,并能提供你能想像得出的任何电子通信……提供远距离的银行业务、教学、购物、纳税、聊天、玩游戏、电子会议、点播电影、医疗诊断……"。⑩

对网络社会,西班牙裔的社会学家卡斯特尔认为我们的社会正经历着一场革命,这就是信息技术革命。在这场革命中,信息技术就像工业革命时期的能源一样重要,它重组着社会的方方面面。而根植于信息技术的网络,已成为现代社会的普遍技术范式,它使社会再结构化,改变着我们社会的形态。我们正在进入一个新的时代,这就是信息时代,或者说网络时代。"作为一种社会历史趋势,信息时代占支配地位的功能和过程均是围绕网络逐渐构成的。"⑪尼葛洛庞帝更是在他的《数字化生存》中阐述了数字化将给人类社会结构带来四个方面的改变:权力分散、全球化、追求和谐与赋予权力。⑫在他看来,网络出现以后,传统的中央集权将会真正解体,个人享有更多的自由,个人化的时代即将来临。

麦克卢汉说:"媒体就是信息。""媒体会改变一切。不管你是否愿意,它会消灭一种文化,引进另一种文化。"⑬希利斯·米勒接着说:媒体就是意识形态。波德里亚解释说:"铁路带来的'信息'并非它运送的煤炭或旅客,而是一种世界观、一种新的结合状态,等等。电视带来的'信息',并非它传送的画面,而是它造成的新的关系和感知模式、家庭和集团传统结构的改变。"⑭因此,媒介改变着世界,改变着人类的世界观;进一步说,文明的演进是在媒体的嬗变中进行的。

注释:
① 周月亮《中国古代文化传播史》,北京广播学院出版社 2000 年,第 1 页。
② 同①,第 2 页。
③ 转引自王政挺《传播:文化与理解》,人民出版社 1998 年,第 49 页。
④ 同③,第 202 页。
⑤ 〔美〕保罗·利文森《软边缘:信息革命的历史与未来》,熊澄宇等译,清华大学出版社 2002 年,第 23 页。
⑥ 同⑤,第 24—25 页。
⑦ 〔美〕希利斯·米勒《现代性、后现代性与新技术制度》,《文艺研究》2000 年第 5 期。
⑧ 同⑦。
⑨ 同⑦。
⑩ 〔美〕迈克尔·安托诺夫等《信息高速公路指南》,美国《大众科学》1994 年 5 月号。
⑪ Castells, M. 1996, *The Rise of the Network Society*. Oxford: Blackwell. p. 469.
⑫ 〔美〕尼葛洛庞帝《数字化生存》,胡泳等译,海南出版社 1996 年,第 269 页。
⑬ 〔加〕埃里克斯·麦克卢汉、弗兰克·秦格龙《麦克卢汉精粹》,中译本序,南京大学出版社 2000 年,第 248 页。
⑭ 〔法〕波德里亚《消费社会》,南京大学出版社 2000 年,第 132 页。

金元浦

文化研究的视野:大众传播与接受

当代世界最不引人注目却又最与人们的日常生活息息相关的社会现象是什么？电视。电视观众恐怕是当代世界最广泛的文化研究对象。研究电视,是理解与大众传播中心问题有关的整个社会和文化进程的潜在的关键。因为,电视观众是今天人类日常生活中社会和文化的最主要的实体。

在当代世界,与电视有关的生产者的力量日益强大,而与之相应的消费者的力量也日益强大。20世纪60年代末70年代初德国接受美学兴起时的一个重要契机就是其创始人敏锐地感受到了当时大众流行文化的兴起。后来,接受美学又突破了其早期读者中心论的藩篱,向 communication 转化。communication 这个词既是交流,也是传播。随着现代科技的发展,传播及其传播媒体已成为现代社会不可一刻或缺的生存手段。

按照传统的观念,消费的基本要素是其实用性或有效性,也就是说,购买一种产品,一定是于人有用的。而其之所以有用,是因为人的需求奠定了其效用的基础。但是从现代观念来看,人的需求是养成的。现代人的消费也在不断发明着、制造着、涵养着他们自身的需求,特别是人们的精神的和文化的需求。消费本身是一个构筑意义的过程,它"关注的是日常生活中文化的内化",是文化的生成\漫漶\固化的过程。我们无法想像,30年前中国社会会对当代流行音乐有如此巨大而狂热的需求。10年前有位朋友从西方归来,谈及西方电视观众对某一电视主持人的喜爱和依赖。一位年长的时事政论主持人因度假,节目改由他人主持,竟然有几十万观众写信打电话要求他回来,他们声称无法忍受没有他的日子。

当时对此深感不解。几年后我国电视也重演了这一活剧。使我们深骇于电视的力量：电视改变着我们的生活。

从世界范围来看，现代科技的发展尤其是传播技术的发展，现代科技广泛地运用于各类文化艺术活动之中，在文化领域掀起了新科技革命的旋风，已经导致新兴文化形态的崛起和传统文化形态的更新。文化生产方式工业化，实现了从文化手工业到现代文化大工业的深刻变革，直接导致文化工业革命。文化作坊让位于文化工厂，社会化文化大生产取代个人化文化小生产，极大地解放和发展了文化生产力。高新技术的产生和现代工业的发展，不仅导致所有传统艺术形式的升级换代和现代更新，而且创造了大量崭新的艺术形式。

文化传播形式随着现代大众传媒从纸媒质到电媒质的创生变换，经历了一场深刻的媒体革命。广播、电影、电视、音像、多媒体相继产生，创造了崭新的文化工业——广播工业、电影工业、电视工业。音像文化乃至多媒体文化代替图书文化，成为新兴的主导文化形式，并且在图书的基础上创造了电子报刊，新闻产业、广告产业等等相继诞生，文化不断经历创新扩容。文化的领土前所未有地猛烈扩张。

相对而言，如果说中国 20 世纪初叶经历的新文化运动实现了中国文化的新旧置换，是一场具有中国历史意义的文化本体革命，那么，以电子媒质为代表的现代大众传媒的升级换代和创新发展，则使人类具有了崭新的现代文化，实现了文化本体的更新发展和创新扩容，是具有世界历史意义的文化革命。

人类童年时代的文学艺术是通过口耳相传的。古代的游吟诗人就是通过不断的游走吟唱来传播艺术、故事和历史的。诗歌特别是史诗成了那个时代人类最主要的艺术方式。但是口耳相传的艺术是没有原本的艺术，是在传播中创作和加工的艺术。印刷术的发明，使人类的传播有了巨大的进步。阅读成了获得知识，展开想像力，享受艺术，开拓人类精神领域的最佳方式。正是纸媒质确立了文学在诸种艺术形式中的宗主地位。

从纸介质的传播媒体向广播电视等电子介质的传播媒体转化，是人类史上最伟大的飞跃之一。电子传媒比印刷传媒拥有更为强大的力量。

今天科技对文化的渗透,其中一个重要的表现就是艺术的媒介化趋向。艺术的媒介化以越来越多的大众文化产品进入人们的日常生活为标志。它表现为艺术的传播越来越受到媒介工业技术和体制的制约。借助媒介,艺术传播的速度更快,传播范围更广,传播效率更高。而且,媒介介入了艺术的创作过程,成为艺术的一部分。传播媒介给艺术带来的直接后果是艺术作品与艺术创作原初语境的分离,即所谓"取消语境"(decontextualization),在一个虚拟时间虚拟地点重构一个新语境,此所谓"重置语境"(recontextualization),艺术传播和媒介技术带来的语境的分离和重构,也从根本上改变了艺术创作反映生活的传统观念。是媒介手段创造了比现实更真实的"超现实"或"超真实"。

如果说过去的艺术作品只有一个作者的话,现代的电子媒介艺术的作者则是一大群。这只要看看每一部电视剧后面长长的名单就了然了。当代电视艺术作品除了作者(编剧)外,还有导演、制作人、工程师,以及广告公司或传媒公司决策人员的介入。甚至作品的发行人员都可以指手画脚,说三道四。时尚潮流更多地影响艺术创作。

传统的神话已经远去,今天的神话是以电子媒介传播的大众文化。而电视就是当代大众文化的神话与象征系统。电视作为技术,为其使用者创造了一个空间,这是一个操作的空间,又是一个能够创造意义的空间,一个有着可能性及不确定性而有待填补有待扩展的空间。虽然没有绝对的分界,电视(以及其他信息与传播技术)区别于非交流性的家用电器的地方,就在于它的双重连接作用。它本身具有意义,同时,它还是意义的传送者。

先前的媒体研究认为,这一研究的核心论题应当是媒体节目的共同性与观众要求的特殊性之间的矛盾;是媒体的强制性压抑、消弭了观众主体的能动性,使观众成为被动的接受者。但是,当前高科技传媒的发展告诉我们,今日的媒体是在一个日益复杂、日益多样化、竞争日益激烈的世界里运转和发展的,先前某一两种媒体如电视或某一两家电视台独霸世界的时代已一去不复返了。随着媒体种类与数量的急剧增加,媒体技术的日新月异的发展,媒体的传播功能与创造意义的功能逐渐合一,特别是互联网技术的高速发展,人们的选择性越来越高,主动性越来越强,某一种媒体或某一家媒体凭借一种行政命令或长官意志完全地直接地影响大众的时代即将过去。如果我们说当今世界媒体的力量在左右着人类的话,那么,媒体的迅速发展也在不断产生着消解其霸权的力量。媒体的多样性和多元性,以及内容的极其丰富性,赋予受众更大的选择的能动性与自由度。竞争使媒体与接受者的关系由原来的教育、指导甚至命令变为服务与被服务的关系。收费上网、有线电视使接受者白得免费午餐的受赠意识、传统形成的受教育、听报告的意识大为减弱,而代之以我作为一个消费者的个人购买与消费行为的意识。既然是服务与被服务的关系,我就有权要求得到更合乎我的个人意愿的服务;既然可以有多种选择,我当然选择最符合我的个性特征的节目。

但是这些众多的选择,仍然只能在一种任何人也无法逃脱的文化语境和公共空间中展开,在一定的文化与经济的场域中实施。因而民族的、地域的、性别的、阶层的特征就凸现出来,观众由文化所囿定的主观倾向性便自然而然地显现出来,尽管这一显现仍然显得那么随意、漫漶、毫不经意。

从媒体来看,其"服务"的多样性也是有条件和受制约的。尽管电视节目千变万化,它众多的表现类型叫人目眩神迷,但它本身实际上是一种"配方式媒介"。西方电视美学家赫拉斯·纽肯默指出:"成功的电视配方被广为模仿……能够存在下来的配方一定是广有观众的。""配方成了组织和界定世界的特殊方式。情景喜剧和电视所创造的其他形式的世界都给人不真实的感觉,但是,我认为情景喜剧和电视却创造了一种特殊的现实感。每种类型都有它自己的价值系统……打破这种现实也就是创造一种新的配方。在某些情况下,这也就是创造出一种新的电视艺术形式。"

当然,媒体的伟大与可怕还在于它水滴石穿、有意无意地形塑观众的趣味、喜好之型,欣赏习惯、文化生活之模式乃至深层心理文化结构的功能。

对于观众的研究可以是相当抽象的,但世界上的任何观赏行为都是具体的,都是在一定的场景中展开的。至今为止的主体媒介电视主要是在家庭中观看的,它更多地带有一种小型的群体性质,观众之间有感应,有共鸣,有交流。正在迅速崛起的网络媒体其观看行为则更加个人化或私人化。由于动态的互动关系,先前观者之间的感应交流已被网上的互动交流所代替,先前极为重要的此时此地的具体时空场景,现在已相形见绌,不再那么绝对重要了。

媒体的文本分析是十分重要的。它是意义产生的主要源泉。其后来所产生的社会影响,对观众的引导或与观众的互动都先在于生成而预存于文本之中。所以从某种角度讲,观众早被镌刻在文本之中。

但是,只有媒体的文本研究是远远不够的,当代接受研究早已把文本研究与观众的社会学、人类学研究结合起来,并由此出发,向媒体文本与观众的社会接受之间的对话交往研究发展,向媒体的文本研究与媒体的社会功能、技术功能的对话互动研究转化,向一种更具涵容性也更具多样性的文化研究模式发展。从这一点看,六七十年代的英国文化研究在方法论上没有什么惊人之笔,倒是它对大众文化研究的首倡,对于当代传媒研究的首倡,对于高等教育中设立文化研究的系所、学制与学位的首倡,成就了它昭彰于世的赫赫声名。

因此,大众传播的研究成为文化研究的主战场之一,不是几个研究者像20世纪80年代一样,又趸来什么新鲜洋货(货物早已不新鲜),而是切切实实的现实需要。文学与文化的现实已发生了很大变化,我们不能还在原有的范畴概念的圈子里打转。

肖　鹰

青春偶像与大众传播

一

中国曾是一个以"古老"著称、迷恋古老、崇拜古老的民族。她没有专门的宗教，而祖先崇拜实质就是她的宗教。沾祖先的光，长者（老者）为尊，这在她数千年一脉相传的文化传统中，是不可逾越的铁铸的社会原则。但是，进入20世纪末期以后，展开了现代化进程的当代中国却风行着青春偶像崇拜。这成为中国社会生活和文化生活一道崭新的耀眼的风景线。也许，放眼这道风景线，我们才真正应当说，世风不古，世道变了。

传统中国社会的"古老"观念，建立在相对封闭、稳定的农业文明基础上，对土地的依赖造成了对远古的迷信和神化。那遥远而存在于传说中的三皇五帝的上古时代，被幻想为清明和谐、幸福完美的神圣时代，三皇五帝们则被崇奉为至善至美的圣人。现代化是以向未来无限发展为基本目标的全球化的发展运动。这个运动不仅打破了传统对远古神圣的迷信，而且破除了对一切既有原则、观念甚至对一切确定性的信念。因此，不再是远古既有的东西是美好神圣的，而是未来未定的东西成为人们向往迷信的对象。以未来代替传统，以未定代替确定成为迷信崇拜的对象，这是现代化转变传统观念的一个关键。这个关键的转变，为当代中国的青春崇拜奠定了基础。因为在人的生命历程中，是青春而不是年老，意味着无限的未来和许许多多的未定性。也就是说，一个走向未来无限发展的社会，必然是推崇青春、迷信青春的社会。

但是，既然是向未来无限发展为目标，现代性精神就是以不断发展的科学技术为支持，破除一切迷信，不断走向未来的精神。那么，崇拜青春的未来性和未定性品质的现代精神，又为什么给偶像崇拜留下了空间，提供了土壤？也就是说，一种指向未来，推崇青春的时代精神又为什么能够容许和促成把青春偶像化为顶礼膜拜的对象呢？这就需要对社会现代化发展对人类精神史的改变作深层次的探索。

现代化运动的确需要社会成员从传统的束缚中解放出来，成为无拘无束、独立自主的个人。因此，肯定自我意识，鼓励发挥个性，成为现代性社会的一个基本原则。但是，现代性在鼓舞个人从传统中解放出来的同时，却并没有给予他的个性和自我意识以更多的支持，相反使他成为真正无依无靠的精神的漂泊者、孤独者。这就是说，作为自由独立的个体，现代化的自我必然面临着没有内在根据、没有精神前提的自我失落。经历现代化运动的洗礼，每个人都怀抱着一个自我实现的梦想，都试图在大千世界中把自己展现为一个特立独行，与众不同的"有个性"的存在。但是，一方面每个人都因为没有终极的支持而永远不能实现真正的（最后的）自我确认，另一方面他的"个性"追求总是遭遇着同样追求着"个性"的别人的否定和消解。渴望得到超越的支持、得到根本性的肯定，是现代个人深层的欲望。无疑，这个欲望是不可能获得满足的。这不能满足的欲望是产生青春偶像迷信的基本动机。

现代化运动向每个社会成员许诺的自由个性，不仅没有为之提供确信的根据，而且在它的现实的展开中收回它的许诺，以冷漠无情的高技术流程和严格的管理秩序限制和剥夺个体的个性和自由。这充分展示了现代化运动对于社会个体的生存的矛盾意义。这就是说，一方面，它以无限未来为目标的发展，需要自由而富有个性的探索者、建设者，另一方面，它的更高一层次的发展又是更高级的标准化、秩序化的生产活动。这就使现代化与它的建设者、生产者之间既有天然的统一性，又有天然的对立性。准确地讲，建立于现代科技基础之上的个体的基本准则并不是所谓个性自由，而是以技术生产无限发展为目标的工具合理性原则。因此，被现代化需要和产生出来的有个性的自我又是现代化的天然的敌对者。这就意味着，被自由和个性观念鼓舞的现代个体，是不甘于作为一个"成熟"的个体受制于现代化的管理体制及其规则的。青春，恰恰是包含了自由、个性而尚没有被范制为秩序和规则的遵循者的年代。相对于成熟的循规蹈矩，青春则是充满活力的自由任性。因此，对青春的崇拜，不仅表达了对未来的无限性和未定性的信仰和渴望，实际又是无条件地肯定对秩序和规则的反叛。也许，"反叛"或"反叛传统"是青春崇拜更直接、更强烈的动机。

总之，现代化给个人许下了自由个性的太大的幸福承诺，因为这个承诺不能由个人自己现实地实现，它就诱发了普遍的幻想和迷信的追求。青春偶像崇拜，就是当代个人自我梦想的幻想和迷信追求的产物。

二

青春偶像崇拜，是一种新偶像崇拜。它之新，一个基本特点就在于它是由大众传媒操作，以大众文化活动为基本模式展开的。

传统偶像崇拜是一种宗教仪式活动，它的形成和发展都依赖于某种特定的宗教信仰的确立和传播。宗教信仰总是要把它的基本教义或宗旨人格化为一个或数个人格化的神祇。所谓偶像崇拜，就是对这个或数个人格化的神祇的崇拜。国际性的大宗教，如基督教和佛教，其传播范围广阔，发展历史长远，其偶像崇拜活动也相应地有广阔性、长远性。但是，在宗教的偶像崇拜中，我们可以看到这些特点。第一，虽然诗歌、音乐、舞蹈、戏剧等时间性、非造型艺术形式也会参与偶像崇拜活动，但是偶像崇拜的主要或基本载体（手段）是空间性的造型艺术：绘画和雕塑，及其辅助设施建筑。第二，造型艺术的空间性特征，不仅对环境有特殊的要求，如绘画需要墙壁，雕塑需要场景，才可有安置和依托，更为重要的是，造型艺术的空间性，即非时间性，它作为偶像崇拜的基本载体，设定了偶像存在的静态属性。第三，偶像存在的静态属性，使偶像的延续、传播和发展变化都长时间处于相对的统一性和稳定性。就基督教和佛教两大宗教的造型艺术史来看，如来佛、观音、基督、圣母，这几个主要偶像，从其形体特征到姿态服饰，虽然在不同地区、不同时代会有一定的变异，但是我们总可以看到各自宗教体制内的一脉相承的统一性。第四，因此，传统偶像崇拜，从媒介、体裁到形式、内容都很好地体现了传统宗教内在的统一性、稳定性,并且也起到了巩固、发展这种统一性的作用。这个作用,正是偶像崇拜的基本作用。

当代的青春偶像崇拜,以大众传媒为基本载体,以大众文化为基本活动模式,具有非常不同的特点。第一,大众传媒是现代市场和高科技高度发展的产物。借助于卫星传输网络系统,大众传媒可以在全球范围内超时空地传播声像信息。大众传媒的传播速度和渗透广度,使它成为当代社会文化生活中的超级帝国,在相当大的程度上垄断着文化生活潮流的发展变化。第二,青春偶像以大众传媒为载体,也就相应地承接了大众传媒的超级强力。这就是说,在大众传媒中,青春偶像在被大众传媒超高速超地域地传播的同时,也被大众传媒极度地扩张、神化了。在这个意义上,可以说,是作为载体的大众传媒实现了对青春偶像的造神运动。第三,在传统宗教活动中,绘画、雕塑等传统艺术形式也对所造型的偶像进行神化塑造,但是,它们神化的路线是引导观众通过对偶像的凝神观照,进入到对神灵的神圣庄严的崇拜和领受。这是一种对观众进行心灵净化、圣化的活动。但在当代的青春偶像崇拜中,大众传媒以其强大而富有变化的制作手段,在把青春偶像传播给观众的时候,传播的是它附丽于这个青春偶像的传播手段本身的强力和观众对这个强力的迷信和醉狂。第四,在根本意义上,青春偶像崇拜在大众传媒体制下是一种大众文化活动,而不是一种严格意义上的宗教。作为一种大众文化活动,大众传媒在进行青春偶像的造神运动的同时,却不断进行着对这些偶像的否定和毁灭活动。准确讲,在青春偶像崇拜活动中,大众传媒操作的就是造神和灭神的游戏。大众传媒不仅满足当代精神无归的个人对青春神灵的欲望,而且不断刺激和强化这种欲望。但是,它不容许个人对任何偶像的持续膜拜,而是不断以新的偶像替代旧的偶像。这个偶像替换游戏,瓦解了受众的情感,却刺激了他的欲望。实际上是把偶像崇拜替换为传媒依赖和传媒欲望。

以大众传媒为基本操作手段的大众文化活动,本质上是一种文化商业活动,它受制于当代市场经济的整体运动。我们讨论青春偶像崇拜,必须在市场经济的整体运动中来看问题。大众传媒不是一个单纯的信息和文化传播载体,而是一个以高科技为支持的文化大产业。它的经济力量和技术力量共同塑造了它的文化力量和文化形象。大众传媒对青春偶像的造神与灭神运动(游戏),根本上在于它对自身作为文化产业的经济效益的追求。为了达到最高的经济效益,大众传媒不仅要保持最高的收视率,而且要使这个收视率成为最有效益的收视率,即要刺激受众对传媒的消费欲望。不断制造新的青春偶像,以替代旧的青春偶像,就是刺激受众的传媒消费欲望的一个基本手段(策略)。因此,尽管青春偶像的常规性快速更替有青春偶像的"青春"性需要的原因(没有不老的青春偶像,要保持青春偶像的青春性,就需要青春偶像的同期性更换),但其更换速度之快,实际上是人为地制造了对青春偶像的加速消费,究其根源,仍然在于大众传媒的商业动机。因为商业动机的主导作用,大众传媒不仅按照它的游戏原则外在地决定了青春偶像的流星一闪的命运,而且内在地制约了青春偶像的存在内涵、意义和价值。准确地讲,这种制约是大众传媒对青春偶像可能的内涵、意义和价值的消解。因为只有通过这个消解,对于青春偶像的加速替换和消费才是可能的。我们可以说,大众传媒刺激了大众对于青春偶像的消费,却没有给予他们信仰。这无疑是青春偶像崇拜最基本的特点。

三

由于现代文化根源和大众传媒制约,青春偶像崇拜相应地具有感性/欲望化、形象/表演化和反叛/时尚化的特征。

在青春偶像崇拜中,对崇拜对象感性品质的强化,是一个突出的特征。但是,在这里被作为崇拜主题强化的感性,不是一般美学意义上的审美对象的鲜明生动、直接可感,而是偶像形体姿态所具有或展示出来的某种"青春性"。如女性的靓丽、男性的英俊,或极端化的女性的性感、男性的凶悍。一个最流行的概括和表达这些青春感性特征的单词,就是"酷"。"酷"是英文词"cool"的港式汉语音译,意译是超群出众,无以复加的极致——绝了。青春偶像崇拜的感性化,就是对这种极致(绝了)的青春感性的追求。为了达到这个"极致",在青春偶像的塑造和传播中标新立异,乃至于追求变态和畸形,就成为青春偶像崇拜的基本方式。无疑,在青春偶像崇拜的感性化发展中,表现了当代文化中青春享受和青春扩张的强烈欲望。感性化与欲望化是一致或相联系的。欲望化在这里有两个方面的含义:一是青春欲望,特别是性爱欲望;二是自我扩张,即实现自我和表现自我的无限要求。因此,青春偶像总是一个被极端地神奇化、扩大化的青春形象,他或她以一个当代人的身份,却享受着当代人只有在幻想中才能享受到的个性、自由、奇能、风采、光辉。所以,青春偶像是当代个人欲望的对象化或偶像化。它是个人欲望的替代性满足。

青春偶像是由正生存在这个世界的年轻人来承当的,即某些生活着的年轻人是型塑青春偶像的基本材料。在第一部分我们已指出,在传统偶像崇拜中,偶像是以绘画、雕塑等传统造型艺术形式为基本存在形式的。现在我们要指出,这种存在形式不仅保证了传统偶像崇拜的稳定性和统一性功能,而且保证了传统偶像的超现实性和超生活性。因此,传统偶像无论其在现实世界是否有其原型,其原型实际特征如何,它都必然向崇拜者展现出神圣完满而永恒统一的光辉(神性)。青春偶像既由现实生活着的个人来承担,尽管大众传媒按照商业需要极大限度地扩张、神化了青春偶像的个人生活(存在),但它仍然不能达到传统偶像的神圣完整和稳定统一。相比而言,青春偶像更多地展示出它的现实性和生活性。另一方面,青春偶像崇拜缺少内在的精神前提和价值根源。如第一部分说,它不是建立在信仰的基础上,而是为欲望所推动。所以,一个生活中的个体之成为青春偶像,完全根据于他的形象塑造或表现力。所以,青春偶像崇拜实质上是没有精神内容的形象崇拜。这两个基本属性,即作为青春偶像主体的生活中的个人和青春偶像崇拜的非内在性(形象化),使青春偶像的存在展开为一种形象的表演。所谓形象的表演,有两层含义:第一,青春偶像是活的形象,即这个形象在现实时空中展开;第二,表演性是针对于青春偶像的生活性和现实性的,它通过对青春偶像活动的生存情景、形态的设计来预制或规范青春偶像承担者个人的存在,使之非现实化、非生活化。第二层含义,是更重要的。正是这个非生活化、非现实化的表演性存在,使生活中的个人获得神化的光辉。然而,这就预定了青春偶像人作为一个活的形象的基本的虚假性。因此,可以理解,在当代文化中,为什么被崇拜的青春偶像无一例外地都是演艺界的年轻的明星。准确讲,演艺界的明星就是青春偶像的同义词。

在第一部分我们已指出,青春偶像崇拜的一个基本根源是当代社会生活中的反叛冲动。在这里,青春被定义为面向无限未来的无拘无束,反叛传统或既有的一切,则成为青春的基本动机和神圣使命。不断地反叛现实,作为一种现代主义冲动,不仅形成了现代文化的先锋或前卫潮流,也为整个现代社会的持续变革和发展提供了动机。青春偶像崇拜把这个动机形象化、仪式化,进而成为一种仪式化的反叛时尚。在青春偶像崇拜中,反叛的时尚化表现为两个方面:第一,反叛是青春偶像崇拜中的一个基本价值取向,尽管对象和情景千差万别,但无一例外都表现出一种反叛的姿态。第二,青春偶像(明星)的常规化的高频更替,实际上把"反叛"变成了新与旧相互替代的游戏。因此,青春偶像崇拜通过把反叛变成一种仪式化的时尚风景,在展现或表达现代主义的反叛动机的同时,却消解了这个动机,使之成为没有目标、没有方向,准确讲是没有对象的形象游戏。应当说,这是整个当代文化的青春崇拜运动的归宿。

综上所述,青春偶像崇拜是当代文化生活基本矛盾的一个产物,一个表现形式。它本身就是一个矛盾存在体,它按自我悖反的原理存在和展开。由于有它的社会、文化基础,在当代生活中,无论是否喜欢,它都必然产生和存在下去。也就是说,作为当代文化的一个重要元素,它是不能被拒绝的。我们要做的工作,就是在当代社会文化运动的大背景上揭示它的可能和局限,以采取相应的态度和策略面对它的广泛扩张。青春偶像崇拜带给当代个体和社会整体的并不是青春本身。这是我们从本文引出的一个新思考的起点。

第三编

传媒与文化话语

第三編

検地と文化面

金惠敏

图像增殖与文学的当前危机
——"第二媒介时代"的文学和文学研究

  自从 2001 年美国批评家希利斯·米勒在《文学评论》上发表《全球化时代文学研究会继续存在吗》一文以来,文学在电子媒介时代能否继续存在下去就成了中国文论界所关心和争论的一个新话题。在中国,虽然像德里达那样直接就宣布电信时代文学死亡的观点尚不多见于文字,但街谈巷议之间已算不得什么新鲜之论了。与此相反,更为强大的立场则是毫不妥协地坚持文学和美学的永恒性和神圣不可侵犯——针对米勒的几篇批评文章就是明证。

  仿佛是为了回应于此,米勒 2003 年 9 月再访北京,带来了他的新作《论文学》。该书一开篇即暗示了其辩证的答案:"文学的终结就在眼前。文学的时代几近尾声。该是时候了。这就是说,该是不同媒介的不同纪元了。文学尽管在趋近它的终点,但它绵延不绝且无处不在。它将于历史和技术的巨变中幸存下来。文学是任何时间、地点之任何人类文化的标志。今日所有关于'文学'的严肃的思考都必须以此相互矛盾的两个假定为基点。"①言下之意,偏执于哪一极端都将是不"严肃"的态度,都可能造成对文学的亵渎和伤害,只是方式不同而已。

  下面的文字虽然是在读到这段话之前就已完成,但其写作原则与米勒此处的提示不谋而合。这个原则就是,既不把当前的文学终结论视同"狼来了"一类的儿戏,也不把坚持文学的存在看做顽固保守,而是历史地和具体地论析电子媒介将会怎样影响乃至改造文学的形态和本质,文学是否可能突破新技术的围追堵截而劫后余生,乃至生生不息。本文侧重于前一方面,即我们这里所关切的是,文学与电子媒介的相遇究竟会发生哪些故事、哪些悲喜剧,尤其在文学这一边。

一 图像增殖对文学的审美重组

众所周知,文学文本自身就是媒介,它所媒介的是我们的意识活动。而此媒介即语言传统上说又需借助于纸质媒介。现在如果要检查电子时代文学所可能发生的变化,那么就需要将目光转向电子媒介在取代纸质媒介而成为文学的新型媒介之后文学的本质是否被重新塑造的问题。麦克卢汉曾大声疾呼"媒介即信息";人们所以常常忽略这一点即媒介本身的信息性,他发现,乃是由于"任何媒介的内容总是另一媒介"②。当一媒介被另一媒介所媒介时,它便失去了其媒介性而成为新媒介的内容,人们只注意"内容"而对承载这一"内容"的媒介却视而不见。对此,麦克卢汉巧妙地比喻说:"媒介的内容就像一块滋味鲜美的肉,破门入室的盗贼用它引开意识看门狗的注意力。"③ 为了强调媒介自身的变革性力量,麦克卢汉批评人们全然为"内容"所吸引、所迷惑,甚至愤然谴责只看见"内容"就是"技术白痴的麻木不仁的姿态"④,似乎一媒介在成为另一媒介的"内容"后依然故我,但这并非麦克卢汉的根本思想,"内容"一经媒介即会发生相应的变化应该是"媒介即信息"这一命题的另一重要所谓。麦克卢汉所批评的情况极可能就是,当人们忽视媒介而仿佛只盯着"内容"时,他们连"内容"在新媒介中的变化也可能熟视无睹而轻易地放过了。简明地说,"媒介即信息"对于我们拟进行的对于电子媒介与文学的关系的考察来说,有两个方面的意义,其一是新媒介通过改变文学所赖以存在的外部条件而间接地改变文学;其二是新媒介直接地就重新组织了文学的诸种审美要素。现在我们先来考察这后一方面,看文学是如何被新媒介直接地从内部重新塑造了其审美之构成。

这首先要勉强我们去解决一个由来已久的疑难问题,即什么是文学的审美构成。就像回答美的本质问题一样,我们只能说某一具体之物如陶器、习俗、美女是美的,但无法说出什么是美本身。因此要避开形而上学的尴尬,最好的办法就是仅仅指出什么是美的。对于文学由哪些审美要素构成这样一个既让人左右为难又可能述说不尽的问题,我们只能小而化之,简单道来:一是纯形式性的语言美,二是语言所传达的内容性的美,在这类美的要素中,形象之美可能居于首位。以电影、电视为例,当文学进入这类新媒介之后,其形象之美被放大、强化,而语言之美不是被取消就是被边缘化,成了可有可无的点缀。充满精彩对白或唱词的是莎士比亚戏剧或是王实甫的《西厢记》,而不是张艺谋的影视制品。影视以图像说话,以图像为其语言,以图像为其本质存在;所谓"电影"(moving pictures)就是移动的图画,所谓"电视"(television)就是远方的可视物;没有语言仍可以是影视,没有图像则不成其为影视。在文学文本中语言和形象本就是统一和凝结于语言的一个东西,语言蕴涵着图像,舍语言便无以求形象,尽管严格来说语言不可能穷形尽相,即文学文本之内也存在着语言与图像的张力,但既然在语言文本之内,它们就无从分开;而在影视之中,其关系之极端者则已呈分裂状态,已超出矛盾和对抗的意义,即如果说在文学文本内语言与形象的关系是辩证的对立和统一,既矛盾又相互依存,那么影视则能够彻底清除这种二元对立关系,而仅以图像立身,所谓"电视即世界"。文学若是仍然愿意进入影视媒介的话,那么它就必须臣服于图像。这都是当今的常识了,我们无须就此赘述。应当深入探索的是,图像对语言的傲视、挤压、收编、霸权或者不屑一顾、耻于为伍,对文学的审美构成可能意味着什么。而为了解决这一问题,我们至少仍须在形式上回到语言与图像的关联上来,以便在比较、对照中揭示其各自的本质、特性,并从而认识它们之间在哪些方面相互对峙、抵制和抵消。我们的思路是:首先指出图像是什么,而后说明它对语言,对以语言为媒介、为"信息"的文学意味着什么。在展开这一思路的过程中我们当然不能缺少对语言之文学本质或审美本质是什么的阐说。

这又是当前国际学术界的一个焦点话题。在阿莱斯·艾尔雅维茨新近出版的中文著作《图像时代》(英文版待出)里,我们被反复地告知图像正成为我们最日常的文化现实,而且从学术史上说已经持续了半个多世纪的"语言学转向"正迅速地被"图像转向"所取代;进一步如果说我们处身于后现代,那么后现代的特征就是图像统治。在艾尔雅维茨对图像时代或图像社会所做的全景式图绘中,在这幅图绘给我们的心灵震颤中,图像的概念清晰而不可拒绝

地呈现于我们的眼前。这里是艾尔雅维茨对米切尔(W. J. T. Mitchell)的援引:

> 图像就是符号,但它假称不是符号,装扮成(或者对于那迷信者来说,它的确能够取得)自然的直接和在场。而语词则是它的"他者",是人为的产品,是人类随心所欲的独断专行的产品,这类产品将非自然的元素例如时间、意识、历史以及符号中介的间离性干预等等引入世界,从而瓦解了自然的在场。⑤

显然米切尔是站在语言本位的立场而嘲讽不诚实的图像行为,不过这种批评对于我们来说却是将语言与图像的对立以尖锐的形式突显出来:图像就其本性而言是符号性的,即它被其使用者用于表情达意,但同时它也总是被当做直接的现实或现实本身,而非如语言那样自认只是现实的模仿、中介或有所不及的替代品。

艾尔雅维茨在研究利奥塔的《话语,形象》时,继续引述其他学者对图像与语言之不同的性质鉴定:

> 在利奥塔看来,话语意味着文本性对感知性、概念再现对前反映表现以及理性连贯性对理性之"他者"的控制。它是逻辑、概念、形式、思辨交互性以及符号的王国。话语因而就被用做通常所谓的交流和意指的处所,在那里能指的物质性被忽略不计……
>
> 相比之下,形象性是将不透明性注入话语领域,它反对语言意义的自给自足,把不可同化的异质性引入一般被假定为同质的话语。……形象性与其说是话语性的单纯对立面,意义的一个替代性秩序,毋宁说它是拆解的法则,阻止任何秩序具形化为完全的一致性。⑥

这是美国学者马丁·杰伊(Martin Jay)通过利奥塔而对图像与语言之对立性的一种概述,特别值得注意的是,语言与图像并不只是表现为一种外部的对峙,而且在语言文本内部这种矛盾关系也依然活跃着。利奥塔指出:"话语秩序自身保持对于它的他者的开放,对于无意识过程之秩序的开放。后者在此将自身展示为一种形象。在话语中形象(于各个层次上)的出现不仅是对话语的一个解构,而且也是对话语作为审查机制以及作为欲望的压抑的一种批评。"⑦在此我们无须分心于利奥塔与拉康关于无意识作用是语言性的抑或形象性的争执,对于我们重要的是利奥塔将话语与形象截然地对垒起来,这就为我们把握二者各自的性质提供了极大的便利。不过我们暂时还是耐心地跟着艾尔雅维茨往下浏览:

> 现代感性主要是话语性的,它在语词与图像、知识与废话、意义与无意义、理性与非理性、自我与本能等等之间赋予前者以凌驾于后者之上的特权。与此不同,后现代感性则是形象性的,它特许视像的感性高于文字的感性,形象高于概念,感觉高于意义,直接高于更带中介意味的知识形式。拉什指出,苏珊·桑塔格的"新感性"以及"感觉美学"对"阐释美学"的优胜预示了一个后现代美学的到来,这种美学的概念基础是通过利奥塔关于话语与形象的区分而建立起来的。⑧

毫无疑问,利奥塔关于话语与形象的比较是后现代指向的,即试图以图像来解构话语所代表的理性,在此意义上他参与了法国后结构主义学派的奠基工作;但是由于其所谓形象的感性丰富性、不透明性和多义性等等,其后现代指向则又是对于文学及其文学性的肯定和张扬,如贝斯特和凯尔纳在原则上认定图像的后现代性质之后指出:"利奥塔希望使形象进入话语并改造话语,以及发展一种形象化的写作模式,即'以言词作画,在言词中作画'(1971:53)。因此,他推崇想像的和一词多义的诗歌转义,推崇写作中的暧昧,将诗歌标榜为一切写作类型的楷模。其目的是想以图像的话语瓦解抽象的理论话语,以那种采用越界性文学策略的新话语颠覆霸权话语。"⑨对于利奥塔来说,文学的理想品格应当是图像性的,由于图像的解构性,文学也应该是后现代性的。不过图像的后现代性以及文学与图像、与后现代性的关系,在利奥塔这部作为博士论文的早期著作(1971年出版)中,仍处在审美现代性或浪漫主义美学的框架之内,它并不是将图像从话语中独立出来、分立起来,而只是想把图像概念引入话语体系,以凸显话语内部图像的叛逆性力量,或者文学内部话语性与图像性的对抗和冲突,并从而将文学之为文学的"文学性"规定为审美的形象性,因而利奥塔由此就只可能从"后现代性"⑩回到文学,回到诗,其"以言词作画,在言词中作画"之当然结果就是诗中有画、画中有诗、诗画相谐之中西皆然的一个传统审美境界了。利奥塔解构了文学,即解构了文学的话语霸权结构,但并未因此就解除文学,相反通过对文学形象性的显扬,他实际上是解放了文学。

艾尔雅维茨所描绘的"图像转向"诚然是以利奥塔关于话语与形象的区别为其概念基础的,因为"图像转向"是作为"语言学转向"的对立面而出现的,但是后现代的"图像社会"对待以语言为媒介的文学可不像利奥塔那样充满耐心和敬意;相反,其第一种情况是如前文所说的影视对文学的整编,它们挑挑拣拣,只选取语言中能够转换出形象的那些部分。由于前文引述所展示的语言与图像的不相容性,影视对文学的整编、重组本质上并非在语言与图像之间建立一种新的张力关系,即图像从语言的压迫下解放出来并反过来统治语言,如此文学尚可卑微地奔走效劳于图像之前,而文学在被榨取之后便不再是原先意义上的文学,在影视中仅留下文学的残迹。因此从一个方面说,影视的诞生就是文学的死亡。

图像对文学的扼杀还不只是发生于文学进入影视即在图像与语言所构成的二元对立关系的范围之内,其第二种情况是图像在文学之外独立地创造出一种新的视觉审美文化。艾尔雅维茨看到:"在后现代主义中,文学迅速游移至后台,而中心舞台则被视觉文学的靓丽辉光所普照。"请注意,他紧接着就指出:"进一步说,这个中心舞台变得不仅仅是个舞台,而是整个世界:在公共空间,这种审美化无处不在。"⑪对于艾尔雅维茨来说,图像或视觉文化的审美性是不证自明或不言而喻的。我们前边也说过,形象性是文学重要的审美因素之一,即形象本身就是审美的,这当然也早有亚里士多德在《诗学》中论模仿快感时的经典论断,似不必重复论述。但是,后现代图像全然不同于前现代的或现代的图像。传统上,例如在绘画中,图像不过是另一种形式的文学写作。中国画论有谓"画梅谓之写梅,画竹谓之写竹,画兰谓之写兰,何哉?盖花之至清者,画之当以意写,不在形似耳。"(元汤垕《画鉴·画论》)绘事之"画"虽非无"意",但"写"更是直挑画"意",因为"写"本身即暗含了"文字","写梅"云云于是就是以"写""文字"那样的方式去"画",以诗文比类于绘画,如说"诗文以意为主,而气附之,惟画亦云,无论大小尺幅,皆有一意。故论诗者以意逆志,而看画者以意寻意"(明恽道生《〈宝迂斋书画录〉引》),诚其然哉。"画"如"写"文字,"写"诗文,因此用现代的语言说,"画"的图像就是符号,而"符号"即意味着表意的媒介。现代性图像同样是这样以"画"为"写"的符号或媒介,其指向是超越媒介的物质性,虽然也可能是不确定的但一定是无限地远去的。就如海德格尔在其《艺术作品的起源》中对梵高《农鞋》的著名解读,对他而言,表面上一双普通的农鞋却连接着世界的每一个敞开或隐蔽之处,或者它就是整个的世界,包含着我们能够得到和不能得到的一切。现代性作品的特征就是意味深长,就是言有尽而意无穷,就是符号趋向思想而终不逮的媒介。

现代解释学正是在这样一个信念基础上建立起自己的现代性的。杰姆逊在其著名论文《后现代主义,或晚期资本主义的文化逻辑》中将解释学称做"深度模式",除此之外还有辩证法、弗洛伊德精神分析、存在主义以及符号学等等。其中对我们理解图像的后现代性来说,最有帮助的可能是符号学的深度模式。这一模式规定语言即符号,而符号又是由能指和所指构成;尽管能指与所指之间的关系可能是任意的,但一般地说能指指谓所指,换言之,能指不是单纯的无意义的能指,在其深处是所指,即所指就是它的深度。海德格尔解读梵高的《农鞋》所依循的就是解释学的也是符号学的深度模式。对此,杰姆逊没有异议,因为梵高的《农鞋》是现代主义在视觉艺术方面的典范之作。而对于后现代主义作品,如安迪·瓦侯的《钻石灰尘鞋》,杰姆逊认为,就不能继续使用解释学或符号学的深度模式了。它"似乎什么也没有表现,'表述'这一概念并不适用于这类画"[12],"它真的什么也没有对我们说"[13]。因而您尽可以对着它作阐释的狂思漫想,如说这像被人丢弃的一堆萝卜,或者说它们来自奥斯维辛营,再或者一场火灾后的残迹,但是您无法自圆其说,"无法在瓦侯这儿完成解释学的示意动作(hermeneutic gesture),无法将这些残剩之物恢复到那一完整的、包含着它们的和曾经存在过的语境中去,如舞厅和舞会,如乘喷气式飞机的旅行时尚或光艳杂志之类的世界"⑭;即使您对瓦侯的艺术生涯耳熟能详,如他为鞋子做过广告、设计过橱窗展览等等,对眼前的作品您仍会觉得左右为难,不得而知。杰姆逊不想在此解释学方向上枉费心机,而是思路一转,将不可索解的《钻石灰尘鞋》当做后现代主义文化的表征,与意味无穷的梵高的《农鞋》划出新旧两个时代或世界。"在盛期现代主义运动与后现代主义运动之间,在梵高的鞋子与安迪·瓦侯的鞋子之间存在着……重要的区别。其中首要的和最显著的是出现了一个新的平面感或无深度感(flatness, or depthlessness),一种新的在最严格字面意义上的浅表化(superficiality),这或许是所有后现代主义流派决定性的形式特征"⑮。所谓"最严格字面意义上的浅表化"就是纯粹的表面性,不能去设想"在它的下面或者背后",也就是说不能存有表象与真实、现象与本质二元对立的形而上学观念。"浅表化"即"无深度感",而"无深度"则造成了"平面感"。杰姆逊的论断是对一切后现代主义的特征的指认和概括,当然更包括了此类视觉文化最核心的部分即图像以及"图像转向"。

在此意义上,电影之所以能够被称为"艺术",乃是由于它仍然最低限度地认图像为符号,为有"所指"的"能指",自觉地皈依于语言的法则。但是我们已经知道,图像自身具有对于语言的叛逆性;言不尽意,图像更是鼓励各种阅读或者就是反对阅读;而且一当时机成熟,图像便由局限于艺术内部的躁动、反抗喷薄而为一独立的力量、独立的体系、独立的法则,持续地无限远去地寻找和开辟自己的世界。这个时机,就是电视时代的到来。

电视图像对于语言的独立性首先表现在它与语言的不相关性。音乐电视常常在这一意义被提起和讨论:"有人认为,MTV千变万化的形象所组成的连续之流,使得人们难以将不同形象连缀为一条有意义的信息;高强度、高饱和的能指符号,公然对抗着系统化及其叙事性。"⑯这里图像之间不相关联,更遑论其与音乐、与歌词相关!这就是说,它不再认同一个自成体系的表意符号系统;因为它自我指涉,我们甚或可以断言,它就不再是符号或能指。费瑟斯通就此提出问题:"这些形象如何表征与自己相关的意义?难道 MTV 超越了索绪尔意义上结构语言所形成的记号系统吗?"⑰显然音乐电视不在乎表意问题,索绪尔法则因而也不再对它发生任何作用。

这种能指与所指的分裂亦同样呈现于广告作品,但与音乐电视有所不同的是,能指与所指在形式上被暴力性地扭结在一起而凸现了其内在的分裂,波德里亚以及马克·波斯特尔给出的例子有地板蜡与浪漫、腋臭净与革命等。这些在日常生活中风马牛不相及的东西被强行地拉扯在一起,"广告构造了一种新的语言,一套新的意义组合(地板蜡/浪漫),每个人都在讲说这种语言,或者更准确地说,这种语言讲说着每一个人"。⑱如果考虑到广告的无处不在而令我们无处躲避,那么它倒真是创造了新的语言现实或符号交换方式。观众不再注意地板蜡或腋臭净的使用价值,而是跟随广告的指示,将它们想像为"浪漫"或"革命"。地板蜡或腋臭净出现在广告中的形象不再指示某类具体之物,而是成为与具体之物无关的幻象。

在这个意义上电视广告之能指与所指的分裂最终便创造出"无物之词"的能指,它是对现实的美化、替代和抛弃,是波德里亚所谓的一种"拟像"(simulacrum)形式:"拟像"原本上说是对现实的复制,但它逐渐脱离现实而取得自立的位置,其过程被波德里亚划分为四个阶段:

第一,它是对一个基本现实的反映。
第二,它掩盖和歪曲一个基本现实。
第三,它掩盖一个基本现实的缺席。
第四,它与任何现实都没有关系:它是它自身的纯粹拟像。⑲

接着波德里亚解释说:"在第一种情况下,形象是一个善的表象:这一再现属于圣事序列。在第二种情况,它是一个恶的表象:属于邪恶序列。第三种情况,它假装是一个表象:它属于巫术序列。第四种情况是说,它根本不再处于表象的而是处于仿真的序列。"⑳"表象"本身意味着它是再现,即再现那原始的真实、真理和客观性等等;而因为再现从来就不可能尽善尽美,难能地追摹于真实、真理或柏拉图"理念"从而便是尽善之举。反过来,如果蓄意地掩盖和歪曲现实,则当然就是"恶"。这即是说,表象与现实之间的"距离"既可能创造难能之"善",也可能为"恶"预留机会和空间。从"表象"到"假象",再到"拟像",具有内在的逻辑可能性。现在由"表象"而来的"拟像"完全背叛了那再现性表象的神圣序列,如贝斯特和凯尔纳所理解的,"拟像"的"真实是按照一个模型而生产出来的。此时真实不再单纯是一些现成之物(如风景或海洋),而是人为地(再)生产出来的(例如模拟环境),它不是变得不真实或荒诞了,而是变得比真实更真实"[21];"拟像"由此而建构了所谓的"超现实"(hyperreality)。

电视图像之演变为"拟像"或"超现实",其对于语言的独立性于是又表现为它不像语言那样以信息即现实内容的交流为目的,而是完全与指涉物,与所指涉的现实无缘,自成一体,并行于现实之外;进一步它不把自己当成虚构的,而是融入现实和日常生活,甚而成为现实的灵魂和主宰,本来现实的倒成了非现实,而它这个人工"拟像"则变为真正的现实,即能够发生作用的现实。诚然,语言和语言的文学也会创造出语言的现实例如想像的世界,但那是建立在现实与想像的二元对立之上,唐·吉诃德的疯癫突出了理想与现实的对立,而在拟像的超现实世界里,想像界不满足于与现实界的并行、对立,而是试图将现实纳入其拟像的序列,将现实本身变成超现实的一个部分。波德里亚举例说:"迪斯尼乐园被呈现为想像的,其目的是使我们相信其他的一切都是真实的。这时它周围的洛杉矶和美国事实上就不再是真实的,而是从属于超现实和仿真的序列。"[22]一个小小的迪斯尼乐园不可能具有如此巨大的变现实为虚幻的能力,但当迪斯尼乐园这样的拟像通过新技术例如电视被不断地复制之后,我们最终就可能被包围在一个仿真的世界,波德里亚非常肯定地断言:"今日现实本身就是超现实主义的……今日全部的日常现实——政治的、社会的、历史的和经济的——都融汇了超现实主义的仿真维度。我们已经生活在一个无处不有的现实的'审美'幻觉之中。"[23]在仿真的世界里没有什么是真实的,就连我们的消费欲望都不是真实的,即不是出自于我们的内在本性,而是由广告拟像从外部挑起和建构的。我们已经与我们自己绝缘,我们不再可能认识自己,不仅是因为我们为拟像所笼罩,一个无法穿透的"天似穹庐",而且因为它就是整个的世界,就是世界的一切,我们是其中的一个部分,即我们本身就是拟像。我们不再拥有"自我",不再拥有"现实",它们不再存在。

　　这种状态就是"泛美学"(transaesthetics),就是"审美泛化"(aestheticization),"我们的社会生产出一个普遍的审美泛化:所有的文化形式,也不排除那些反文化的形式,都被提升了,所有的再现模型和反再现模型都被请入其中"。㉔这不只是由于图像增殖而产生的一个当代现象,波德里亚甚至视之为资本主义有史以来一直都在谋求的一项霸业:"经常有人说西方的伟业就是将全世界商品化,将每一事物的命运都拴在商品的命运上。而事实将表明,那伟业从来就是将全世界审美化——其弥漫全球的景观化,其图像化改造,其符号学的组织活动。"㉕我们前文曾将图像本身的审美性作为一个不言自明的定理接受下来;而在波德里亚这儿,拟像作为一种被极端化了的图像,其审美性也同样是不言自明的:它一方面最少地兼有图像的特点,而另一方面却无限地放大着图像的审美效果。文学形象不是拟像,二者甚至相互对立,例如波德里亚就认为"图像的单纯循环,陈词滥调的泛美学"㉖将导致艺术的终结,这自然也包括了形象的文学,但如果从形式上看,拟像的普遍的审美效果却一直是文学(如唯美主义文学)求之而不得的梦想。尽管拟像可能是一种"平面"美学或"无深度"美学,而就其能够生产出娱乐效果言之,它仍然是审美的;而且拟像作为图像的极端更有一般文学作品所不可企及的审美震惊效果。在迪斯尼乐园的鬼屋,在其所营造的阴森可怖的冥界,身边漂浮着形状各异的幽灵,或一只血淋淋的手臂突然伸向您,那效果之强度是读《聊斋志异》所不可比拟的,尽管听或读鬼故事的效果可能会更深入和持久一些。这里引出的一个论题是,文学的消遣娱乐功能正在被图像所替代,至少说被瓜分。在新的娱乐方式层出不穷的当代社会,文学所提供的娱乐与它所要求付出的智力代价之差,使它无法与包括视觉艺术在内的其他娱乐相竞争。图像时代留给文学的难题因而就是如何创造或发挥出其特殊的和不可替代的审美功能。

二　在拟像逻辑中的主体

　　由于形象美在文学中的重要性,前文将讨论集中在图像及图像的扩张怎样从审美上重构但愿不是解构了文学(如前所示,至少在利奥塔那儿还不是),现在我们将转向电子媒介又是怎样通过改变文学的外部存在条件而改变了文学的性质的。这样的"外部条件"可能是多种多样的且连锁反应式的,如电话的介入,如电子写作方式,如互联网及其所创造的民主形式,等等,但其中对于文学最直接、最能发挥作用的则是电子媒介所塑造的主体,因为文学是由主体写并写给主体的;同样电子媒介亦非一单一的形式,我们这里拟将论题选定在电子媒介的图像生产出怎样的主体,而这样的主体又可能对文学构成怎样的影响。

问题将我们再次推向对语言的考察。具体说,与语言相应的主体是什么?或者,语言会创造出什么样的主体?这当然先要回到语言本身的性质,不过前文我们已有较多的引述,这里只需做一简要的归纳:第一,语言即理性;第二,语言即对世界(包括意识世界)的理性概括,这就是说作为符号它总有所指;因而第三,它假定了一个二分的即有主客体之分、内外部之分的世界。古代的巫术咒语和当代的标语口号都内含有这样的语言实体论,因而才有力量、有作用。用杰姆逊的术语说,是语言保证了文本的深度模式。反之若语言失序,在拉康则意味着精神分裂。因此当我们理解到语言的符号性,那么马克·波斯特尔关于语言主体即理性主体的命题当就是自然而然的了:

> 根据波德里亚我们能够说,古典资本主义时期的指意方式是再现性符号。社会世界按照"实在论"的图式经由符号被建构起来,这些符号的稳定指涉物是物质性客体。将能指与所指联结在一起的交换媒介是理性。而最能例证再现性符号的交往行为是对书写文字的阅读。书写文字的稳定性和直线排列有助于建构理性的主体,一个自信的、讲话逻辑的主体,它借助符号说着实在论的语言,这类语言的极致就是自然科学的话语。㉗

在现代阶段,波斯特认为,古典资本主义以再现符号为主导的指意方式并无实质性改变,尽管能指与所指的关系变得抽象起来,但"理性的元叙述支持着这种指意方式;通过阅读行为,通过意识之眼对印刷文字单向流动的持续跟踪,这种指意方式被一再地证实给每一个体。资产阶级曾经生活在,而今许多人仍然生活在再现性指意方式的云雾之中,浑然而无所觉察。庞大工业帝国的建设正是被这样一些人所指导,他们毫不怀疑词与物一致并再现客体,就如砖头同砂浆结合便形成墙体一样。当面对晨报或账簿,主体便被语词按照理性的方式构造成为工具主体。这一成年白人男性主体站在一个自由超越的位置上俯视社会的世界,但也只能局限在他已经被再现性意指方式所建构这一范围之内"[28]。波斯特尔的叙述充满了时代感和阶级意识,但是我们完全可以从中抽象出凡接受语言之再现法则的主体均为理性主体这样一个一般性命题。

对此,或许可视为一个有益增补的是普林斯顿大学文学教授阿尔文·柯南(Alvin Kernan)关于阅读和谈话如何构造不同主体的论述:"在谈话中,参预者是面对面的,互动的,为确保理解彼此间不断地进行调整。在公众场合,每一听众的理解都被演讲者以及其他听众所牵引,这种情况往往排斥离心性的和个人性的反应,而接纳较为规范的回应。但是阅读就其本性来说,则有利于形成私人性的和内向性的自我,形成那些构成现代社会之'孤独人群'的独立个体。口语性强化社会的和公共的生活,偏爱友好的性格,促进社群之协同。口语生活是部落的生活,而阅读则推动由独立个体所组成的现代社会。"[29]这虽然是于语言内部(书面的与口头的)的比较,而且不可否认,口语也可以滋养理性主体,因为它同样遵循语言的再现法则,但阅读印刷文字,阅读那无声的文字,面对着作为对象的符号,则无疑更加突出了语言与现实之间的距离,迫切化了在从语言到现实过程中对于理性主体的需要。不用说,波斯特尔所谓的那创造理性主体的"语言"之主要形态就是印刷文字;也正是在对这印刷文字的指谓上,德里达包括米勒才将印刷术、文学与现代民主形式联系起来,对他们来说,印刷术的纸媒为电子媒介所取代当然就可能是文学在体制上的末日。这在发明了印刷术但未发展出现代民主的中国语境是不大容易体会到的(民主的形成应该有多方面的原因)。

由(书面)文字阅读转向图像阅览,势必要求主体之相应改变。从前文引述的关于文字与图像的对立性质上看,这里我们完全可以做出推论说,如果文字是理性的,因而与它相应的就是理性的和工具性的主体,那么感性的或非理性的图像则就暗示了一个感性的或非理性的主体;如果前者是深度主体,那么后者则是平面主体,再简单地说,如果前者是现代性主体,那么后者就是后现代性主体,一种不同含义的主体。我们说过,图像尽管可能具有符号的性质,可能被用于表达深度思想,如古往今来的各种造型"艺术",如影视"艺术",但图像本身内在地就蕴涵着对意义的抵制和销蚀;再者,即便从形式上看,诗画之于图像的关系也呈现出一定的级差:绘画本身即是图像,而文字图像则在文字与图像之间隔出一道中介屏障,文字图像因而是间接图像,正是这样的"中介"或"间接性"将文字给予"哲"学家,将"图像"给予"美"学家,"哲"学家的理想在文字之外,而图像则是"美"学家的全部世界。第三,文字在"时间"中给出图像,而绘画在平面"空间"上展开图像,文字当然变得富有深度和哲学意味了。今天如果我们有耐心回读一下 18 世纪莱辛的美学名著《拉奥孔》,那么对于其扬诗而抑画的良苦用心就可能获得新的认知了,这就是诗所依赖的文字在其本性上更宜于承担启蒙或现代性的重任,这就是现代性信仰中的"文字中心主义",在此意义上,德里达的"文字学"应当是或应当改写为"图画学",因为没有什么不是歧义的,比较而言,图画的歧义性要远甚于文字。

　　波德里亚所谓的"拟像"将图像本身所具有的后现代指向发挥至极端,因而"拟像主体"将可能是纯粹的或者程度最高的后现代性的。在波德里亚虽然"拟像"主要是由媒介和信息所创造出来的,这也就是说例如在广播中语言文字也参预了"拟像"的制造,即"拟像"是所有大众媒介的产物,但图像"拟像"如在电视中则无疑是主导性的。而且,基于前文关于图像与文字的区别,图像"拟像"将比文字"拟像"更能产生真实的幻觉,即更能被相信是真实的,它常常被当做现实本身,这就是电视新闻、图片新闻制造的幻觉。就此而言,图像"拟像"将更拟像,即更能发挥"拟像"的功能。对于波德里亚来说,当其描述"拟像"生产出怎样的主体时,这种辨别可能是无关宏旨的,但对这里以图像为主题的论述来说,我们将更有理由视其描述就是针对于图像的,或者,更适用于图像"拟像",因为我们认为"拟像"是图像最可能的或就是最合理的结果:

在以主体哲学之传统范畴如意愿、再现、选择、自由、解放、知识和欲望等等来对媒介和整个信息领域进行分析时,存在着或总是要碰到重大的难题。因为非常显然的是,这些范畴与媒介势不两立;主体在行使其主权时绝对是要被疏远化的。一个原则性的扭曲,出现于信息领域与那至今仍支配着我们的道德律之间,这一道德律的规定是:你必须知道你自己,你必须知道你的意愿、你的欲望是什么。对此,媒介甚至是技术和科学根本不能告诉我们任何东西;相反,它们划定意愿和再现的界限,它们混淆视听,剥夺一切主体对于其自己身体、意愿和自由的支配权。㉚

媒介创造了我们的生活世界,不是真实的生活世界或其再现,而是其拟像,即主体生活于虚幻的与现实不相关联的"超现实"之中。于是主体便不再是传统认识论哲学意义上的自由自觉的主体,不再是"纯粹理性"、"世界之眼"或"先验自我",他对自己、对自己的真实需求一无所知,其关于自身的全部知识均来自于拟像,是"广告、信息、技术和整个知识的和政治的阶级在那儿告诉我们什么是我们的需求,告诉大众什么是他们的渴望"㉛。最后当其习惯于拟像的统治之后,主体竟不欲求知道自己欲求什么以致于究竟有无真实的欲求。"大众知道它自己什么也不知道,它不想去知道什么。大众知道它什么也不能做,它不想去做成什么。"㉜反过来,大众的懒惰、麻木不仁又放纵了媒介的为所欲为。波德里亚发现,"甚至广告都找到了充足理由来放弃那没有多少说服力的对个人意愿和欲望的假设"㉝;这时大众就如一张柔韧的白纸,媒介可以纵情涂写自己的蓝图,因为它是"沉默的大多数",说它是什么它就是什么,乖乖地成为什么。试想想,当今的排行榜、流行色、新款式、波波族、明星、可口可乐等等,有哪个不是好为人师的媒介教诲我们大众的? 果若此,那我们可真的就不再是消费商品、消费其使用价值,而是消费符号、消费拟像、消费他人的欲望了。㉞

也许波德里亚的叙述有些夸张或者他就是在故作惊人之语,但如果说媒介及其拟像有此潜在之力量则是可以立论无碍的。主体在拟像中被解构,波德里亚由此所表达的不过是主体在媒介社会的新境遇,与其他后结构主义者关于主体在文字中被延搁或在谱系学中压根儿就不存在，与马克思主义者关于主体是意识形态的幻构，与法兰克福从启蒙主体出发对大众媒介的批判，一脉相承而异曲同工。现在媒介可不只是信息，媒介还更是意识形态。米勒先生言之不谬也！

对于文学的存在，图像的增殖及其对于主体的解构可能是一种致命的打击。一方面当大众满足于图像的轻松观览，语言或者语言的文学就会因其难度而被冷落；另一方面更严重的是，图像或拟像解除了语言依其本性所造就的主体的深度阅读、反思能力和批判精神。杰姆逊对"拟像"多有涉论，其有关于文学且最使人震悚者就是对于这样两种可能性的揭示，换用他的语言说，第一，一个"后文字"时代的来临："懂得掌握晚期资本主义社会文化逻辑的人，实在毋需（或许是不能）再透过语言的媒介来传达他们的讯息了；晚期资本主义已经迈进到阅读和书写以后的全新境界了。"㉟"晚期资本主义世界的后文字（postliteracy）反映的不仅是任何大型集体计划的缺席，而且从前国家语言本身之不再适用。"㊱第二，"后文字"即预示了主体的改变，这种改变主要表现在"审美距离"（aesthetic distance）作为"批判距离"（critical distance）的丧失，主体因而便不复为主体了。杰姆逊认为，文化政治的诸多概念如否定、对立、反思等均依赖于一个"批判距离"的存在，"如果没有这样或那样一种最低限度的审美距离观念，如果没有这样或那样地设想将文化行动置于资本的大众性存在之外的可能性，并由此而最终对资本的大众性存在进行抨击，那么，流行于今日左派的任何文化政治学理论都不能有所作为……但是，在后现代主义新空间，一般而言的距离（特别是其中的"批判距离"）被非常严格地净除掉了。"㊲这里拟像即使不是最有力地也是极富成效地执行了对晚期资本主义文化逻辑的构型。关于这两者之间的关系，杰姆逊有比较清晰的说明："毫无疑问，拟像的逻辑（the logic of the simulacrum）通过将过去的现实转换成电视形象远不止是复制了晚期资本主义逻辑；它充实并且加剧了它。"㊳如果我们不考虑杰姆逊思维中的形而上学语汇如"复制"，那么他的意思应该是说，拟像的逻辑不是"复制"而是构成或者其本身就是晚期资本主义文化逻辑。其实，在其关于"后现代之构成性特征"（constitutive features of the postmodern）的描述中，他就是将拟像作为"无深度性"、作为后现代之第一个构成性特征的:"一种新的无深度性,其延伸(prolangation)既可以在当代'理论'也能够在一个全新的形象文化或拟像文化中找到。"㊴"延伸"不是对本源的"复制",而是一以贯之的一个组成部分。无须拐弯抹角地分析或者更多地援引,拟像对文字的排斥,即对作为文字之特征的深度感的取消,并由此而来的对作为主体之本的"批判距离"的抹杀,这总而言之就是对主体的解构,在杰姆逊就是不言而喻的文化逻辑。

三 附论:审美泛化与图像转向

前文曾浅及图像或拟像的增殖所带来的审美泛化(aestheticization,或 aesthetization)问题。不明就里者可能会感到疑惑:审美泛化不正是美学家以及以审美为务的文学家的"大同社会"吗?难道它不是功利主义沙漠世界里的一片绿洲吗?审美教育的目的不就是推动审美情感或趣味在全社会的普及或"泛化"吗?单纯地看待这些疑问,它们应该就是我们何以坚持美学、文学,坚持美学和文学的不可剥夺性,坚持其与我们人性本身的不可分割性,坚持它对于社会的责任之最深层的根据。

但是如果将"审美泛化"放在"图像转向",放在作为"超现实"或者作为晚期资本主义文化逻辑的"拟像"等理论语境中,那么其对于美学和文学的侵蚀和瓦解则就是一目了然的了:美学、文学与现实的联系被歪曲、被割裂,被抽空了其所有的现实性指涉,被内爆为与现实无关的拟像,一种无所指的因而漂浮的能指;当现实被拟像化、能指化,现实与审美之间的距离,由于此一距离主体才得以保持的对现实的超越、批判或者审视,便荡然无存焉。而从哲学上说,审美泛化也是对真理、知识和主体性的挑战,是对美学和文学在现代意义上所赖以成熟的前提条件的取缔,就如德国哲学家沃尔夫冈·韦尔施所描述的,尽管这一描述不怀好意:

> 的确,许多知识分子是以真理的名义,进入反对审美化的战场的。他们说,一个无所不及的审美化,将会导致真理解体,导致科学、启蒙和理性的分崩离析。倘若修辞的光彩比起判断的公正尤要夺目,那么科学势必就会受到损害。倘若虚

构的审美法则取代真理,多元性取代义务,那么启蒙将会失去目标,摇摇欲坠。最后,倘若基本问题成为趣味的问题,那么理性将被一种丑陋的方式所篡改。

但这些警告反反复复在不断出现。在它们之中,真理和美、存在和外观、基本的义务和虚构的自由之间的古老对抗再次得到复兴。㊵

消除审美泛化与传统价值或现代价值(西方的现代价值是对古代传统如希腊文化的复活,如文艺复兴)的对立,韦尔施建议,应该将真理、知识、现实等等全部变成审美的范畴,"通过这一过程,所谓反对审美化的那些'理性'辩护,在它们自己的领域里亦早就失却根基了"㊶。但是,这一美好的设想不会解决而是将加剧审美泛化与现代意义上的美学和文学的矛盾和对抗,因为它不仅为日常生活的审美泛化进行辩护,而且在现实的审美泛化之外又添加了一种理论形态的审美泛化。这就是杰姆逊所说的,无深度感既存在于拟像(即审美泛化)之中,也存在于当代"理论"之中。我愿意就此发挥说,当代"理论"如韦尔施的审美泛化论本身也是一种拟像或审美泛化现象;这就是德里达所预言的情书、文学、精神分析与哲学一道的消亡,即例如在审美泛化中,文学所面临的威胁和灾难也同样是来自于哲学的——后现代主义的韦尔施再次提醒我们注意到这一点。

注释:

① J. Hillis Miller, *On Literature*, London and New York: Routledge, 2002, p. 1.
② Marshall McLuhan, *Understanding Media*, *The Extensions of Man*, London: Routledge & Kegan Paul Ltd., 5th impression, 1975, p. 8.
③ Ibid., p. 18.
④ Ibid.
⑤ W. J. T. Mitchell, *Iconology. lmage*, *Text*, *ldeology*, Chicago: The University of Chicage Press, 1986, p. 43. 见阿莱斯・艾尔雅维茨《图像时代》,胡菊兰、张云鹏译,吉林人民出版社 2003 年,第 26 页。引文据艾尔雅维茨原稿有改动,下同。
⑥ Martin Jay, *Downcast Eyes. The Denigration of Vision in Twentieth-

Century French Thought, Berkley: The University of California Press, 1993, p. 564. 见艾尔雅维茨《图像时代》第 89 页。

⑦ Jean-Franois Lyoatrd, *Discours, figure*, Paris: Klincksieck, pp. 323—324. 见艾尔雅维茨《图像时代》第 90 页。

⑧ Steven Best and *Douglas Kellner*, *Postmodern Theory, Critical Interrogations*, New York: The Guilford Press, 1991, p. 151. 见艾尔雅维茨《图像时代》第 95 页。

⑨ Steven Best and Douglas Kellner, *Postmodern Theory, Critical Interrogations*, New York: The Guilford Press, 1991, p. 152.

⑩ 虽然利奥塔当时尚未使用"后现代主义"一语，但"后现代性"已经是《话语，形象》的题中之义了。

⑪ 艾尔雅维茨《图像时代》第 34 页。

⑫ 杰姆逊《后现代主义与文化理论》，唐小兵译，北京大学出版社 1997 年，第 186 页。

⑬ Fredric Jameson, *Postmodernisin, or, The Cultural Logic of Late Capitalism*, London and New York: Verso, 1991, p. 8.

⑭ Ibid. pp. 8—9.

⑮ Ibid. p. 9.

⑯ 迈克·费瑟斯通《消费文化与后现代主义》，刘精明译，译林出版社 2000 年，第 101 页。

⑰ 同上。

⑱ Mark Poster, *The Mode of Information*, *Poststructuralism and Social Context*, Cambridge: Polity Press, 1996, p. 58.

⑲ Jean Baudrillard, *Selected Writings*, ed. & introduced by Mark Poster, Stanford: Stanford University Press, 1996, p. 170.

⑳ Ibid.

㉑ Steven Best and Douglas Kellner, *Postmodern Theory, Critical Interrogations*, p. 119.

㉒ Jean Baudrillard, *Selected Writings*, p. 172.

㉓ Jean Baudrillard, *Simulations, trans. Paul Foss, Paul Patton, and Philip Beitchman*, New York, 1983, pp. 147—148.

㉔ Jean Baudrillard, *The Transparency of Evil: Essays on Extreme Phenomena, trans. James Benedict*, London and New York, 1994, p. 16.

㉕ Ibid.

㉖ Ibid. p. 11.

㉗ Mark Poster, *The Mode of Information*, p. 61.

㉘ Ibid. pp. 61—62.
㉙ Alvin Kernan, *The Death of Literature*, New Haven & London: Yale University Press, 1990, p. 131.
㉚ Jean Baudrillard, *Selected Writings*, p. 214.
㉛ Ibid. pp. 215—216.
㉜ Ibid. p. 216.
㉝ Ibid.
㉞ 波德里亚可能借鉴了柯耶夫(Alexandre Kojève)欲望就是对他人欲望的欲望的观点。
㉟ 杰姆逊《晚期资本主义的文化逻辑》,张旭东编,三联书店、牛津大学出版社1997年,第453页。黑体为引者所加。
㊱ Fredric Jameson, *Postmodernisin, or, The Cultural Logic of Late Capitalism*, p. 17.
㊲ Ibid. p. 48.
㊳ Ibid. p. 46.
㊴ Ibid. p. 6.
㊵ 韦尔施《重构美学》,陆扬、张岩冰译,上海译文出版社2002年,第32—33页。
㊶ 同上,第33页。

周 宪

视觉文化:从传统到现代

作为一种文化现象,视觉性更突出地是一个当代问题。所谓当代文化的"视觉转向"或"图像转向"这类说法,标志着视觉性在当代生活中所占据的主导地位。然而,历史地看,视觉文化并不是当代所独有的,可以说它古已有之。因此,立足于当代文化情境来思考视觉文化问题,就有必要考察视觉文化从传统形态向当代形态的转变,透过这一转变,我们便可把握到当代视觉文化内在的"文化逻辑"。

视觉范式的转变

我以为,考察视觉文化的不同历史形态,就是考察视觉观念的历史。用伯格的话来说,就是所谓"看的方式"(ways of seeing),亦即我们如何去看并如何理解所看之物的方式。他写道:"我们只会看到我们有意去看的东西。有意去看乃是一种选择行为。其结果是我们将所见之物带入了我们的目力所及的范围。"①看为什么会是这样的选择行为呢?伯格的解释是:"我们看事物的方式受到我们所知的东西或我们所信仰的东西的影响。"②这也就是说,人怎么观看和看到什么实际上是深受社会文化影响的,并不存在纯然透明的、天真的和无选择的眼光。如果我们把这个结论与布迪厄的一个看法联系起来,便会看到其中的奥秘。布迪厄认为,每个时代的文化都会创造出特定的关于艺术的价值观念,这些观念支配着人们看待艺术品甚至艺术家的看法。他指出:

　　　　艺术品及价值的生产者不是艺术家,而是作为信仰的空间的生产场,信仰的空间通过生产对艺术家创造能力的信仰,来生产作为偶像的艺术品的价值。因为艺术品要作为有价值的象征物存在,只有被人熟悉或得到承认,也就是在社会意义上被有审美素养和能力的公众作为艺术品加以制度化,审美素养和能力对于了解和认可艺术品是必不可少的,作品科学不仅以作品的物质生产而且以作品价值也就是对作品价值信仰的生产为目标。③

　　这里,布尔迪厄实际上是告诉我们,艺术品的价值并不单纯地在于它自身,而在于关于艺术品的价值或信仰的生产。因此,对这种价值或信仰的分析才是艺术科学的关键所在。同理,如果把这个原理运用到视觉文化的历史考察中来,那么,我们有理由相信,一个时代的眼光实际上受制于种种关于看的价值或信仰,这些正是伯格"我们所知的东西和我们所信仰的东西"的本义所在。

　　更进一步,这种带有特定时代和文化的眼光又是一种什么样的眼光呢?贡布里希从画家的角度深刻地阐述出来。他认为:"绘画是一种活动,所以艺术家的倾向是看到他要画的东西,而不是画他所看到的东西。"④画家总是以他独特的视角和眼光来看世界,在中国画家那里,梅兰竹菊有独特的人格意义,所谓"四君子"也;这种眼光在西方画家那里是不存在的,反之亦然。贡布里希认为这是一种"图式"制约着画家去看自己想看的东西,即便是同一处风景,不同的画家也会画出不同的景观,因为他们总是"看到他要画的东西"。假如说画家的眼光还有点神秘难解的话,那么,用库恩的科学哲学的术语来说明便很简单了。库恩认为,科学理论的变革与发展实际上是所谓的"范式"的变化。所谓"范式"在他看来,"范式一词有两种意义不同的使用方式。一方面,它代表着一个特定的共同体成员所共有的信念、价值、技术等等构成的整体。另一方面,它指谓着那个整体的一种元素,即具体的谜题解答"⑤。这就是说,一个科学共同体的成员往往拥有近似的教育和专业训练,钻研过同样的文献,有共同的主题,专业判断相一致等等。"一个范式就是一个科学共同体的成员所共有的东西,而反过来,一个科学共同体由共有一个范式的人组成。"⑥说白了,范式也就是一整套关于特定科学理论的概念、命题、方法、价值等。而科学的革命说到底就是范式的变革,是新的范式代替旧的范式的过程。我以为,这个原理用于解释视觉文化的历史是相当有效的。在库恩的科学哲学意义上,我们把视觉文化中贡布里希所描述的"图式"就看做是一种视觉范式,亦即特定时代人们(尤其是那个时代的艺术家和哲学家)的"看的方式"。它蕴含了特定时期的"所知的东西和所信仰的东西",包孕了布迪厄所说的"作为信仰的空间的生产场",因而塑造了与特定时代和文化相适应的眼光。恰如科学的革命是范式的变革一样,视觉文化的演变也就是看的"范式"的嬗变。视觉文化史就是视觉范式的演变史。

基于这个工作界定,以下我们着力于考察视觉范式从传统向现代的转变,分别从不同的层面来展开。

从不可见到可见性

无论在西方还是在中国,无论在语言比喻上还是在观念上,黑暗代表了愚昧、无知、野蛮和非理性;相反,光明则表征了知识、理性、科学和文明。柏拉图《理想国》中所描述的洞穴语言就是这种观念的形象说明,当人摆脱了束缚走出洞穴,也就意味着人摆脱了黑暗而走向光明;在黑暗中,人们只能见到洞外微弱光线投射在洞壁上自己的影子,在光明的状态下,他们彼此见到了自己真确的样子。⑦这则寓言在相当程度上揭橥了人类文明的历程就是从黑暗走向光明的历程,在西文中,启蒙的含义就是照亮、教化和启迪的意思。

福柯对空间的研究有一个重要的发现,那就是,从传统社会向现代社会的转变,一个重要视觉现象就是从黑暗的不可见状态,向普遍的、光明的可见状态的转变。福柯写道:

> 18世纪下半叶有一种普遍的恐惧:对黑暗空间的恐惧,害怕阴暗的帷幕遮掩了对事物、人和真理的全部的视觉。人们希望打破遮蔽光明的黑幕,消除社会的黑暗区域,摧毁那些见不得人的场所,独断的政治行为、君主的恣意妄为、宗教迷信、教会的阴谋、愚昧的幻觉统统是那时酝酿形成的。甚至在

大革命前,封建城堡、时疫检查所、巴士底狱和修道院就激起了普遍的怀疑和仇恨,各种政治因素又加剧了这种怀疑和仇恨。除非这些场所被消灭,新的政治和道德秩序难以确立。在大革命时期,哥特小说发展出全套的有关石墙、黑暗、荫蔽所、地牢的幻想世界,那是匪徒、贵族、修士和叛徒的荟萃之地。拉德克利夫的小说背景就是由高山、森林、洞穴、废堡和死寂黑暗的修道院构成的。当时,这些想像的空间就如同是对大革命索要建立的透明度和可视性的一种对抗。当时不断兴起的"看法"的统治,代表了一种操作模式,通过这种模式,权力可以通过一个简单的事实来得以实施,即在一种集体的、匿名的凝视中,人们被看见,事物得到了解。一种权力形式,如果它主要由"看法"构成,那么,它就不能容忍黑暗区域的存在。[8]

在这段历史描述中,福柯指出了革命与空间可视性的密切关系,指出了现代权力在空间中的运作与看得见的密切关系。也许可以归纳出一系列二元范畴来说明从传统社会向现代社会的视觉转变:黑暗/光明,反动/革命,愚昧/知识,专制/民主,幻觉/理性,等等。这里福柯所说的"看法",就是一种现代性的视觉范式。它不能容许黑暗的存在,因为黑暗代表了一种落后的、危险的和过时的东西。从传统的看法向现代的看法的转变,就是突出"透明"、"照亮"、"启蒙"、"看见"、"去蔽"等可视化。因此,在某种程度上可以说,现代性就是凸现视觉作用或使社会和文化普遍视觉化的发展过程。

普遍的视觉化在现代生活的各个层面体现出来。当代中国一样面临着这种发展趋向,从科学研究的量化或视觉化,到商品广告,到政治体制改革的所谓"公开性"或"透明性",乡级政府的"政务公开",到公共建筑(甚至办公建筑)的越来越敞开和透明化,到医疗诊断的视觉化(X光透视、CT、核磁共振),到最近伊拉克战争的全程电视实况报道,再到此次防止非典型性肺炎的种种举措(电视报道,每天的患病人数统计,控制人群流动,甚至寻找病源和感染者、体温测量等等),足以看到可视性在现代性发展历程中的极其重要的功能。福柯说得好:"在一种中心化的观察系统中,身体、个人和事物的可见性是他们最经常关注的原则。"⑨这也就是在柏拉图的洞穴寓言中,柏拉图借苏格拉底之口所说的那句话——"我看见"。当然,福柯从中解读出更多的权力作用,亦即现代社会无处不在的"监视"。

从相似性到自指性

视觉范式从传统到现代的发展,还呈现为图像符号从相似性到自指性的一个发展演变逻辑。福柯曾论证过三种依次承递的话语模式,那就是相似性模式、表征模式和自我指涉模式。在相似性话语中,符号的价值是因其与某物的相似而构成的。它的根据是一种"符合论"的真理观,一部艺术作品的价值并不在这部作品自身,而在作品与所表现的世界之间的相似关系。所谓表征的话语,就是"古典话语"。其特征显著地体现在比较变成一个重要范畴。话语的能指/所指/相似三元结构逐渐被能指/所指的二元结构所取代。第三种话语是符号自指性。符号自身的重要意义被凸现出来。"词所要讲述的只是自身,词要做的只是在自己的存在中闪烁"⑩。

波德里亚从另一角度描述了相似的发展过程。他认为:"仿制是'古典'时期主导的范式,生产是工业时代的主导范式,而模拟则是由符号所控制的现阶段的主导范式。"⑪"仿制"简单地说就是模仿,所依赖的正是仿制物与被仿制物之间的相似关系。这时符号是指涉自然或现实,其意义是确定的、透明的和稳定的。"生产"是指工业革命时代,相似关系消解了,取而代之的是"一种等值关系,无差异关系。在这系列中,物品被毫无限制地转换为彼此的仿像"⑫。第三种形态是所谓模型、模拟与仿像的时代。对原本的模仿关系被对模型的无穷模拟复制所取代,对现实的指涉关系消解在符号的自我指涉之中,符号内部能指/所指的确定性被某种不确定性所取代,模型成为一切符号生产的基点。这就导致了所谓的"超现实"的诞生。

以上两种模式确证一个重要发展线索,那就是图像符号与现实关系从相似性关系向非相似性(自指性)关系的转变。毋庸置疑,相似性关系突出的是图像对所模仿或再现的对象世界的接近性、一致性。在这种关系中，图像本身的符号价值是不存在的，或者说图像自身的价值为被模仿物或再现物所遮蔽。因为在模仿或再现的关系中，被模仿物或被再现物是价值评判的准绳和基点。无论中国古典绘画的传神说，还是西方绘画的模仿说，其中的重要原则都是强调实在世界的人和景如何被传神地或逼真地呈现出来。因此，传神或模仿本身要依据实在世界的人和景本身来加以评断。相似性的根据是真实世界的人和景本身。范宽的山水画传达出自然的意蕴和气象，因而被认为是山水画之精品；贝尼的雕塑准确真实地再现了人体的结构和神态，因此被认为是雕塑中的上品。

从模仿和再现的相似性向非模仿性的自指性转变，就是图像符号自身的性质被凸现出来。这个过程在绘画中就体现为从再现向表现甚至抽象的发展。只要仔细审视一下康定斯基或克利的抽象绘画，这一发展便清晰可见。自印象主义以来，西方绘画逐步摆脱了传统的模仿和再现原则的束缚，发展出了新绘画风格，突出了表现性和形式性。西班牙哲学家早在上个世纪初就发现了这个变化，并名之为艺术的非人化倾向。在他看来，传统的艺术总是描绘我们所熟悉的生活世界，无论人物、景物或器物，都是我们生活世界中常见的。然而，现代主义高峰期的"新艺术"却摆脱了这一传统，描绘的是陌生的世界和我们所不熟悉的东西。只要看一看表现主义、立体主义或抽象主义绘画便可知晓。达·芬奇的《蒙娜丽莎》逼真地再现了一位贵夫人的肖像，而毕加索的《镜前少女》则将人立体化了，所描绘的是一个我们日常生活世界所无法见到的形象。奥尔特加甚至调侃地说到，一个19世纪60年代的青年人也许会爱上"蒙娜丽莎"，但一个20世纪初的青年人决不会爱上毕加索的"镜前少女"。到了抽象主义，我们所熟悉的生活世界便全然消失了，蒙德里安或波洛克的抽象绘画即如是。

这个趋向还可以从照相向电影和电脑数字图像的发展中看出。摄影的出现曾一度使得绘画面临着危机，因为写实主义的绘画所训练的写实功夫，在照相面前被"祛魅"了。照相机可以方便快捷地真实记录下画家经年累月经营的东西，而摄影很难"非人化"，因为它必须面对实在世界的物像和人像。摄影时代到来改变了只凭人的眼力和技能来记录客观物像的历程，使得图像生产进入了一个全新的领域,大批量的复制成为可能。纵观 20 世纪风云变幻,许多重要事件和人物均被记录在照片中,成为新的图像志,它已全然有别于依赖于绘画记录的图像志。桑塔格写道:"受照片的教化与受更古老、更艺术化的图像的启蒙截然不同。原因就在于我们周围有着更多的物像在吸引我们的注意力。据记录这项工作开始于 1839 年。从那以后,几乎万事万物都被摄制下来。这种吸纳一切的摄影眼光改变了洞穴——我们居住的世界——中限定的关系。在教给我们一种新的视觉规则的过程中,摄影改变并扩展了我们对于什么东西值得一看以及我们有权注意什么的观念。它们是一种基本原理,尤为重要的是,它们是一种观看的标准。最后,摄影业最为辉煌的成果便是赋予我们一种感觉,是我们觉得自己可以将世间万物尽收胸臆——犹如物像的汇编。"⑬ 从比较的意义上说,摄影是一种再现性的图像符号,它客观地记录了生活世界的种种影像。但是,随着图像技术的发展,尤其是电脑图像数字处理技术的出现,摄影便逐渐改变了自己的本性,使得虚拟的影像或现实成为可能。所谓虚拟性图像,就是图像本身与现实关系的疏离,用波德里亚的话来说,就是没有原本的复本。原本在这里指的就是作为再现对象的被再现物,就是我们的生活世界里,就是摄影镜头所捕捉到的种种现实的影像。影像技术的进步使得处理各种真实形象成为可能,这就为新的视觉范式的萌生提供了可能。相似性不再是图像生产的基本法则,符号可以依据自主原则来塑造,或者说符号本身变得越来越自在和自为了。许多好莱坞电影就是一例,许多电影完全是依照想像的逻辑来编造,与真实世界距离甚远,电影的"梦幻工厂"逻辑超越了日常生活世界的真实性原则。这种符号自指性非常显著,迪斯尼乐园也是一例。它完全是一个"童话世界",从七个小矮人和白雪公主的世界,到米老鼠的家园,从侏罗纪公园,到科幻片的立体影院,扑面而来所有的图像符号自成一体,使人进入了一个纯然陌生和奇幻的世界。电子游戏又是一例。它完全是幻想的世界,种种超现实的角色和故事惟妙惟肖地呈现在玩家面前,从令人毛骨悚然的妖魔鬼怪,到无所不能的超级英雄,应有尽有。用魏瑞里奥的话来说,提供给我们的不过是"一个宇宙论的视觉幻象"⑭。

图像符号从相似性到自指性,一方面说明了图像本身超越了现实或真实的更多可能性,依赖于相似性原则,亦即依赖于实在世界本身的图像符号生产的种种束缚被彻底颠覆了,这就改变了图像与世界的关系。另一方面,相似性原则的衰落(并非消失)导致了图像符号获得了某种自足性,这就导致了图像符号生产的"自身合法化",进而形成了一种图像符号的全新形态。正像福柯指出的那样:"词所要讲述的只是自身,词要做的只是在自己的存在中闪烁。"⑮而波德里亚则把这个转变称之为从"约束性符号"向"解放性符号"的转变。

从重内容到重形式

从相似性到自指性,这个转变如果我们用一对传统美学的术语——内容和形式——来描述,则可以看做是从内容主导型向形式主导型的图像符号的转变,或者说,是从"看什么"到"怎么看"的视觉范式的转变。

这个趋势可以从不同的方面加以论证。首先从历史发展的逻辑来看,有一个从重内容向重形式的转变。关于这一转变,韦伯的宗教社会学有非常精辟的分析。他发现在传统的宗教——形而上学世界观支配下,艺术必须服从于它的宗教伦理内容。在传统社会中,艺术始终与宗教伦理处在一种紧张关系之中,这种紧张关系具体呈现为艺术的宗教内容与其风格形式之间的紧张冲突上。韦伯写道:"一方面是宗教伦理的升华和追寻救赎,另一方面是艺术内在逻辑的演变,两者倾向于构成某种不断加剧的紧张关系。种种救赎的升华性宗教只是关注于和救赎有关的事物和行为的意义而不是它们的形式。救赎宗教把形式贬低为偶然之物,受支配的和游离于意义之外的东西。"⑯"实际上,现代人拒绝承担道德判断的责任很容易把道德判断转变为趣味判断。……然而,对创造性的艺术家以及具有审美敏感性的心灵来说,伦理规范很容易成为对他们创造性和最内在的自我的强制。"⑰韦伯的意思是说,宗教伦理内容和审美风格形式在传统文化中的紧张,由于艺术的接受者倾向于艺术的宗教伦理内容而非形式,因此这种紧张便保持着某种和谐关系,并未导致两者的破裂。而现代艺术在相当程度上是以发展审美风格的形式因素来解决这一紧张的,换言之,现代艺术由于摆脱了宗教—形而上学世界观的一统天下,由于审美因素的凸现和趣味的合理化,由于艺术与认知—工具理性和道德—实践理性的分家,进而获得了"自身的合法化",亦即审美—表现理性的合法化。⑱ 韦伯天才地猜测到现代艺术必然凸现出审美的风格或形式,更加关注审美形式本身所带来的趣味判断和审美快感,这是艺术的现代发展的必然逻辑。假如我们把这一原理运用于视觉范式的历史转化,那么,我们有理由认为,传统的视觉范式是偏重于宗教伦理内容的,而现代的视觉范式则是倾向于审美风格和形式的。

这个结论得到了现代美学理论的证实。英国美学家克利夫·贝尔在对艺术特性进行考察时发现,导致艺术独立于其他人类活动的根本特征,就在于所谓的"有意味的形式"。他写道:

> 艺术品中必定存在着某种特性,离开它,艺术品就不能作为艺术品存在;有了它,任何作品至少不会一点价值都没有。这是一种什么性质呢?什么性质存在于一切能唤起我们审美感情的客体之中呢?什么性质是圣索非亚教堂、卡尔特修道院的窗子、墨西哥的雕塑、波斯的古碗、中国的地毯、帕多瓦的乔托的壁画,以及普桑、德拉、弗朗切斯卡和塞尚的作品中所共有的性质呢?看来,可做解释的答案只有一个,那就是"有意味的形式"。在各种不同的作品中,线条、色彩以某种特殊方式组成某种形式或形式间的关系,激起我们的审美感情。这种线、色的关系和组合,这些审美地感人的形式,我称之为有意味的形式。"有意味的形式",就是一切视觉艺术的共同性质。⑲

正是这种"有意味的形式"会激起一种特殊的审美情感,所以艺术才有别于道德说教和科学研究。可以设想,贝尔的这种理论是决不可能出现在西方中世纪的,因为这种强调所谓审美的形式关系的理论完全忽略了艺术所传达的意义和教化作用,正是韦伯所说的现代解决方案。

假如说贝尔的理论是对一切视觉艺术审美特质的概括的话,那么,美国艺术批评家格林伯格的理论则是对现代主义绘画的研究得出的相同结论。格林伯格发现,现代主义艺术作为一场运动有两个分化,一是艺术与非艺术之间的分化,二是各门艺术之间的分化。他注意到:每门艺术都在寻找属于自己的边界和特性,"每门艺术都不得不通过自己特有的东西来确定非它莫属的效果。显然,这样做就缩小了该艺术的涵盖范围,但同时也更安全地占据了这一领域"[20]。这里他指出了现代主义艺术的一个倾向,那就是为了确保各门艺术的安全,为了不使某一艺术被其他艺术所取代,它就必须找到属于自己而其他艺术所不具备的独特性。绘画在摄影、电影等视觉艺术的挑战面前,若要保持自身的合法存在,惟一的途径便是找到自己有别于其他视觉艺术的特性,这就是平面性。格林伯格坚信,"每门艺术权限的特有而合适的范围,这与该艺术所特有的媒介特性相一致"[21]。"如此一来,每门艺术将变成'纯粹的',并在这种'纯粹性'中寻找自身具体标准和独立性标准的保证。'纯粹性'意味着自身限定,因而在艺术中的自身批判激烈地演变成为一种自身界定"[22]。格林伯格强调的是现代主义艺术对"纯粹性"的追求,所谓"纯粹性"也就是形式的完善。从20世纪初德国表现主义绘画,到50年代美国的抽象表现主义,格林伯格所指出的这一追求纯粹性形式的倾向非常显著。如果说传统绘画是以其所表现的内容见长的话,那么,自表现主义以来的现代主义绘画则有一个逐渐消解内容的发展逻辑,或者用前面说过的奥尔特加的话来说,就是"非人化"。艺术的纯粹性就是媒介的纯粹性,就是形式的纯粹性,于是,现代主义绘画不再强调所表现的东西,而是突出表现本身,尤其是绘画的媒介形式。这一点在抽象主义绘画中体现得最为明显。以至于罗杰·弗莱断言:"我敢说,任何人,只要他看重绘画的题材——绘画所再现的东西,就无法真正理解艺术。"[23]美国画家德·库宁的说法如出一辙:"这就是绘画的秘密,因为一张脸的素描不是一张脸。它只是一张脸的素描"。[24]不看重绘画所再现的东西,看素描而不是一张脸,意思都是一样,就是关注画的表现形式自身,而不是绘画的内容。这个画自身不是别的,正是绘画的形式和媒介。关于这一点格林伯格说得很透彻:"写实的幻觉艺术掩盖了艺术媒介,艺术被用来掩盖艺术自身,而现代主义则把艺术用来唤起对艺术自身的注意。"[25]这也就是说,传统绘画通过深度幻觉掩盖了绘画自身的平面性,而平面性的丧失使得绘画自身的纯粹性也就消失了。因此,消除深度回到平面,就是回到绘画自身。这时,绘画自身的种种形式因素便昭然若揭。这种说法和文学上的俄国形式主义思路是一致的。什克洛夫斯基也指出,在文学性(亦即文学的纯粹性)中,诗意的语言是最重要的,而语言所描述的对象则是无足轻重的。㉖后来捷克的布拉格学派把这一原理推至极端,区别了诗的语言和日常语言的差异,在日常语言中,描述的对象或传达的信息是最重要的,而在诗的语言中,语言从背景和媒介走向了前台,凸现出语言自身。这也就是福柯所说的词所要讲述的只是自身,词要做的只是在自己的存在中闪烁。

从静观到震惊

从历史发展来看,绘画属于传统艺术的样式,而电影则属于机械复制时代的艺术样式。从观画到看电影的差异比较中,便可把握到传统视觉范式与现代视觉范式的一些根本性的不同。本雅明曾专门比较过这个变化,他认为绘画属于一种传统文化,而电影则是机械复制时代的产物,因此两者区别甚大。首先,绘画是手工技艺的产物,因此绘画具有某种独一无二性,一种此时此地的独特性,本雅明名之为"韵味";电影则不同,它是机械复制技术的代表,广泛的可复制性使得电影不再有什么"韵味",传统艺术品那种独一无二的权威性不复存在。"复制技术把所复制的东西从传统领域中解脱出来……导致了传统的大动荡——作为人性的现代危机和革新对立面的传统大动荡,它们都与现代社会的群众运动密切相关,其最强大的代理人就是电影。"㉗其次,正是由于"韵味"的缘故,所以绘画这样的传统艺术品具有某种仪式性和膜拜价值,一幅伟大的画作乃是画家天才的体现,因此而为人们所崇拜,更不用说各种图腾或圣像所具有的宗教崇拜功能了。但电影这样的机械复制性艺术,随着"韵味"的散失,崇拜功能便让位于某种展示功能,其重要价值在于被展示而非存在。再次,绘画的观赏是一种个体性的静观,恰如本雅明形象地描述的那样:在夏日午后,一边歇息一边凝视地平线上连绵起伏的山峦,或是近处婆娑的树影。而观看电影则是群体的,视觉特质变成了触觉特质,有一种子弹击穿观众的速度和震惊效果。复次,绘画由于其此时此地的独一无二性,因此具有某种永恒的价值,比如达·芬奇或米开朗基罗的画作,或是吴道子、八大山人的画作等。但是,电影是一种可修改可复制的艺术,因而消解了传统艺术品所具有的这种永恒性。最后,就画家和电影工作者与其作品的关系而言,本雅明注意到一个深刻的差别,那就是画家与其对象保持着某种距离,而电影工作者则要深入到特定对象之中去;画家提供了完整的形象,而电影艺术家则提供分解成诸多部分的形象。据此,本雅明得出了一个激进的结论:"艺术作品的机械复制性改变了大众对艺术的关系。最落后的关系,例如对毕加索,激变成了最进步的关系,例如卓别林。"[28]

我们可以选用静观与震惊来分别描述从传统到现代的视觉范式。所谓静观,在哲学上指的是一种沉思默想或凝视状态。静观式的视觉范式带有理性特征,主体与对象保持着某种距离,而主体本身也处在一种平静的、沉思的状态。这种状态在绘画一类的传统视觉艺术欣赏中普遍存在。而震惊则是本雅明所说的即刻的短暂的动感状态,就像子弹瞬间射穿的效果。如果说在静观中主体与对象保持着特定距离的话,那么,在震惊状态中,主体与对象的距离不是消失了,就是降到最小限度。这就导致了两种视觉范式的主体与对象的不同关系。静观状态中主体与对象的关系是"有我之境",主体在观照对象时处于一种我思的情态中;而震惊状态则不同,主体与对象的关系则偏向于"无我之境",主体消失在对象世界之中,几乎容不得片刻的思考和反省。因为对电影这样的视觉艺术的观赏是单向的,不像对绘画作品的欣赏存在着主体与对象之间的交往对话与反思的可能性。电影观赏过程中不能有任何分神和游离,必须目不转睛地注视屏幕上发生的一切。关于这一点,桑塔格说得很有道理,她比较了照片和电视的不同欣赏状态,我以为这类似于绘画与电影的关系。她写道:"照片可以比移动的形象更具有纪念意义,因为它们乃是一小段时光,而非流逝的时间。电视是一连串选择不充分的形象,每个形象都会抵消其前面的形象。每张静止的照片则变成了一件纤巧的特定的一刻,人们可以持有它并一再观看。"[29] 照片类似于绘画是凝动的瞬间的记录,但是它却给欣赏者以一再观看和思考回味的可能性;但电视则不然,它决不允许欣赏者作选择,后面的形象不断地消解着前面的形象,因此不可能为欣赏者留下从容的、反思性的片刻。这里一静一动,一非线性一线性,一可重复一不可重复,诸多差异导致了两种视觉范式的不同。本雅明把两者分别称之为"视觉接受"与"触觉接受":前者是凝神专注于对象;后者则是消遣性的,不以聚精会神的方式发生,而以熟悉闲散的方式发生。视觉范式所以会有从前者向后者的转变,本雅明给出的理由是:"因为在历史转折时期,人类感知机制所面临的任务是以单纯的视觉方式,即以单纯的沉思冥想是根本无法完成的,它渐渐地根据触觉接受的引导,即通过适应去完成。"㉚

究其根本,我以为两种视觉范式的根源乃是理性的视觉范式与感性的视觉范式之别。绘画的视觉范式,特别是西方文艺复兴对透视法则的发现,导致了对空间秩序和中心化视觉范式的产生。空间物体的距离和位置关系并不是任意的,而是存在着秩序性。伯格认为:

> 透视法是欧洲艺术独有的,它最初在文艺复兴初期确立起来,透视法是将万物集中于观者眼睛之中心,恰似灯塔射出的一束光线——只不过不是向外射出的光线,而是向内统摄事物的外观形态。透视法将这些外观形态称之为真实。透视使得单眼成为可视世界之中心。万物皆汇聚于这只眼睛并消失于无限远的灭点。可视的世界是为观者而安排的,就好像宇宙曾被认为是为上帝所安排的那样。㉛

这里伯格运用的是一系列带有隐喻含义的概念,诸如"中心"、"灯塔"、"安排"等等,意在表明我们视觉所接触的世界是有序的、被安排好的,而这种安排在宗教的意义上就是上帝,在透视法的意义上就是作为世界中心的那只眼睛。马丁·杰认为透视作为一种现代视觉体制,与笛卡儿的理性主义密切相关。随着中世纪关于光线的形而上学观念的衰落,"线性的透视开始象征着光学的数学规则和上帝的意志之间的和谐关系。即使是在这一对等的宗教基础消解之后,环绕着客观的光学秩序的种种言外之意仍很有市场。……这种新的空间观念从几何学上说是等方性的、直线的、抽象的和固定不变的"。㉜ 换言之,透视不仅仅是画家看待世界的一种方式,也可以说透视就是世界的空间秩序本身的表征,它揭示的是一个理性的、中心化的和有序的欧几里得空间。尽管中国画中没有这样的焦点透视的理念,但在同样的层面上,散点透视本身也表明了中国画家对宇宙秩序的一种看法,只不过眼睛对世界的位置不像西方绘画透视那样是固定的、单眼的,而是充满了游移变化的视点而已。

理性主义的视觉范式还可以通过本雅明的一个比较性的结论看出。在他看来,绘画是提供了完整的形象,而电影则提供分解为许多部分的形象。如果我们超越绘画和电影两种视觉样式来进一步审视这个结论,就会发现,其实这两种不同的视觉范式正是传统的与现代的视觉范式的差异所在。囿于透视法的世界秩序观念,世界本身是完整的,画家所看到的世界是完整的,他们所画出的世界本身也是完整的。所以在传统绘画中画面的完整性和空间的秩序性是一致的。但是,视觉范式的发展,特别是现代主义绘画所发现的种种新的视觉观念,早已超越了这种固定的、有序的和完整的视觉范式。比如,毕加索的作品《镜前少女》,画面少女的形象既有侧面像,又有正面像,两者合成是决不可能在透视法的固定单眼视点中看到的;再比如,绘画本是表达静止的瞬间,但在杜尚的《下楼的裸体》中,一个形体下楼的动作依次展开,变成了一个"动态过程"。艺术史家和视觉心理学家发现,自马奈以来的现代主义绘画,有一个不断颠覆传统空间观念的趋向,破碎的、扭曲的空间代替了完整的、线性的欧几里得空间,呈现出某种"非欧空间"的特征。梵高的许多作品,就明显呈现出这一特征。在他的《卧室》一画中,盛满了弯曲的线条和变形的空间。艺术家眼睛所反映出来的视觉范式的演变,不是空间本身的特性,而是视觉所感知到的空间形态。或许我们可以这样来表述,理性的眼光逐渐被感性的眼光所替代;追求与外部世界相似性的眼光被强调对空间的主观体验的眼光所替代;完整的秩序的空间被破碎的变形的空间所取代,这是传统视觉范式向现代视觉范式的转变。

从趋近图像到为图像所围

从图像与人的关系来说,传统视觉文化向当代的发展有一个明显的趋势,那就是从人趋近图像到图像逼促人的转变。毫无疑问,在传统社会中,由于图像技术的相对落后,由于图像生产力的低下,因此可以说图像在传统社会中是一种相对稀缺的资源,它往往是少数人所拥有的一种特权,诸如中国古代社会的文人字画,或文艺复兴时期意大利美第奇家族的收藏等等。在图像资源相对稀缺的历史条件下,人与图像的关系呈现为人主动地趋近图像。比如,要亲眼看到吴道子的画或米芾的字,就必须到藏有这些作品的场所去亲眼审视。要欣赏提香的《西斯廷圣母》或米开朗基罗的《大卫》,就必须亲临梵蒂冈或佛罗伦萨。传统的人与图像的关系乃是人主动地接近图像。这和本雅明所强调的传统艺术品那种此时此地独一无二的"韵味"有关,因为拥有这样"韵味"就意味着中心和权威性,因此它们才具有某种仪式性的膜拜功能。

　　本雅明注意到,机械复制技术的出现导致了视觉文化的深刻变革。因为"技术复制能把原作的摹本带到原作本身无法达到的境界",这便导致了传统的"大动荡"。㉝当艺术进入机械复制时代以后,传统艺术品那种稀罕、难以接近的状况彻底改变了。图像生产技术,尤其是机械复制技术的出现,使得图像生产方式发生了根本性的变革。《西斯廷圣母》不再是非得到梵蒂冈才能看到的稀罕之物,如今它广泛地复制在各种形式的图像材料中,在画册中,在仿制品中,甚至在文化衫上。伯格进一步发展了本雅明的思想,他强调指出:

　　　　视觉艺术总是存在于某种收藏形式之中,最初这种收藏是神秘的或神圣的。但是这种收藏也是物质性的,它就在某个地方,某个洞穴,某个建筑里,艺术品就是在那里或为那里而制作的。最初是仪式性的艺术体验摆脱了生活的其他部分——确切地说是为了能制约生活。后来艺术的收藏变成为社会的收藏。它进入了统治阶级的文化,而从物质形态上是,艺术品形只影单地置于王宫和豪宅内。在这一历史中,艺术的权威性是和收藏的特定权威性密不可分的。

　　　　现代复制方式所做的事情就是摧毁艺术的权威性,解放它——或更准确地说,就是将其所复制的图像与其任何收藏分离开来。因为这是在历史上首次使艺术形象成为短暂的、无处不在的、非本质性的、可接近的、无价值的和不受限制的了。就像语言包围着我们一样,它们以同样的方式包围着我们。它们已涌入了生活的主流,但却不再能制约生活了。㉞

伯格在这里描述了图像如何从稀罕的、少数人拥有的收藏状态,转向复制性的大众可接近的状态。对于这个转变,他用了一系列形容词加以概括:"复制性的"对"本真性的","短暂的"对"永恒的","无处不在的"对特定场所,"非本质性的"对本质性的,"可接近的"对不可接近的,"无价值的"(因为复制所致)对价值性的,"不受限制的"对有所限制的。这诸多转变最终体现为伯格所发现的人与像的关系发生了根本的逆变:"如今是绘画走近观赏者,而非观赏者走近绘画。"㉟

我以为这一结论甚为重要,它道出了人作为主体与作为图像的客体之间关系的变革。因为在传统的收藏状态中,绘画只能为达官显贵所拥有,必须想方设法地接近这些作品。而复制技术使得对图像的种种限制不复存在,大批量的复制品无处不在,正像有些史家所发现的那样,和我们的前辈相比,今天我们是生活在一个图像富裕甚至过剩的时代,我们生活在图像的包围甚至重压之中难以摆脱。这就是说,在今天这样的机械复制时代,或者说在今天这样的消费社会中,无数形态各异、内容千差万别的图像簇拥着我们,包围着我们,甚至追踪着我们。无论我们在那里,也无论什么时候,只要我们睁开眼睛,就免不了为种种图像所困扰,从电影、电视,到广告和印刷物,从城市规划、家具装修,到时尚、美容或健身,我们与图像的关系与其说是"役物"关系,不如说是"物役"的关系,是一种被图像所左右的关系。在这个意义上说,我不同意伯格的一个看法,那就是他认为传统绘画的权威性(亦即原作的权威性或本真性)的丧失,必然导致今天图像对生活不再具有制约性。我以为正好相反,今天图像在不断地改变我们的生活方式,另一方面也在塑造我们的观念和价值,因此在这个意义上说,如今图像比人类历史上的任何时期更具有权威性和影响力。只要对电视或广告图像对当代人生活的影响稍作考察便不难发现,图像今天比过去有着更加强大的影响力。

注释:

① John Berger, *Ways of Seeing*, New York: Penguin, 1972, p. 8.
② Ibid., p. 8.
③ 布迪厄《艺术的法则》,中央编译出版社 2001 年,第 276 页。
④ 贡布里希《艺术与错觉》,浙江摄影出版社 1987 年,第 101 页。
⑤ 库恩《科学革命的结构》,北京大学出版社 2003 年,第 175 页。
⑥ 同上,第 158 页。
⑦ Plato, New York: walter J. Black, 1942, p. 398ff.
⑧ 包亚明编《权力的眼睛:福柯访谈录》,上海人民出版社 1997 年,第 156—157 页。
⑨ 同上,第 149 页。
⑩ 福柯《词与物——人文科学考古学》,莫伟民译,上海三联书店 2001 年,第 392—393 页。
⑪ Mark Poster, ed., Jean Baudrillard: *Selected Writings*, Stanford: Stanford University Press, 1988, p. 135.
⑫ Mark Poster, ed., Jean Baudrillard: *Selected Writings*, Stanford: Stanford University Press, 1988, p. 137.
⑬ 桑塔格《论摄影》,艾红华、毛建熊译,湖南美术出版社 1999 年,第 13 页。
⑭ Quoted in Sean Cubitt, *Simulation and Social Theory*, London: Sage, 2001, p. 85.
⑮ 福柯《词与物——人文科学考古学》,莫伟民译,上海三联书店 2001 年,第 393 页。
⑯ H. H. Gerth and C. Wright Mills, eds. *From Max Weber: Essays in Sociology*, Oxford: Oxford University Press, 1946, p. 341.
⑰ Ibid., p. 342.
⑱ 参见哈贝马斯《交往行动理论》,重庆出版社 1994 年,第一卷。
⑲ 贝尔《艺术》,中国文联出版公司 1984 年,第 4 页。
⑳ 拙译格林伯格《现代主义绘画》,《世界美术》,1992 年第 3 期。
㉑ 同⑳。
㉒ 同⑳。
㉓ 转引自布洛克《美学新解》,辽宁人民出版社 1987 年,第 320 页。
㉔ 陈侗等编《与试验艺术家的谈话》,湖南美术出版社 1993 年,第 106 页。
㉕ 同⑳。
㉖ 方珊编《俄国形式主义文论选》,方珊等译,三联书店 1989 年,第 6 页。
㉗ 本雅明《机械复制时代的艺术作品》,浙江摄影出版社 1993 年,第 7 页。
㉘ 同㉗。

㉙ 同⑬,第 33 页。
㉚ 同㉗,第 41 页。
㉛ John Berger, *Ways of Seeing*, New York: Penguin, 1972, p. 16.
㉜ Martin Jay, "*Scopic Regimes of Modernity*," Nicholas Mirzoeff, ed., *The Visual Culture Reader*, London: Routledge, 1998, pp. 67—68.
㉝ 同㉗,第 6、7 页。
㉞ John Berger, *Ways of Seeing*, New York: Penguin, 1972, p. 32.
㉟ Ibid., p. 20.

尹 鸿

传媒研究的
专业化、人文化、多样化

  进入 21 世纪,传媒在中国突然成为焦点:WTO、跨国传媒集团、IT、新媒体、媒体产业化、传媒重组、集团化、媒体资本运作、媒介全球化等等,引起了政治家、商人、学者、老百姓的广泛关注。与这样的传媒热相适应,传媒研究也成为显学,各种传媒会议此起彼伏,无数传媒论坛粉墨登场,国外的传媒论著纷纷被译介到中国,世界各国的传媒学者、专家、高层管理人员也陆续到中国讲演指导,在各个大学先后建构新闻传播学科的同时,清华大学、北京大学这样的著名院校也相继新设新闻与传播学院。可以肯定,如果说,在 21 世纪初,传媒业将成为中国的热点领域的话,那么,传媒研究就会成为中国学术研究的前沿。

  当然,正如中国传媒发展还处在一个新旧蜕变的时期一样,中国的传媒研究也还处在一个百废待兴的阶段,甚至可以说还处在一个蹒跚起步的初级阶段。审视目前中国的传媒研究,可以说大多还缺乏对相关可靠数据的获取、鉴别,缺乏对研究方法的选择和验证以及研究模型的合理性、规范性使用,传媒研究者的知识结构也大多既缺乏相关的社会科学专业基础,也缺乏开阔的人文综合素质,所以,中国的不少传媒学者一方面都是"全天候"学者,从传播文化到传播艺术到传播技术,从传播政治学到传播经济学、从基础理论研究到操作实践研究、从新闻业务到传播理论几乎都可以涉及,同时往往又都是印象化研究,结论和论证都既缺乏科学的方法论根据也缺乏深厚的人文底蕴,多数研究大多还是停留于对已有的传媒现象的描述、归纳和总结,即便是所谓前瞻性、战略性、对策性的研究也大多停留在对资料的整理和感性预测的阶段,因而,这些传媒研究不仅很难为传媒发展提供前瞻性、创造性的思想、观念、方法,而且甚至可能还无法对传媒发展的历史和现实的困境、困惑、经验、历程提供分析和阐释,远远不能适应媒介发展的要求,目前中国传媒的改革思路的盲目性、传媒理性的贫乏、传媒文化的落后以及传媒管理、生产、市场的无序其实也都与传媒研究本身的混沌和模糊状态有明显的联系。研究没有为传媒实践的推进和发展提供足够的理论支持和理性选择。例如,在中国,谈好莱坞许多年,但是至今中国的传媒研究都没有能够对好莱坞的发展历史、好莱坞的产业模式、好莱坞的管理经验、好莱坞的国际化和全球化战略等进行过细致系统的分析研究,以致于当我们试图进行媒介产业改革的时候,我们甚至都不能立即获得好莱坞经验的参照。早在1927年,美国政府就推出过一篇全面的中国电影和电影市场的调查报告,其内容的丰富、工作的细致、研究的深入,中国传媒研究直到现在都没有达到同样的程度。可以说,中国的传媒研究与传媒发展的现实以及这种现实所提出的需要相比还存在明显的滞后性,这种滞后性在一定程度上也影响到了中国传媒的改革思路和发展进程。

传媒研究的滞后性当然既来自于传媒研究的理论资源的狭隘和单调,也来自于传媒研究专业化程度的不够,更来自于整个学术研究的人文氛围的严重弱化。中国的传媒研究是以传统新闻学为基础的,90年代以后,传播学逐渐进入传媒研究领域。但是,传播学从来就不是一门孤立的或者独立的学科,它的理论资源可以说与所有的人文社会科学甚至自然科学都息息相关。媒介政治与政治学、媒介发展与社会学、媒介产业与经济学、媒介影响与教育学、媒介责任与伦理学、媒介监督与法学、媒介艺术与美学、媒介接受与心理学、媒介本质与哲学、媒介技术与声学、光学、电子学、信息学等等各种自然科学都有着密切的联系,或者可以说,传媒研究几乎与所有的人文社会科学乃至自然科学都有着内在的学术联系,没有这些相关学科的支撑和支持,传媒研究就不可能真正走向专业化,不可能真正对于传媒发展有一种创新性的理论和实践意义。但是,应该说,由于中国传媒研究的基础是传统的新闻学,新闻教育又相对封闭,无论是精神分析学说或是结构主义、符号学,无论是马克思主义的意识形态理论或是后现代主义文化学说,这些在当代人文社会科学领域中已经成为常识性知识和方法的成果，在中国的传媒教育、传媒研究中则几乎都很少被吸收或者关注，因而从整体上来说，中国的传媒研究既缺少社会科学的方法论基础，也缺乏人文学科的价值论指导，因而一方面研究成果缺乏形而下的科学说明，另一方面也缺乏形而上的理性参照。最典型的例子就是目前传媒界最热门的所谓媒介的产业改革研究，这些研究从方法论上基本没有足够的经济学模型的论证，在价值观上往往又将媒介经济学凌驾于媒介社会学、伦理学、政治学、美学之上，单纯强调媒介的经济利益最大化，而对于中国这样一个发展中国家来说，媒介在产业化、市场化过程中，如何能够保证社会信息资源的共享，如何创造民族的认同平台和公共意识，如何维护或者建构主流的伦理秩序和社会规范，如何保持经济利益与社会利益之间的平衡，如何维护社会的大众群体和小众群体、强势群体和弱势群体、中心群体与边缘群体之间的话语平等，如何建设一种公正的舆论环境等等这样一些与媒介的发展方向、道路、出发点相关的重大问题，我们的传媒研究应该说都还没有给予足够的重视和充分的研究，传媒的话题完全成了一个经济学话题。实际上，传媒的经济在本质上来说，必须与人文视野联系在一起，传媒改革才能够有一种正确的思路。

实际上，在今天这样一个信息化的社会，在"传播就是力量"的趋势之下，传媒对于中国和世界的社会前进，对于民族和人类生活方式的变化和进步，对于中国和世界的稳定、繁荣和发展，都有着比以往任何时候都更加重要的意义。所以，传媒研究的实践意义，不仅仅在于对于传媒本身的指导，更在于对社会发展的影响，因此，在传媒研究专业化的同时，我们也要强调传媒研究的人文尺度。传媒不是为金钱服务的，而是为人服务的，所以我们的传媒研究不仅要研究传媒如何得到市场价值，更需要研究传媒如何保持它的人文价值。市场化一方面推动着传媒的艺术、技术、观念的发展和进步，另一方面也在异化着传媒的功能和意义。当我们某些大学教授将"狗咬人不是新闻，人咬狗才是新闻"当成新闻的座右铭的时候，他们同时也将新闻的商业价值凌驾于新闻的人文价值之上了。因此，传媒研究在实用层面的专业化同时也要在价值层面走向人文化，形而下与形而上的结合、实践性与超越性的结合、功利性与责任感的结合,才能形成一种多样化的传媒研究格局,才能为传媒发展不仅提供一种操作性支持,同时也提供一种理性的判断。专业化、人文化、多样化,作为传媒研究的趋势,对于未来中国传媒的发展和社会的发展才能起到真正的指导性的作用。研究如果不能具有对实践的超越性,那就是理论的无用和学术的堕落。从这个意义上讲,中国的传媒研究在 21 世纪将面临真正的挑战,当然也面临着真正的契机。

电视惟我独尊、高枕无忧的黄金时代无疑已经过去,不仅其他从沉睡中苏醒过来的传播媒介,特别是在信息的储存、选择、深度和广度延伸、重复使用等方面具有得天独厚的优势的报纸正在肆无忌惮地与电视争夺着信息传播的空间,同时也相应地争夺着电视赖以生存的广告空间;同时,由于电视台、电视频道的超速增长,特别是有线电视与无线电视的重复覆盖、各卫星电视台的交叉覆盖以及潜在的境外电视的进入,使得电视内部也出现了激烈的甚至你死我活的竞争。电视的传播霸主地位或者说电视台、电视频道的"权威性"都在受到程度不同的威胁。与此同时,电视所占有的广告份额正在缩小,而包括中央电视台在内的多数电视台的广告收入都在渐渐下降,电视人终于感受到了电视正在进入一个弱肉强食的"春秋战国时代",危机已经不是一种预期,而是一种现实。因而,我们的电视人将不得不去思考如何转变我们的电视观念来应对这种挑战。根据对国外电视发展的观察和对国内近年来电视状态的分析,我认为电视为了适应传播竞争的现实正在或者即将经历从共享型传播向分享型传播、从平面传播向立体传播、从单向传播向交互传播、从共性传播向个性传播的发展。

传播指向:从共享型传播向分享型传播转化

过去,由于社会政治、经济、文化结构的相对统一使得中国受众对信息传播的接收期待也相对统一,因而,电视频道、电视栏目和电视节目同当时几乎所有的媒体信息传播一样,在受众选择上主要是追求一体化,面对"所有"受众,以"所有"受众为假想受众,形成了像《渴望》、"春节联欢晚会"这样万众共享的节目,也出现了《东方时空》这样的高收视栏目品牌。但是,近年来,由于社会的政治、经济、文化结构出现了分化,社会越来越走向多样化、多极化、多层化,人与人,更准确地说是阶层与阶层之间、集团与集团之间的社会观念、价值标准、文化理想、生活态度,甚至消费欲望和消费能力都有着巨大的差别,他们对电视节目的要求、判断标准、收视趣味也各不相同,尽管一些"重大"新闻信息还可能得到多数受众的共享,但绝大多数电视节目都已经很难再有雅俗共赏、老少咸宜、妇孺皆乐的效果了,即便像《快乐大本营》这样"突起"性的"流行化"栏目在它不可能持续太长的鼎盛阶段也只有20％左右的收视率。媒介的丰富,电视台、电视频道的增多,使受众的"选择空间"越来越大。他们已经有可能根据自己对信息的"特殊需要"来选择电视节目。

一方面是电视受众的收视要求已经越来越多样化,另一方面则是电视受众对媒介的选择空间也越来越大,因而,无论是电视频道的设计或是电视栏目的设计,无论是电视台的宏观定位或是电视节目的微观策划,如果还都以假想"所有"受众为传播目标却没有针对已经分化的受众的特殊需要,其结果很可能是失去了"所有"的受众。对于绝大多数电视节目来说,都需要"有所为有所不为",需要"选择"属于自己的受众群体,根据自己所选择的受众群体对电视信息的需要来设计和制作。这就是我们所谓的从全向性的共享型传播方式向定向性的分享型传播方式的转化。

分化是电视的一种发展趋势。新闻节目(满足受众的认知需要)、影视剧节目(满足人的审美虚构需要)、文化娱乐节目(满足人的交流宣泄需要)、生活服务节目(满足人日常功利需要)、体育节目(满足人的竞争需要)将是电视节目在功能上的分化,而受众同样的需要但却还可能有不同的要求,电视节目应该用一种积极的方式满足已"分化"的受众的选择需要。所以,同样是新闻节目,除了在"数量上"并不太多的共享的综合新闻以外,新闻节目还应该有政治新闻、社会新闻、经济新闻、文化新闻、生活新闻、体育新闻等方面的分化,面对不同的受众,也面对受众不同的需要。分化的结果,将使电视节目失去它应该失去的那些观众但却得到了它应该得到的那些观众。而随着广告业的越来越理性,他们也"选择"投入那些与他们的消费对象相一致的电视节目。近年来,像中央电视台晚间的"国际新闻"、"体育新闻"和体育频道、影视频道的"市场成功",应该说就是这种分化趋势的结果。

目前,我们的电视节目制作常常处在一种非理性的模仿状态之中,就像《快乐大本营》等娱乐节目的兴起一样,有成功的先例,大家都争相仿效,共同争夺同样的观众百分比,可以肯定地说,这样的结果最终必然是两败俱伤。其实,电视还有许多受众空间我们没有去填补,或者应该重新填补,如女性节目、少儿节目、知识分子节目、旅游节目,特别是面对都市青年受众的流行文化节目都还没有出现真正能使其面对的受众"满意"的节目。与其与10个、20个栏目争夺20%的收视率,为什么不去争取那些没有人争取的5%的收视率呢?选择受众、分化节目应该成为电视节目定位的一个重要策略。

传播模式:从单向传播向交互传播转化

在我们传统的电视传播观念中,信息传播者不仅是控制信息的"看门人",而且也是解释信息的"审判人",电视的制作者决定着传播方式、内容和对传播内容进行惟一的判断,而传播的受众则只是信息的被动接受者。所以,电视所传播的信息都是一元的信息,是教育性、教导性的信息,而受众不能参与对信息的创造、分析或阐释。

但随着电视受众受教育程度的普遍提高,受众接受信息的选择空间越来越大,特别是社会的个性化和民主化程度越来越明显,受众对信息已经具备一定的判断和反省能力,不愿意也不可能继续作一个简单的信息接受者,他们更愿意参与对信息的创造、对信息的选择、对信息的阐释和对信息提出评价,因而,受众对电视节目的参与热情和参与需要正在日益增长,电视的传播也正在从由传播者单向传播向传播者和受众交互传播变化,受众需要将自己的愿望、要求、观念反映到电视节目中去。

受众对电视节目的参与一般有两种方式:一是直接参与,如进入演播室发表意见,担当角色,或者在观看节目时参与各种竞猜、竞赛等等。但更主要的是间接参与,或者说是通过节目中的"代理人"来参与,更具体地说是通过受众自己所认同的节目中的人物来参与,这个人物既可能是主持人,也可能是现场嘉宾,可能是现场观众,也可能是被采访对象。从某种意义上说,近年来"违背"了传统的以"视觉感知"为电视本体的"谈话节目"的兴起以及《实话实说》的成功正是反映了这种电视传播的发展趋势。因此,为了使电视节目能够调动更多受众的参与热情,电视节目就应该将传播者的意念掩藏起来,而使节目中能够出现代表不同民众、不同阶层的多种声音的交流、交锋并最终求大同存小异。那些不同的声音其实就是受众需要的"代理人"。而现在,我们的电视节目由于受传统的单向传播观念的制约,往往用一元化的结论来代替多元化的交流,往往用概念化的演绎逻辑来代替呈现性的归纳逻辑(如用对不同人的采访来演绎完全相同的结论),这种传播方式,由于其专制性和排他性,排斥了受众的主动性和积极性,不能吸引观众的参与,因而也违背电视的传播趋势。

传播形态:从共性传播向个性传播转化

在传统的传播方式中,传播者被看做是某种集体、某种一体化的整体的代表,他是用消除了个性和差异的"我们"的声音发言。这是一种权威性媒介的传播方式。但是这种传播方式由于代表话语权威,所以往往在观念上、情感上都比较单一,缺乏开放性和多样性,而且也因为排斥了个性的投入、个体的体验和独特的表达而缺乏艺术性,因为艺术永远都是个性化的。所以,当今天人们的民主化意识消解了单一媒介的权威性时,一方面,媒介的迅速膨胀,使得一切没有个性的东西都被人们所忽视,另一方面,受众个性化程度的迅速发展,也使得他们对一切人云亦云的东西不屑一顾。因而,个性成为了电视节目获得生存理由的重要因素。

可以说,主持人的兴起正是这一个性化传播趋势的结果。主持人实际上就是节目个性的集中体现。但是,目前中国多数电视节目的主持人或者是节目的"串联人",不能成为节目个性的组成部分,或者根本缺乏思想、情感、表达个性,或者只是简单地模仿其他节目的主持风格,主持人基本上只是一个"传声筒"或者"报幕员"。而造成这种结果的原因,在于我们的电视节目只重视主持人的形体、外貌和播音技巧而不注重对主持人个人风格的发现、培养,而个人风格其实在本质上是个人气质、知识、智慧和人格的一种外化。近年来,一些非专业训练的主持人成为著名主持人的例子已经表明,对于主持人来说,播音技巧和人的外貌绝对不是第一条件。

传播趋势:从平面传播向立体传播转化

由于媒介种类的增多,信息资源已经越来越枯竭,特别是独家信息的获得已经越来越难,各种媒体之间的信息重复率越来越高,在这种情况下,除了比信息传播的时效性、信息传播的现场性以外,更重要的是要比对信息的处理能力或者说是再加工能力。近年来,焦点访谈、今日话题等新闻评论性电视节目的出现和新闻节目专题化的趋势正是电视从平面的信息传播向立体的信息传播转化的结果。立体传播意味着要延伸信息的广度和深度,要为信息提供纵横的参照,要对信息提供解释和预示,要在知识性和洞见性两方面超越其他媒介的传播效果。因而,"专家"对电视的参与不仅仅是一种形式而应该是一种注入。媒介人与专家的合作已经成为一种传播倾向。

显然,电视面对的挑战,似乎更主要的对电视人的素质的挑战,而对素质的挑战其实更主要的是对体制的挑战,有一个能够正视和回应挑战的机制,就会"迫使"电视人自觉地提高自我素质,最大限度地发挥个人的创造力,同时也能吸引高素质的人员进入电视从业者的行业。有一点可以预见,电视管理体制的改革在"生与死"的严峻形势下,已经不可能回避了:狭路相逢智者胜?

黄鸣奋

从网络文学到网际艺术：
世纪之交的走向

　　网络文学是电脑技术与文学联姻而产生的。20世纪80年代互联网由立足军事、面向科研朝大规模民用转化，成为所谓"第四媒体"，这才孕育了寄身于电子邮件、张贴于新闻组或BBS、活跃于聊天室、发表在电子报刊、编排于网站栏目或作为个人主页而存在的文学作品。在更为广阔的意义上，网络文学是下述历史运动的产物：经济全球化与媒体网络化相互促进，推动了超越传统壁垒的文化交流；后现代主义对宏大叙事的消解，刺激了公众自由表达的欲望，并造成了嬉戏的氛围；信息化加速了社会流动，既提供了多样化选择的可能性，又引发了近于无所适从的焦虑，这种焦虑在一定条件下转化为在线交流的内驱力。以此为背景，网络文学崭露头角。如今，在经历了短暂的兴奋、惶惑或怀疑之后，社会上对网络文学的情感反应已经渐趋平静，理性思索正在深化。标有"某某年度中国最佳网络文学"之类字样的作品安静地躺在书店里，除了美名之外几乎与传统文学浑然无别。选编这类作品的榕树下网站到2003年初自道已经拥有了近200万篇文章，从中千挑万选、正式出版的佳作也就这模样。这种状况不能不发人深思：网络文学究竟是什么？它拥有什么样的未来？

　　网络文学还没有公认的定义。多数情况下，可以将它理解为首先在网络上发表的原创性文学（本义）。这类作品通常出自网民笔下，最有特色者不仅在形式上而且在内容上烙有网络的印记，像蔡智恒的《第一次亲密接触》就是如此。在西方，活跃于20世纪80年代中叶的国际电子咖啡屋（The Electronic Cafe International）、90年代初的电子诗社（Telepoetics）等群体是网络文学（更准确地说是在线文学活动)的前导。其后,以《报童》(Newsies.迪斯尼电影,1992)热为契机,以青少年影迷为主创作的英语网络文学开始大量以 Web 主页形态出现(1995—)。大约与此同时,汉语网络文学在海内外互动中崛起(1991—)。早先这类作品多数栖身于电子刊物、USENET 或 BBS。1995 年,万维网上出现了最早的汉语诗歌网站(由留学生创办)。1997 年网易公司提供免费个人主页空间以后,主页形态的网络文学开始在大陆流传。从那时以来,原创文学网站的热火与同一时期传统文学刊物的萧条,正好形成鲜明的对照。除上述本义外,对网络文学至少还存在两种不同的理解:一是所有依托计算机网络而传播的文学(广义),包括上了网的传统文学;二是包含超链(hyperlink)、自成网络的文学(狭义)。网络与传统文学的结合大概始于 20 世纪 70 年代的图书编目联机数据库服务。就传统作品全文上网而言,西方最早也最为有名的项目之一是哈特(Michael Hart)所发起的谷登堡项目(Project Gutenberg,1971—)。汉语电子文库是到 20 世纪 90 年代才大量出现的,早期代表有"太阳升"(1994)、"新语丝"(1995)等。狭义网络文学在赛博空间的代表是美国作家乔伊斯(M. Joyce)的《下午》(Afternoon:a Story,1986)等前卫作品。目前其大本营为东门公司(www.eastgate.com)。

上文已经阐述了网络文学的三种定义,即"通过网络传播的文学"(广义)、"首发于网上的原创性文学"(本义)、"包含超链而自成网络的文学"(狭义)。它们对应于网络与文学关系的三层意义:在第一层,网络仅仅是网络文学的载体;在第二层,网络是网络文学的家园(书籍不过是其可能旅居的客栈);在第三层,网络是网络文学的血肉,是它的不可分离的组成部分。反过来,似乎也可以这样说:在第一层意义上,网络文学是网络的一种资源,是网络信息库的有机组成部分;在第二层意义上,网络文学是网络发展的写照,是活跃于网上的网虫、网友或网民情思的表达;在第三层意义上,网络文学是网络理念的印证,显现了数码叙事的魅力。

这三层意义不仅体现了网络文学的逻辑分类,而且反映了网络文学的发展趋势。在第一层意义上,网络文学是传统文学的本体在新媒体的延伸。在第二层意义上,网络文学多半来自文学爱好者因上网而萌生的创作冲动。他们经常有意无意地沿用传统文学的惯例,但又受了网络氛围的影响,或浅或深地给自己的作品打上新媒体的烙印。在第三层意义上,网络文学关系到与新媒体特性相适应的叙事方式与艺术应用的前卫探索。这种"三分天下"的格局,在历史上的媒体变革过程中不止一次出现过。20世纪初电子媒体勃兴之际,就存在三种不同取向的努力:第一种是将传统文学搬上广播、电视。讲述《圣经》故事是早期尝试之一(R. Fessendon,1906)。由当时的电子媒体特性所决定,这一取向最有成效的或许要数与舞台艺术相结合的戏剧文学的迁移(形式是实况转播、纪录片等)。第二种是借鉴传统文学经验、以电子媒体为平台进行艺术创造,如今不胫而走的广播剧、电视剧等就是沿着这一方向发展起来的。第三种是着力开发电子媒体对人际交流的独特作用,由此而来的是20年代无线电爱好者利用业余电台所做的种种尝试。这种尝试所体现的探索精神一直延伸到60年代的激浪派、80年代的卫星艺术家,构成了20世纪电信艺术(telecommunication art)的基调。在书面媒体兴起与发展的过程中,同样存在三种不同取向的努力:第一种是记录、整理原先口头流传的文学作品,我国古代的采诗便属于这方面。第二种是借鉴口头文学领域所积累的创作经验、运用文字抒写情思,文学史上影响最大的主流书面文学就是循着这一方向繁荣起来的。第三种将关注的焦点集中在书面媒体本身特性的探索、利用与超越上,由此出现了回文诗、建除体、神智体等"另类"诗歌,以及纸牌体、词典体、注疏体、纵横字谜体等"另类"小说。文学与媒体互动的历史表明:在未来的一定时期内,网络文学仍可能沿着三种不同的取向发展。与此相应,第一层意义上的作品负载着源远流长的文学传统,唤起人们对于过去的记忆;第二层意义上的作品直面"网络就是新生活"的现实,构成了网络文学的主流;第三层意义上的作品更多地凝聚了对网络潜能的发掘、思索与审视,既是新媒体未来走向的激进代表,又包含了媒体自我批判、自我否定的可能性。

网络文学与先于自己而出现的口头文学、书面文学和电子文学的区别,是与计算机网络的特点相联系的。计算机网络本身经历了由局域网向因特网的转化。因特网并非某种新的物理网络,而是"网络的网络"、"网际网"。与此相应,以之为依托的网络文学是跨越各种网络平台的文学。它超越了局域网的限制,随着网络互联而在世界范围内传播。因特网作为媒体具有无可比拟的兼容性,网络文学因此拥有非常广阔的运作空间,有可能将传统文学纳入自己的发展轨道,更准确地说,是为传统文学在数码时代重新定位传播环境。原先以口头媒体、书面媒体或模拟性电子媒体为依托的各种文学作品,只要转化为数码文本,就能在网络文学的总体框架中找到一席之地,并随着编码技术的发展而改变其文本特性、扩大其传播范围。目前,因特网正与电信网、广电网以至电力网走向融合,网络文学因此迎来了新的发展机遇。应用日广的手机短信包含了不少谣谚性、散文性的作品,它们完全有资格充当网络文学的新军(即"手机文学")。信息家电产品若能普及,网络文学甚至可能出现在联网并带有显示功能的各种生活设施上(可称为"家电文学")。在上述扩展过程中,网络文学必将形成各具特色的多种分支,正像传统文学发展出说书、报刊连载小说、广播诗、电视散文等多种因媒体而异的类型那样。就此而言,网络文学将走向网际文学,或者说实现网际化。

所谓"网际化"(internetization),实际上是后结构主义者克里丝蒂娃(J. Kristeva)所提出的互文性(intertextuality,亦译文本间性)的延伸。克里丝蒂娃所说的文本间性主要是指外互文性,即特定文本与外部相关文本的联系。作为单行电子出版物的超文本作品(常见的为光盘型)所体现的更多是内互文性,即特定文本内部相互链接的各个单位的关系。基于因特网的超文本作品则包含了内互文性与外互文性的统一。从内互文性的角度看,这类作品没有清晰的首、中、尾,叙事的因果关系由此受到挑战,"善有善报,恶有恶报"之类观念的贯彻遇到难题。超文本要求读者随时在分叉的路径中做出选择,在互动中走出迷宫,这种审美经验迥异于传统的静观。从外互文性的角度看,这类作品可以在文本中设置指向因特网上任一网站的链接,从而将这些网站的材料作为自己的补充或参考,收到参照、象征、对比、反讽等效果。在英语中,外互文性(extratextuality)与外联网(extranet)相通,内互文性(intratextuality)与内联网(intranet)相通,作为整体的互文性(intertextuality)则与网际网(internet)相通。这种构词法上的相似性并非偶然的巧合。事实上,人们对于互文性的理解完全可和对网络结构与功能的认识相互印证。网际化首先当然是指因特网的广泛应用,这种应用使网络文学在赛博空间找到了安身立命之地。因特网与其他各种电子网络相互联通,一方面意味着网络文学作品有条件将链接的锚地扩展到因特网以外,另一方面意味着它们有可能以数据包的形式在各种电子网络之间流动。用户可以根据自己的需要,从作为统一网络终端的各种设备(包括台式机、手提电脑、个人数字助手、电视机、收音机以致于带显示器的电冰箱等)调用它们,这是进一步的网际化。如果将人与其他生物也看成统一网络的节点(通过电脑服装或植入体内的芯片上网)的话,那么,网际化还可再进一步,由此开拓艺术创造的新领域,目前在美国、加拿大与澳大利亚等国都有人在做这方面的实验。

除了网际化之外,艺术化是网络文学发展的另一走向。网络多媒体通信及超文本技术的发展已经显现出将文学融合于艺术的趋势。在由此而形成的超媒体(hypermedia)艺术中,文学仅仅作为组成要素之一而存在。上述趋势其实早在电影艺术、广播艺术、电视艺术发展过程中就已出现,因此人们说"读图时代"已经到来。今天,因特网正从以万维网为主导向以网格计算(grid computing)为主导演变,展示了整合人类计算资源、媒体资源、信息资源的光明前景。以此为背景,网络艺术正在向网际艺术演变。如果说网络艺术主要以计算机网络为家园的话,网际艺术则扩展到一切基于 IP 协议的互联设备,并且有望更顺利地进行跨媒体流动。新一代网际协议 IPv6 所能提供的网址据信多到可以给地球上的每粒沙子都分配一个,联网电脑的空前普及已经使人们设想出"无所不在的计算"(ubiquitous computing),这些因素都将促进网际艺术的成长,并为网络文学融入其中创造条件。网络文学的艺术化既意味着采用词语以外的图像、动画、视频、音乐、音响等多种表现手段,又意味着打破文学与艺术之间传统的分界线,使之以数码技术为基础整合起来。网际艺术还可以和人工智能技术相联系,立足于智能超媒体(intelligent hypermedia)或专家文本(expertext)的创造,使文艺家的创造性与软件设计师的创造性天衣无缝地融为一体。果真如此的话,网络文学自然就上了档次,可望洗刷"厕所文学"之类骂名,作为科技与艺术荟萃的成果传世。

综上所述,笔者认为网络文学的真正归宿在于网际艺术。借鉴传统文学经典,可以为网络文学的起步创造条件;取法"另类文学"榜样,可以为网络文学打破既有惯例提供灵感。但是,网络文学毕竟是以媒体(即"网络")命名与定位的文学,必须顺应自身所依托的媒体的发展,并从中寻找创新的突破口。当然,网络文学也好,网际艺术也好,评定其社会效益的根本标准并非所凭依的媒体或所运用的技术,而是它们对于社会与文艺的发展所起的作用。网际艺术应以社会生活为沃壤,以丰富人的精神生活、促进人类的相互交往、实现人的自由发展为指归。它所追求的目标不仅应是媒体的整合,而且应是人类超越语言障碍、超越数字鸿沟、超越社会对立的息息相通。这一目标的实现,不仅有赖于技术上的突破,而且有赖于艺术上的升华。在这一过程中,对于网络媒体与计算机技术应用的双刃剑性质必须保持警觉与清醒。

韩毓海

"开放大众传媒":
当代中国小剧场戏剧实践

大众传媒是现代社会意识形态最一般的载体,现代社会意识形态的斗争和冲突经常是围绕、通过大众传媒来进行的。因此,对大众传媒的追随,往往是对一般社会意识形态的追随,而对大众传媒进行批判,目的实际上则是对一般社会意识形态的批判。讨论大众传媒的问题就不能不与意识形态的问题联系起来。

就90年代以来的中国知识分子而言,一部分人通过与大众传媒结盟的方式,重新充当了一般社会意识形态的代言人;而另一部分人则通过对大众传媒进行批判乃至弃绝的方式,以保持与一般社会意识形态之间的距离。但是,在这样的社会里,如何脱离开意识形态而进行意识形态批判?如何脱离开大众传媒而对大众传媒进行批评?这样的方式有可能吗?如果没有可能,是否还有别的实践的可能性?

当代批判理论发展了马克思《德意志意识形态批判》的论断,核心是认为意识形态不是铁板一块的整体,真正主宰社会的也不是一般社会意识形态,而是"我们不知道的东西"。因为意识形态不仅仅是指一般"社会意识",而且特别包括"潜意识"和"无意识"。一般社会意识形态不仅仅指"理性自我意识",而且还包括"超我"、"本我"。因此,这就把马克思的"意识形态批判",改造为"开放意识形态"的任务。

既然主宰社会的不是一般的社会意识形态,而是社会无意识和潜意识,正如主宰人们行为的,不是理性的自我意识,而是"超我"和"本我"。于是这就把拥护还是反对一般社会意识形态,拥护还是反对"大众传媒"这样非此即彼的二难问题,变成了开放意识形态和开放大众传媒的活的实践问题。

当代中国的小剧场戏剧实践,特别是《一个无政府主义者的意外死亡》、《切·格瓦拉》、《鲁迅先生》和《红星美女》在这方面做了有益的探索,提供了成功的经验。它从小剧场这个大众传媒的领域里打开了一个缺口,而这个缺口也正好暴露出当代中国一般社会意识形态的缝隙和缺口。

首先,知识分子和社会观众对这些戏的感受是不同的。知识分子往往是感情上有所同情,但是在理性上不能接受,甚至要求批判。这恰好与知识分子对"革命"的态度一致。而社会观众,特别是《切·格瓦拉》在河南的演出几乎成为"群众运动"。本文想就此讨论知识分子以"理性"为基础的"自我"和"意识",与鲁迅所说的"自心"与"自性"的区别,同时回顾鲁迅在世纪初提出的"伪士当去,迷信可存,今日急也"的相关命题,以区别知识分子的"自我意识"与一般民众的"自我意识"的不同构成。

当代中国社会的一般意识形态是强调整个社会的"利益一致性",这在"社会大家庭"的说法中得到体现。而当代知识分子对"人间鲁迅"的强调,恰好与大众传媒对"私生活"的兴趣是一致的。《鲁迅先生》完全抛开私生活和"人间鲁迅",而树立"公共生活"里的鲁迅,这出戏却成为鲁迅诞辰120周年中最重要的话题,反而使得鲁迅真正重新"回到"当代社会问题中来,回到了"人间"。

"市场"是当代中国社会的一般意识形态。人们经常把当代中国的市场和法制不健全,理解为中国缺乏道德信仰,没有西方人因"上帝"而来的"原罪"意识。而《红星美女》则是一出"鬼戏",表明中国人没有上帝,但是相信鬼的。鬼使得中国人发生"灵魂"问题,社会和文明"动起来"。这就深入到中国社会、历史和意识形态的深层。

总之,小剧场戏剧的探索,既没有追随当代中国的意识形态(诸如市场、社会大家庭利益一致性、告别革命),也没有一般的反对这些社会意识形态。它仅仅是揭示了中国社会的"无意识"和"潜意识",它也不是为观众提供一个坚定的"自我意识",使得他们在当代社会中"自我感觉良好",而是给了观众一个坦诚表达"自心"的场所。

如果说大众传媒的一般策略是:维护一般社会意识形态,巧妙地压抑社会无意识和潜意识,或者说是维护自我而压抑本我和超我,维护"现实"而压抑"人心",那么这些探索就是在大众传媒精心设计止步的地方起步,它的方向不是拥护或者反对大众传媒,而是重新定义和铸造大众传媒,使得它成为深入表达"社会无意识"和"潜意识"的"最有力武器",也是揭露一般社会意识形态的虚妄的匕首投枪。

这用张广天的说法就是将大众传媒"进行到底",而他的另一个说法是"我们要彻底作它一次秀"。

蓝爱国

人民影像传统及其重构

所谓人民影像传统,是我们考察中国电影历史时所指称的美学"共名特征",即,无论历史影像属于何种风格或具有什么个性化美学特征,只要它属于我们所考察的时代环境,在我们看来,它就难以摆脱"时代共名"对于它的先天书写规定——人民性,从而,我们可以将中国电影历史的影像——从二三十年代的影戏观、伦理情节剧到三四十年代的左翼电影、文人电影,从"十七年"电影到第五代电影,从《站台》到《巴尔扎克与小裁缝》——所表现的人民/大众特征看成是中国电影影像所共同体现出来的一种文化类型与精神气质,这种文化类型与精神气质决定了所有中国电影书写的精神内涵。面对中国电影史中的这种"共名"特征,值得我们深入分析的是,人民大众何以成为电影书写的本质规定,这种本质规定对电影影像生产产生了什么样意义上的文化影响?……通过诸如此类的问题的回答,我们也许会获得一个观察中国电影影像发生、发展的有力视角。

一 "人民美学"的影像传统

电影传入中国和近代以来的西方思想传入中国存在极大的不同,即,中国人是首先观看了大量的西方电影(不仅法国、美国电影充斥中国影院,而且很多西方人直接参与中国早期电影生产制作——从资金投入、影院建设到影片拍摄),然后才逐渐从理论上认识电影究竟所指何物,意味着什么。这种不同从根本上决定着中国电影最初的存在形态和中国电影不同寻常的发展轨迹。

电影一开始被称为"影戏",影戏概念可以分别从"影"和"戏"两方面加以认识。从"影"的角度言,电影被本土化地指认为是与皮影戏、灯影戏、手影戏相类同的一种民间大众娱乐方式,而不是官方的抑或上层的寓教于乐,从而电影可以很容易被大众接受成为一种自然而言的文化对象;从"戏"的角度言,电影被认为是和戏剧有着密切关系的艺术形式,电影必须充满戏剧化的情节或人物才能成为最有魅力的艺术之一。当我们今天改影戏为电影时,我们突出的是电影的机械化特征,一种现代化的传播方式,这种传播方式不同于任何传统既有的方式,从而也就具备现代文化的独有特征——一种现代人思想、文化、性格的表现手段。如此看来,影戏的称谓不仅意味着一种本能的本土语言选择及其命名活动,其实也包含着电影传入中国人民世界时,它和人民之间的某种文化关系。这种文化关系是什么呢?简而言之,影戏的人民美学是一种传统意义上的人民——伦理型人民观念的传播和表达。所谓伦理型人民观念的传播和表达就是影戏不是在和人民对立的文化意义上进入人民生活的艺术,而是和人民传统生活方式、审美方式相适应并加强着他们固有文化身份和形象的现代艺术。当我们在这个意义上理解早期中国电影时,我们不仅可以理解它充分的大众娱乐倾向,而且可以解释为何鸳鸯蝴蝶派文人大量参与早期电影生产制作,成为早期电影从业人员中的重要构成部分……

新中国的建立,开辟了一个崭新的时代,新的时代需要新的文艺和新的电影,人民美学也就因之发生重大转型。总起来看,中国当代历史时期中的人民美学就是一种以工农兵为银幕主人公的人民电影。对于这种人民电影,我们可以从正面建构和反面批判两个方面看。从正面看,最能代表当代意识形态化人民电影的是人民英雄影片,从《中华儿女》、《赵一曼》、《南征北战》到《董存瑞》、《平原游击队》、《红旗谱》、《战火中的青春》、《小兵张嘎》、《红色娘子军》、《上甘岭》,各式各样人民英雄的大量出场改写了过去的人民形象——压抑、痛苦、充满悲剧,而是别样的爽朗、乐观、自信和充满斗争精神。从历史的角度言,这样的人民形象是抗战以来人民对于革命的贡献的必然反映;从阶级的角度言,这是颠覆统治者压抑、剥削和专政的必然产物,是政治从统治阶级的废墟中寻找和强化出的人民反抗传统的产物;从现代化的角度言,人民的正面化其实也就是人民生产力主角化的表现,是把人民当成现代化建设的重点的体现;从政治化的角度言,这是它作为新国家、新民族、新文化的象征性的形象登场,也就是说,人民英雄作为政治权威话语塑造的身份担当着建构意识形态合法性的历史使命,同时也担当着社会主义思想的文化启蒙任务。

总之,政治化的人民美学也是一个复杂的话语空间,而不是一个简单的符号或标签。反面批判和正面建构其实是一个问题的两个方面,批判是为了建构,建构必然充满批判。毛泽东关于在《应当重视电影〈武训传〉的讨论》中严厉批判了《武训传》的思想立场:"《武训传》所提出的问题带有很普遍的性质。像武训那样的人,处在清朝末年中国人民反对外国侵略者和反对国内封建统治者的伟大斗争的时代,根本不去触动封建经济基础及其上层建筑的一根毫毛,反而狂热地宣传封建文化,并为了取得自己所没有的宣传封建文化的地位,就对反动的封建统治者竭尽奴颜婢膝之能事,这种丑恶行为,难道是我们所应当歌颂的吗?向着人民歌颂这种丑恶行为,甚至打出'为人民服务'的革命旗号来歌颂,甚至用革命的农民斗争的失败作为反衬来歌颂,这难道是我们所能容忍的吗?"①

毛泽东对《武训传》的批评,目的是要廓清何为共和国时代要求的人民美学观念。如前所述,40年代以来,电影人从人权、人道角度出发看待社会、文化的立场已然确立,这种人民美学虽然包含阶级的倾向(通过小人物的悲苦命运来反映),但主要的方向是从人性文化的角度谈论阶级,因此其人民立场不仅不清晰明确,反而在一定程度上呈现迷蒙混沌的状况。这种人民立场在纯粹化的政治性人民美学立场看来就存在向人民对立面的妥协倾向,存在把人民主流和人民支流、人民正面特征和人民落后特征(以政治眼光看来,这种落后已经在革命的过程中得到完全改造,从而已不存在了)混为一谈的阶级模糊倾向,因此必须予以坚决的回击。如果说50年代的电影还能在一定范围和程度上容忍人权、人道的人民观念,那么激进的左倾政治进一步发展则就是要完全清除这种倾向的任何遗留,彻底清空人民的丰富内涵。"文革"前夕的1964年,左倾政治激进主义者把《早春二月》、《北国江南》、《舞台姐妹》、《逆风千里》、《林家铺子》、《不夜城》、《红日》、《革命家庭》、《球迷》、《两家人》、《兵临城下》、《聂耳》、《大李、小李和老李》、《阿诗玛》、《烈火中永生》等一大批影片打为"毒草",责令批判,也就把当代历史空间中任何多元的人民美学观念取消了,人民,从此只有一种命名——那就是政治概念的空洞所指、革命乌托邦的形象化身。

新时期电影首先要做的就是恢复人权、人道型人民美学的主流地位,无论《小花》还是《天云山传奇》《归心似箭》还是《人到中年》,《芙蓉镇》还是《高山下的花环》,它们共同的主题都是人性的回归,就是人作为人应有的尊严、地位和价值的承认和尊重,更重要的是,伴随这种对人的中心地位的高扬,历史、文化也开始受到一次全面的审视,从而使新时期电影具有深度的现实主义景观和冷峻的文化反思激情。从对人和生命关注的角度讲,新时期电影达到了历史从未有过的高度。但我们必须看到,这种人权、人道型人民是在政治控诉的前提下出现的,是作为一种历史政治异质的文化立场成为电影理念的,因此,它的意义常常必须结合历史的文化处境才能有效获得。也就是说,它的人民意义和价值实际上和它对抗的政治话语一样受制于政治倾向和立场,与其说它面对的是遭受政治苦难的人民,不如说面对的是一种知识分子长久遭受抑制的文化表达欲望,人民的话语包含着充分的文化权力意志。知识分子当然也是人民中的一员,能够体验和表达全体人民的愿望,但作为拥有特殊文化手段的知识分子的确从来不能够和人民混为一团来谈论,知识分子的这种特殊存在性决定新时期以来的电影呈现为一个精英化文化日渐浓厚的发展方向,高峰则是《黄土地》这样的电影出现。人们一般把《黄土地》看成是第五代诞生的标志性作品,但如果把它纳入精英化发展系列,那么它就是新时期精英化电影倾向的极端爆发,这种爆发呈现出最为有趣的文化对立——艺术的突破和市场的低迷。因为新时期的中国电影体制仍是当代历史的延续。我们不能有效获得新时期电影市场曲线呈现怎样一个下滑的趋势,但显而易见,中国电影市场的崩溃显然不是一夜之间的灾难而是长期发展的结果。这种发展结果在统购统销的时代看不出有什么问题,而一旦电影市场化课题启动,电影人才会突然发现,我们没有自己的电影市场,我们的电影市场原来一直在我们的电影之外。

新时期的电影可以被笼统地称之为艺术电影,一种在现代化意义上探索现代文化和现代人命运的电影,一种回到"五四"文化立场的电影,我们必须承认,现代化的文化理想和新时期人民欲望之间是存在相适应关系的,但艺术电影显然忽视的是人民对于物质的渴望,以及这种渴望所决定的现代化追求首先是物质的追求、市场建立和某种程度上一切文化的实用主义态度。人民的追求和艺术电影之间的分歧导致的电影市场后果是电影沿着艺术的道路不断探索,大众却沿着非艺术的需求口味越来越远离艺术,电影和人民的思想分离运动最终导致电影市场在人民市场化运动中日渐萎靡不振,缩小成为一个独自快乐着的自我空间。

二 "人民美学"的影像重构

"2002 年国际影视和新媒体论坛"上,加州大学洛杉矶分校戏剧电影电视学院院长罗伯特·罗森教授,加州大学洛杉矶分校电影电视及媒体研究系制片人专业主任德尼斯·曼博士,亚利桑那大学教授丹尼尔·贝纳迪博士,南加利福尼亚大学电影电视学院影视批评部主任玛莎·金德教授,自始至终、锲而不舍地在会议期间追问台下的中国影视学者、教授、研究人员:

"中国人需要什么样的电影,什么样的中国电影才是你们认同的好电影?"

这个朴素的问题,难住了许多人。这个问题之所以朴素是因为它应该是每一个电影人创作时都曾面对的问题;它的难度在于,我们还从来没有被这么追问过——我们的观众喜欢什么,我们从来都是习惯问自己,我们能为观众提供什么。不同的立场决定不同的态度。电影生产和电影观众的文化关系需要一个清理整顿。

所谓电影生产和电影观众的文化关系,在我们看来就是电影发展史所呈现出的人民美学认识体系。这种认识体系体现着电影生产者对于电影观众的文化定位和电影生产者对于自身文化产品的人民定位,因此,人民美学的历史也就是二者文化关系的历史。透过人民美学历史的嬗变历程我们可以看到,人民美学虽然被我们简单地划分成几个前后相继的逻辑系列,但事实上每个类型之间都不是截然对立、分离的,类型间包含着不同内容的犬牙交错、沟通互补。

人民美学中可能包含的美学内容大致有:伦理美学、自由美学、民主美学、个性美学、启蒙美学、政治美学、阶级美学、现实美学、市场美学、叙事美学和情感美学等等。这些美学内容在不同的历史时期受到不同侧面的重视，比如伦理型人民观强调伦理的传承性和以情为本的美学诉求，希望能够在中国既有文化心理的基础上获得他们的认同和首肯，从而达到文明启蒙的目标。人权型人民则通过对人的个性自由独立生活权力的肯定获得政治诉求的满足，或者说达到对于民族自身文化特性的认识和把握，从而能够从民族自身的文化背景中找到电影的生存路径。政治性人民充满强烈阶级情感的同时也充分利用民族自新的力量满足自身关于民族国家的宏伟想像。尽管不同的人民美学观念由于文化动机不同，美学追求相异，彼此之间的确存在很多不能相容的因素，但作为中国的电影文化仍然体现了充分的中国形象，一种在世界格局中可辨认的文化身份。

对于这种文化遗产，我们经常采用的态度是从差异出发确立他们的差异，将他们孤立成为根本不同的电影发展道路——有人用情节伦理剧概括，有人用文人电影归纳，有人用现实主义美学精神统领，有人用社会文化视野规范，这些差异化的历史总结从美学多元存在的角度是有其合理性的，但从另一个方面看，却存在着致命的弱点。第一，不能把不同人民美学代表的文化追求看成是整个20世纪历史的必然表现，从而把电影发展从20世纪的整体文化中割裂出来，比如说，这种割裂使我们很难对"软性电影"和国民党政府支持制作的电影做出准确的评价，这种割裂很难使我们对商业化的电影价值进行应有的评判，这种割裂很难让我们对左翼进入电影的复杂文化后果做出有效清理，这种割裂很难对政治电影的文化价值做出合理的历史评估，不是拔高就是贬低……第二，不同的人民美学趣味实际上代表着不同类型电影的文化根基，也就是说，我们可以从不同的人民观念中合理推导出好莱坞类型片形成的基本根据，但必须强调指出的是，这种根据和根基的建立首先是一个整体文化中国的确立，是一个稳定的民族形象的文化身份的认知，没有这种整体的认识观念，我们就不能把不同的人民认识当成是不同侧面反映人民及其中国的表现，而是把每一个人民美学认识看成是对文化中国本质的一种努力，每一种本质之间存在不可缝合的本质对立。从这两点出发，我们提倡的人民美学首先就是一种在人民的名义下的文化视点融合,其次是一种不同文化视点确立自身认识合法性的努力。在这种基础上,我们才能够就中国电影的身份问题、发展问题、价值问题、创新和继承问题做出很好的回应,中国人需要什么样的电影才能成为一个真正简单的问题。

总之,如果我们把不同的人民美学认知看成是一个整体,我们就会消弭其间的差异而把它们的不同认识看成是一个对20世纪中国整体认识的构成部分,这样我们不仅可以获得伦理中国、政治中国、人道中国和民族中国的立体影像,而且可以消弭因其内部紧张对立所形成的分离的中国文化形象,获得对中国文化身份的深入认识。比如说第五代对于黄土地上老中国的反映不能说不是深刻的,但也是一种片面的深刻(艺术化的深刻),正是因为其片面,他们的文化中国书写才被指认为是一种后殖民情景中东方化展示,第五代的悖论在于,他们探讨文化中落后一面本然目的的现代性指向却被当做是对西方对于东方落后想像的迎合,之所以发生这样的阐释谬误,关键在于五四文化时代最尖锐的冲突是传统和现代,从而揭示民族落后天然就指向了现代价值,而第五代的文化环境却是经过了无数次战争、政治革命和文化革命的后"五四"式样的,因此其国民性探讨并不必然指向现代。第五代的文化困境启示是,作为一个20世纪复杂文化构成的环境中生存的电影,只能更为复杂地面对中国及其世界,任何简单处理都意味着对历史既有文化记忆和文化成果的遗忘,导致文化产品不是重复就是片面。

与此同时,如果我们不把不同的人民美学看成是整体中国文化形象的认识努力,我们很难找到所谓类型片的文化基础,只有每一种观念存在的合法性才有每一种观念代表的人民生活的合法性,才能让人民生活得到全面立体的反映。这里好像暴露了一种概念混淆,即,好莱坞类型片是一种商业化产物,而我们源自人民美学的类型划分则是一种人文范畴的理解。其实在我们看来,所谓商业片其实也就是不同文化理解的产物,这种文化产物经历长久的商业运作变成了一个可以清晰辨认的消费符号,以致一看到警匪片我们马上具有此类型应有的想像,在一种超前进入中获得对于类型影像的消费快感。但无论如何,类型片的文化基础就是对于人民不同文化侧面的文化知觉。没有这种知觉,类型是不可能建立的。因为中国没有类型片传统,或者说这种传统因为长期处于受抑位置而成为了一种被历史遗忘的深渊(20年代电影就开始了类型片探索),从而我们对于文化类型发展出商业类型具有某种本能的抵抗,从而也就难以把文化和商业类型联系在一起。但如果我们想一想我们何以能够从好莱坞影片中辨认出美国意识形态、美国文化哲学、美国英雄主义等等文化内容,我们就知道,最发达的商业类型片其实就是最主流的人民美学文化认识,类型片的根基存在于人民的类型化认知,从而类型片也是需要不断创新才能长久存在的。

从比较理论化的角度谈论了人民/大众美学的理论价值和可能前途后,下面,让我们结合几部电影来具体谈论人民/大众美学的当代文化整合问题。

三　大众美学的当代文化整合问题

首先让我们看《埋伏》。《埋伏》说了这么一个故事:两位忠于职责的保卫干部被指派到一个"最不重要"的岗位上执行监视任务,俩人用最大责任心来完成这一"最无价值"的任务,罪犯终于被抓到而这两位执行监督任务的小人物却被遗忘和忽略了,但他们仍然夜以继日坚守岗位,俩人中一位因病不治而牺牲,另一位也奄奄一息。最后罪犯供认,他之所以落网并不是因为那些自认为重要的警察的高明,而是因为那两位被安排到最不重要位置上的监视人的功劳,于是这两人才被记忆,才偶然间成为了英雄、烈士。

《埋伏》是一个通过荒诞叙事呈现人民/大众本质特征的电影,渺小和伟大、英雄和小人物、重于泰山与轻如鸿毛之间那种传统的理性联系被再度回应,不过回应的方式却是解构对英雄、对"人民"、对牺牲、对使命的天经地义的传统解释。英雄的偶然诞生冲淡了情节的戏剧性和因果逻辑性,人生,特别是小人物的人生更加无奈、无序和无可把握。我们的问题是,第一,英雄的牺牲和使命意识是否是一个应该解构的对象?尽管在荒诞的情形中诞生的英雄缺乏一般英雄具有的神圣性,但不管英雄的社会处境如何,英雄都会因自身的英雄举动使自身的人格高尚,以自身的事迹感动世人,因此,荒诞的不是英雄本人,而是生产英雄的时代。这里牵涉出的有关人民文化问题就是,我们应如何对待整体文化和个人的关系,我们如何发现个人和现实文化环境之间的悲剧性冲突,以及这种冲突形成的悲剧张力?《埋伏》的悲剧似乎就是一个意识形态玩笑,但《埋伏》绝不应该是这样一个玩笑,而是有关小人物尊严以及由这种尊严引发出来的英雄行为;第二,《埋伏》的文化诉求是什么?它是讲一个现代处境中个人的孱弱性这样一个知识分子故事还是有关人民生存状况的现实主义故事?抑或它干脆就是一个官僚主义非人性化的故事?从电影中我们似乎都可以看到,但都不很清楚。这种混合型的叙事表面看非常丰富,实际上过于复杂的叙事反而削弱了《埋伏》朝向一种主题突进的力量。也就是说,《埋伏》缺乏类型片具有的单向度文化清晰面目,缺乏类型文化所具有的纯粹力量,从而人民在影像中成了一个模糊的身影,人民/大众背后隐藏的东西不能得到有效的展示。一定程度上说,《寻枪》的力量何在?就在于它只注目于单纯的事件和这个单纯事件表现的文化背景。可见,单纯同样可以充满魅力,因为单纯是文化的单纯。

其次让我们看《没事偷着乐》。《没事偷着乐》叙述了一个当代中国最常见的生活故事但却提供了一个不同寻常的人物张大民。像许多被这个迅速现代化时代所遗忘的普通平民一样,他处于生活"内忧外患"的逼迫境遇中,但张大民不仅活着,而且用贫嘴、用粗茶淡饭来使自己活得有尊严、有快乐。从张大民身上,我们看到了中国文化历来所炫耀的一种生命力主张,即无论是多么艰难的生存空间、无论是面对多么不平衡的利益分配,人民都能"像"人一样活着、笑着、贫着——没事偷着乐。

底层人如何生活?从启蒙的角度,不外乎是麻木地活着;从政治的角度,不外乎是激进地活着;从人性的角度,不外痛苦地活着。因此,阿Q、李双双和菊豆成为其代表性人物。张大民改写了这种传统,从阿Q的传统改写我们可以看出,自慰和苟活并不是一种精神的耻辱,它却是贫困生活的精神自救;从李双双的传统改写我们可以看出,政治解决并不是底层人寻常的生活方式,更为日常的生活常常是伴随着自我认识和自我解决而来的卑微愿望的点滴实现;从菊豆的传统改写我们可以看出,人性的光芒抑或黑暗并不会一定带来变态的报复和仇杀,人性总是复杂而现实地存在着。张大民的传统改写表明张大民是一个物质繁荣时代的穷人写真,这种穷人面临的问题不是生和死的选择,而是如何面对物质繁荣带来的精神压力,他们物质的贫困并未带来精神的堕落,相反他们的人性水准仍然保持在一个善良的水平。张大民的存在反而反衬出既有传统的虚弱性或者说"非底层性",他们常常站在底层之外书写底层的故事。但是张大民的幸福生活也可能蕴藏着某种非现实性,即它在用贫穷安慰贫穷时,用苦恼安慰苦恼时,也遮蔽了穷人真正的痛苦和对物质发展的强烈信念以及这种信念不能得到满足的愤怒性——这种愤怒常常会引发社会的动荡。如果看到社会边缘群体报道中屡次提及的因物质羡慕而走上犯罪道路的生活故事的话,我们就不能轻松地忽视贫穷中所蕴涵的社会危机。从这个意义上说,张大民对传统的改写显然太过于喜剧化了,将沉重的东西给人分享时遗忘了让沉重的东西引人思考的传统警世之言,而这种遗忘是电影走上越来越轻飘飘的重要原因。《没事偷着乐》所呈示的人民/大众书写思考是,电影在改写传统时,不能以摒弃的态度把其合理的内容也轻松抛弃,这样一来,即使是娱乐大众也不会得到大众的衷心喜爱,因为它太廉价。

总之,当我们沿着人民美学的书写轨迹对电影所面对的文化形态进行扫描式观照时,我们的论述目标是弄清面对全球化影像市场,中国电影的根本何在,以及这种根本会对于影像生产又能起到何种作用。简单的论述不能说我们已经弄清楚了问题,但有一点可以肯定,所谓全球化就是民族自身文化传统的重新组合和更新,没有这种对于自身文化传统的清醒认知,全球化是不可能成为中国电影市场的希望的,相反它反而会使中国电影越来越陷入沉沦的深渊。因此,回顾传统的历程并不是为了重新排列电影历史的逻辑顺序,而是为我们提供一个清晰的文化路标——置身历史中的路标总是指向未来!

注释:
① 封敏主编《中国电影艺术史纲》,南开大学出版社1991年,第307页。

凌 燕

中国电视的双重生命
——变革中的中国电视体制矛盾与话语冲突

对中国电视发展的考察,不可避免要将其归置于复杂变化的当代政治经济文化语境中。20世纪90年代的中国电视有着被过度阐释的语境,尽管如此,我们还是要再次将这段刚刚过去的历史略加显影,加以审视,因为对于尚处幼年但却拥有诸多霸权的中国电视来说,迄今为止它所创造的大部分神话,甚至它自身,都是在这段历史中创造的。

90年代被人们普遍公认的命名是"转型期":经济转型、社会转型、思想转型、文化转型。转型意味着一切都处于流变不居之中,转型还意味着许多政治经济行为都介于合法与不合法之间,一切都有存在的合理性,一切都未获致最终的合法性,不合法的行为可以合法化,合法的行为也可能以不合法的方式进行,合法与不合法相互斗争、相互依存,形成复杂的共生关系。转型期的种种现实特征使电视文化也呈现出复杂而多变的格局。

在当下中国政治传播的谱系中,有理由确认电视对政治意识形态建构的核心位置,在一定程度上这种核心位置是由以《新闻联播》为主的电视新闻来实现的。1982年开始,《新闻联播》被授权比其他媒介早一天独家发布重要新闻,从而改写了电视在媒介阵营中的从属地位,今天人们仍然可以经常从"明天出版的人民日报社论"这种特别的新闻语式来识读政府对电视媒介的信任。收看《新闻联播》也已经内化为国人日常生活的一部分,尽管这个节目从内容到形式都已经有些脱离现代媒介文本符码规则,但至今仍保持着28.9%的年度平均收视率(2000年),以每晚近3亿的收视人数,创造着世界上任何一个电视托拉斯也难以企及的神话,虽然这个神话的背后是政府强有力的支撑,但在当下中国的社会政治语境中,这种权力支撑只能进一步证明电视是政治意识形态传播核心的观点。可以说,理解电视就是理解中国的政治意识形态,理解中国的意识形态就必须理解中国电视。

或许可以说,与国家权力的结合,使电视在中国社会发展过程中充任了政治风向标的角色,从地方领导到黎民百姓,都有着丰富的从各种电视声像符码中解读政治气候和动向的经验。

进入 90 年代,改革进入注重策略的操作期,在利益分化和政治放权这两种互为因果的力量作用下,多元化成为社会各领域、各层面发展变化的普遍特征和价值观图腾,中国社会随之带上了碎片化特征。在电视的现代化/企业化转轨中,政治渐次让渡空间给市场,但"权"/意识形态与"钱"/市场的交割却异常复杂。在宏观政治经济学的实用主义指导下,意识形态与市场行为之间的相互作用产生了对立、并置又相互纠结的复杂关系。

一 共谋·冲突·妥协
——90 年代以来电视体制变革轨迹

电视制度的变革是电视发展的直接动力,有必要以此为起点进行细致描述。

将这一变革过程限定为"90 年代以来",是基于这样的认识:90 年代以前,电视的市场化基本还处于参照报刊、电台的模式进行有限改造的阶段,尽管国家拨款逐年减少,然而电视台的自负盈亏始终没能成为现实,甚至在以悖离市场规律的方式("四级办电视")迅速扩张。直至 90 年代,作为"春天的故事"之组曲,电视业方才开始大规模地走上市场化的道路。

有论者以"企业化"、"商业化"、"市场化"、"产业化"这样一组官方表述,作为考察中国电视改革进程的线索,这种表述与其说代表着政府对媒介产业化认识的不断成熟,不如说彰显了政府对整个市场经济转轨过程认识的模糊性,用这些宽泛的、极具暧昧性的语词表明对改革本身的认可,对于改革方向和具体目标实际上是语焉不详,这就决定了中国电视改革的进行模式是:以广告收益为主的市场利益为驱动,电视媒介主管在回避政治风险的前提下,进行制度创新;权力机构迫于经济压力和维护政权合法性的需要,在强化政治控制的同时,以最大限度的宽容为媒介的创新提供有限空间。

　　这是一场以市场为原动力,经由政府发动与认可,传媒与政府"合谋"对旧有传媒制度进行的全方位改革。然而这种"合谋"仅仅是对改革合法性的一致认可,不能掩盖、弥合市场与权力之间立场、动机、诉求的矛盾,并且由于各种处于加速裂变状态的社会力量的加入,使这种矛盾、冲突和妥协的过程显得尤为复杂。

　　按照经济利益最大化、政治风险最小化的原则,传媒的改革沿着经营分配层→采编运作层→宏观管理层自下而上展开,而市场逻辑和政治力量共同作用的深刻纠葛、冲突及妥协也同时杂糅在这几个层面。

1. 经营分配层

　　经营分配层的改革可以直接减轻政府的财政负担,起到繁荣经济的作用,却又不直接关涉意识形态问题,改革风险/成本相对较小,收益明显,改革首先由此发起。经营分配层的改革由广告经营为切入点,逐步向多种经营发展,并开始与资本联姻。

　　按照央视广告部提供给客户的广告安排表统计,目前央视一套黄金时间(18:00 至 21:00)3 个小时内广告时间共 31 分零 15 秒,远远超出广播电视广告管理条例"每套节目播放广播电视广告的比例,不得超过该套节目每天播出总量的 15%,18:00 至 22:00 之间不得超过该时间段节目总量的 12%"的规定。观众作为"商品"由电视台出售给广告商,已经不再是西方学者耸人听闻的断语,而成为普遍存在的现实。

　　由于许多电视台将自负盈亏作为设置新节目的基本要求,这样在上新栏目时,首先要考虑的就是能否吸引广告,如何把节目作为广告的最佳载体成为一个必须思考的问题。事实上,广告所携带的消费文化已经并且正在继续销蚀意识形态权威、影响社会主流价值观,大量广告充斥着与执政党所提倡的种种道德、作风形成鲜明分裂和悖谬的价值观,它们甚至通过解构和颠覆政治意识形态来获取利润。

　　广告对电视发展的决定性作用,使收视率成为节目评价体系的重要指标。对收视率的重视表明媒体对其市场效应、社会效应和客观传播效果的关注。问题在于中国电视机构不仅仅是营利机构,还要承担诸多非营利性的政治、公益宣传任务,若仅以收视率为鹄的,势必要将收视群体相对狭小的节目排挤出去,从而堵塞弱势群体原本就极为有限的利益表达空间。对于主流意识形态来说,在现代化转型时期,电视必须承担重建意识形态权威、建构新型主体的整合功能,"收视率"不仅是可以操纵的,甚至是必须"调控"的对象。收视率概念从引入之初似乎就充满疑点,在市场经济的大背景下,甚至是在一种市场崇拜的语境中,作为市场的产物,却不被信任,颇具中国特色,但也正是这种不信任,使一些收视群体小的对象性节目得以生存,在一定程度上遏制了收视率对电视节目的过度支配。

电视机构的改革由行政管理部门决策,改革的时间、方式、步骤都被统一划定,资源配置由权力因素决定,行政管理部门甚至直接介入媒介的产业经营。由此产生的影响是,一方面电视媒介之间的矛盾未被化解,另一方面又深深涉及行政利益,使得电视改革更加复杂,它必然不喜欢被人讨论。

在分配体制上,各色人等区别对待,区别的标准不是能力而是身份。由于在报酬上大体采用基本工资＋计件工资＋奖励工资(业务评奖)的形式,并且后者在薪酬中的比例要大得多,使人为因素在薪酬中起决定作用,这个原本被认为是能够调动从业人员积极性的举措,在现实中被所谓"匿薪制"所扭曲。一个不言而喻的事实是,吸引各种媒介精英的不是优惠的福利待遇和体制,而是央视的特殊垄断地位。

2. 采编运作层

传媒采编运作层面的制度创新,以传媒业结构、节目制作的多元化为主要表征,前者包括频道专业化、制片人制、制播分离等,后者包括经济台、图文电视、电视购物等的出现。此外,传媒运作还包括传播方式和渠道的规定、传媒内部构成、传媒运作目标和运作方式等,还涉及传媒内部运作的种种规范和例律。

采编运作层的改革尤以新闻体制的改革为巨。

八九十年代交替之际,中央提出了新闻舆论要坚持正面宣传为主的新闻方针①,要"弘扬社会主义主旋律"。通过对电视媒介控制策略的调整,党对媒介的监控力度和有效性得到了强化,传播学研究成果的运用完善了电视的议题设置能力,使意识形态宣传渐渐变得隐蔽而有效。

节目在舆论功能上进行初步分化。通过空间的重构重新设置传媒体系的中心与边缘,除新闻性节目之外,其余节目基本可以"不谈政治",在获得自由空间的同时,后者也失去了意识形态传播的权威性。

功能分化造成的另一个事实是,不同栏目、不同文本之间失去了所传播的价值观的统一性。同样围绕新《婚姻法》的修改,法制节目强调的是家庭和社会的稳定,甚至呼吁为了孩子牺牲个人感情,个人的利益被公众利益所遮蔽;谈话节目强调尊重个人的情感、权利与选择的自由;女性节目则呼吁女性培养自我独立意识,各种节目并不考虑相互之间是否形成分裂或消解,其结果固然体现了一种多元的价值观,但我们不能忽略一个事实,即当观众锁定任何一个频道时,都联系着他对这个频道的认知和评价,央视一套的"最高级别"、"最权威"、"最有文化"(同时也就最具启蒙性)的基本判断对所有观众来说几乎是一致的。一个文本"想说明什么"的问题,始终伴随着相当多数观众的收视过程,不同文本间的裂隙只能给观众传递分裂的价值观,甚至影响社会舆论。从这个意义上说,功能分化又造成了对舆论的失控,只是由于这些被"分化"的舆论往往是非政治意识形态的范畴,在政治宣传的空间重构中便被放弃了。

非意识形态宣传性的节目往往能够满足观众的具体需求,这不仅分流了部分观众,而且在价值观上与政府需要传达的主流意识形态信息构成分裂,使后者的有效性受损,媒介的许多局部误导对舆论的影响是全局性的,但这些问题却因为力有不逮而被搁置。

政治控制与市场逻辑对新闻价值的判断本身就存在一定的错位和裂隙:

市场逻辑	政治控制(意识形态宣传)
事件/问题发生的第一时间进行报道	讲究时机(问题已经或正在解决才能报道)
以受众为中心判断事件重要性	以人物的政治身份高低来确定重要性
关注国内、本地的所有信息	国内的报道禁区多,国际新闻相对自由
"忧"比"喜"更能吸引受众	报喜不报忧、控制舆论
受众为中心	传者为中心

此外,行政工作的特性决定了意识形态宣传往往具有阶段性,

即某一具体阶段内,集中攻势进行某一特定内容的宣传;新闻传播的政治工具性决定其按照帮忙不添乱的方针,在某一问题没有成为政府"工作重点"时不予报道,以免引起负面效应,而一旦这个问题成为了"工作重点",全国上千家电视台(及为数更众的报刊媒介)都服从于同一"指示",必然在短时间内造成大量同类信息的高度集中。但过度的宣传可能使其效果走向反面,破坏意识形态的生态平衡,不仅使新闻机构的公正性受损,也使新闻机构背后的政权机构的权威性受到影响。

由于采用非制度化的监控方式,政府对舆论的控制只能集中于直接影响政局稳定的、较为敏感和紧迫的内容,对于较次要及处于边缘但同样影响舆论的其他意识形态信息,实际处于一定程度的失控状态。例如与其他媒体的国际新闻相比,电视国际新闻由于图像资源有限,国内电视台主要以购买 CNN、美联社、路透社及亚广联等的影像新闻为新闻来源,其中亚广联提供的新闻由于采集国受政治、经济条件限制,会议新闻居多,而最能体现媒体综合能力的突发事件新闻却不多,因此较少被采用。西方主流传播视角左右国内视线的情况显然不是偶然的,且不论信息的具体内容,仅从新闻信息量的分配,即对美欧新闻的过多关注就足以向观众传递谁是世界霸主的信息。当各领域普遍关注即将到来的全球化,可能给本土文化和意识形态价值观造成的影响时,似乎没有多少人注意到,用不着全球化,我们早已给美国的意识形态留下了一个长驱直入的缺口。

采编运作层的改革更多地带有边际突破的特征,在"频道专业化"、"制播分离"等举措影响下,电视节目从内容到形式都出现了多元化的格局。以《焦点访谈》为代表的批评报道大量出现,商业化手法在各类节目中的广泛运用,使对传播"策略"的分析和探讨成为电视研究的重要内容。

媒体以主流意识形态为底线,实际却是大众取向,只是在操作上照顾各方,这使得文本间非但没有形成合力,且常常相互消解,所宣扬的价值观也常处于混乱状态,造成公众心态的分裂。当然,舆论的相互冲突是多种声音取代一种声音的体现,对于激发多元的、民主的思想有一定积极意义,尽管多元意味着其中可能有相互矛盾和冲突的价值观和思想,但如果长期处于多元而不统一的状态,势必会对社会稳定造成威胁,对于政府统治、公众接受乃至社会的稳定发展起不到应有的作用。比之没有意义的多元和空泛的民主,显然多元而统一的舆论对于转型期的中国更有实际意义。

3. 宏观管理层

处于制度体系顶端的宏观管理层由于位居核心,拥有全局的影响力,决策者大多不愿冒路线错误的风险,因此变革最为缓慢,具体包括传媒的所有制、传媒与政府的关系、传媒之间的关系等。迄今为止,新闻传媒均为国家所有,并纳入行政级别体系,上级党委(和政府)对传媒的高层人事和编辑方针拥有决定权,地方或部门的传媒必须保持和中央或上级传媒一致的立场。

政治宣传和营利机构的双重身份,使得中央与地方、上级与下级电视台出现了严重的利益冲突。由于不直接作用于普通观众的物质利益,这种垄断造成的利益冲突,并没有像电信、铁路等部门那样受到电视系统外的关注,但其间日渐加深的冲突、积怨已是不争之实。央视的垄断与暴利受到普遍诟病,其 2000 年所获 60 多亿的广告收入中,20 亿集中于央视一套七点至八点《新闻联播》播出前后,广告投放的这种令人咋舌的集中很大程度上得益于"红头文件"的保护。②节庆、回归都成为央视增加无形资产的良机。卫星电视在国内的迅速发展,已有能力将省级台的信号传至全国大部分地区,这些地方台虽然在整体上抗衡中央级媒体的力量增大,但积贫积弱的历史发展和地方台身份所造成的信息地域性,个体的竞争力远远不足对央视构成威胁。资源拥有上的绝对优势,使得央视在与地方电视台竞争时遥遥领先,这种全国性的电视竞争格局在相当程度上阻滞了电视制度的改革。

转轨意味着相当长的时间内保持双轨,既可利用旧制度提供的保护和便利,又可为新制度提供种种许诺作动力。另一方面,新旧体制之间的冲突又使现存电视体制的危机日益加剧。因此,在对电视发展过程的考察中,所有简单机械地认为,新的制度/力量就是对既成权力关系反叛的说法都是难以成立的,这种新旧权力的交割能够明晰地告诉我们的是:在新的条件下,权力采取了何种新形式。

二 权力的角斗场
——影响中国电视的力量元素分析

"电视是一个经济、政治、社会及文化势力交汇的冲突性传媒"③,谁在使用和影响电视?谁又在以接受的方式影响电视?是对当下中国电视进行分析要解决的基本问题。

在市场条件下,文化资本的运作是整个社会活动的重要方面。对文化资本的控制和媒体的掌握,决定着社会的基本文化倾向和主流意识形态的取向。国内有学者用系统解构的方法,将作用于电视媒介的力量,分为投入者、媒介自组织者、接受者三种,以下将以此为结构,对作用于电视的力量元素进行分析。

1. 投入者

包括权力投入、财力投入、文化投入,④与此对应的是政府、企业(广告主/商)、文化精英。新闻传播学者童兵将政府控制传媒工业的渠道概括为党的领导、法规、政府宏观管理、媒介行业自律。

迫于经济压力,作为政治/政府代表的上级党政部门(包括各级党委宣传部、政府办公厅、广电厅局),不得不主动提供空间来推动电视机构的改革,条件是不触及政治利益,或出现导向、舆论的明显错误,除此之外,对电视机构的种种尝试在初期均采取模棱两可的态度,以观后效。这并不意味着政府力量的减弱,相反,就电视的制度更新来说,处处体现着权力意志干预的痕迹,尤其在"经验推广"阶段。由于行政管理部门更多地将改革的目光放在那些改革成功的电视台,一旦以行政力量强制全国所有电视台按照一样的方式进行改革时,对那些不具备创新条件的电视台来说,旧的利益纷争未解决,又添新矛盾,反而加大了转轨的成本和难度,最终也会影响政策的权威性。

文化精英对电视的文化投入,主要通过介入制作、学术(甚至商业性)批评和专业评奖的途径来完成。在市场运作中,文化精英的优势和作用在于他们原本就拥有话语权,一旦掌握大众文化的种种游戏规则,便能够制造出大众狂欢的气氛。"权威而经典的文化身份"帮助他们将"象征资本转化为金钱",作为媒介权力的指认和颠覆者,知识精英比普通制媒者更了解如何掩饰意识形态的作用。

广告对中国电视的发展功不可没，但广告主（企业或商家）直接干预节目内容的现象尚不明显，部分原因是国内的电视台为国有媒体，且具有国家权力的象征资本。广告在不违法的前提下，拥有无限的表达自由是不容置疑的。更多的时候，广告与节目文本之间的冲突和悖谬成为监控真空，只要没有对主流意识形态和价值观提出明显挑战，电视播出和审查机构似乎就没有理由对广告主进行法规以外的限制。

2. 媒介从业人员

电视机构的领导层按照行政层级，分为台领导、中心一级领导和部领导三级，目前国内大多数电视台都参照此机制来设置管理层。

在旧的电视制度体系中，电视机构领导实际上是政府（或上级党政部门）在传媒的代理人，其职责是保证传媒正常运作，为政府提供宣传服务，政府向传媒及其员工提供足额财经保障，并为传媒主管提供在官僚系统内晋升的机会。80年代中期开始，在干部专业化、年轻化的政策下，一批六七十年代的大学毕业生当上了各主要电视传媒的主管职位。这些主管领导身兼政府代理人和企业家的双重角色与职责，既要大胆采取改革和创新以提高经济效益，又要保证不触及敏感问题。面对重要新闻先要统一口径，而届时其他媒介可能已经抢先发布，诸如此类的矛盾，如何解决？角色的多重性和权力的被赋予性（随时可能被调迁），使大多数人都遵循经济上大胆、政治上保守的原则进行管理。

对普通/基层的媒介制作人员的分析显得更为困难。首先要涉及的问题是，是否将台外/节目制作公司的媒介制作者作为分析对象？虽然制播分离目前仅限于小部分节目，但作为节目制作方式的发展方向（尽管由于实践中的重重矛盾，这个问题被高层以"慎提"或"不提"的指示暂时搁置），节目的台外制作应当引起关注。由于缺乏相关资料，为了集中笔墨，暂将这部分人员排除在外，但随着这部分人员在电视从业人员中比重的加大，这样的分析将是必不可少的。

对电视制作人员进行分析的另一个难点，是电视台用人机制的转变带来的。其他行业普遍推行的全员聘任制在电视台生出了新的内容：所谓"台聘"、"部聘"、"组聘"、"人聘"确立了不同人员拥有的不同权利。"台聘"人员包括改制前的正式员工和每年通过传统渠道分配进来的"正式"员工,享有旧体制下的全部保障,没有失业和下岗之虞,毋宁说它是新形势下的铁饭碗。"部聘"者得到的体制保护就少得多了,这部分人同时卷入了一个颇有意味的悖论之中:即想尽一切办法,转成台聘!吸引他们的与其说是被媒介领导们视为工作成果的"灵活"的新体制,不如说是画饼一样的旧体制。至于"组聘"、"人聘"就带有十足的"讽刺"与"幽默"了,因为他们不但不享有任何保障,而且缺乏"聘"之所以成立的基本要件:契约/合同,来去皆由制片人甚至小组长一句话,报酬多少及增减都完全由一人决定。这部分人为数甚众,流动率高,没有相关的统计数字,他们的工作可以说是一种体制外生产。

体制外的生产过程是不完整的生产过程。按照马克思主义经济学原理,经济的生产过程是物质生产过程与劳动力生产过程的统一,而体制外的生产过程,基本上没有劳动力生产过程,住房、补贴、医疗保险等等《劳动法》中规定的权利都没有得到提供。

作为运作制度的一个改革成果,制片人制在一定程度上被视为衡量电视机构体制现代化的标准。全国的电视制片人中,由电视台各级部门领导指定的共占 89.1%。⑤这些制片人负责的节目有固定的播出时段,不用对人员的各项福利负责,只须按照中央的宣传方针与口径完成任务,既无政治风险,又不用担心经费来源以及节目制作、播出的收益问题,他们虽没有正式的权力职位,却相对下级(普通节目制作人员)享有诸多权力。激励和处罚机制的缺失使多数制片人失去创新的动力,为了减少节目制作成本,将节目制作资金转移为私人财产,已成为制片人群体公开的秘密。

中国电视媒体的特色聘用体制,已造成的体制内与体制外人员的紧张关系,前者事实上掌握着对后者的领导权,这种领导不仅意味着经济控制权/盘剥权,还包括新闻/节目制作的相对自主权,从各个层面影响了体制外人员创作的积极性。这种身份区别仿佛当年的阶级鸿沟一样不可逾越,怀着巨大优越感的体制中人和被强烈的"不平等感"严重分裂的体制外制媒者,共同构造、实践、遵循着相同的传媒规则。

电视机构的复合身份直接造成为数众多节目制作主体的身份认同危机与角色冲突。一方面,媒介从业者是拥有话语权的人,这种话语权具有转化为政治资本和金钱资本的可能性。在文化身份认同上,他们将自己视为精英,负有一定的社会启蒙和社会关怀义务,不愿屈从于市场霸权或官方意志,但这种精英地位来自资源的占有,这种占有是临时性的,不是彻底地占有,不是靠其个人能力得到的,占有这种资源的前提是领导的肯定,是赋予型的。另一方面,很多节目制作人员也是居无定所的阶层,体制改革不会给他们带来较大的增加收入的空间,他们很容易将自己视为无权势的普通百姓,甚至利益受损者,不认为自己负有或是能够担负社会责任,这又使他们在现实中往往毫不反抗地服从于市场逻辑和官方意志,这种人格分裂既影响创作的积极性,也可能直接反映到节目文本之中。1997年1—6月,中国人民大学舆论研究所和全国记协国内部在全国范围内,进行了《中国新闻工作者职业意识和职业道德》的大型抽样调查,这项调查的结果足以支持本文的上述观点,调查显示中国新闻从业者存在严重的观念与行为的悖反:新闻领域中违背职业道德的职业行为大量存在,形成鲜明对照的是,新闻工作者的职业道德意识事实上并不缺乏明晰而正确的判断。这种矛盾与其说是受社会道德风气影响所致,不如说是媒介从业机制所形成的内在矛盾。⑥从"平均年龄37岁"、"很少'跳槽'"和"在目前所在单位工作的平均年资近11年",这三项调查结果来看,这项调查的主要对象显然是那些有着正式/体制内身份的媒介从业者,体制外的聘用人员往往学历更高,而总收入更低,而当前体制外人员远远多于体制内从业者的电视界,有理由说,现在较四年前上述矛盾所造成的冲突要严重得多。

3. 观众

每一个观众都不是绝对的受体,他们往往在收视之前,就已经被所处的现实的政治、经济关系建构过,与改革开放初期相比,中国社会阶层结构已发生了深刻的变化,个体生存环境的突变,使他们的心理需求及使用电视的动机也不尽相同:

(1)精英及高收入阶层。无论是政治精英还是经济、文化精英,都可以将手中的象征资本转化为金钱和物质利益,不需要媒介对他们的现实生活产生直接的作用,收看电视不是他们生活中的重要内容。这些人本身是社会关注的焦点,其行为甚至生活方式具有示范作用,更多的作为信息源出现在荧屏上,他们需要电视媒介为他们拥有的资本起到增值作用。

(2) 社会中间阶层。⑦处于中间阶层上部的大致包括以下几类人：高级知识分子、中小型企业经理、外资的白领雇员、国家垄断行业的职工，占从业人口的 4% 左右。处于中间阶层底部的是这样几类人：专业技术人员、大中学教师、一般文艺工作者、企业中下层管理人员，占从业人口的 11.8%。他们收看电视的动机和习惯依个体不同而有较大差异，但普遍具有较强的能动性，是一些带有文化品味的互动型节目的主要参与者。一般来说，他们不需要解决太多的物质或现实生活问题，但需要交流，需要确认自我地位、更多的保持想像地位。

(3) 社会底层及边缘层。包括：社会和经济地位不断边缘化的工人、处于困境中的农民和城市边缘群体（老病残退等），这三者共占从业人口约 80%（何清涟），这部分人不掌握政治、经济、文化资源，电视不仅是他们家庭经济生活中的重要投资，也是一个举足轻重的多功能工具，既要看新闻、获取各种知识和实用技能，也要满足娱乐需要，随着民主意识的提高，他们逐渐还将电视视为政治参与利益表达的空间。这部分人是改革的利益受损者，需要各种中介的帮助，需要宣泄，但这种利益表达完全依靠媒介的代理，电视代理了他们的绝大部分业余生活，满足他们的各种心理需求，并且替他们保持着与社会的联系，他们自己很少能直接参与。

三　对"双重身份"及相关问题的思考

有学者将国内电视台的身份转型，归纳为"从党的宣传工具向党营商业性的资讯娱乐业转变"，或曰从"党和政府的宣传部门向国营的准信息产业过渡"，无论用怎样的名词和概念对这种双重身份进行定义，都有一个核心特征，即电视既要服从市场逻辑，又要服从官方意志，政府控制与市场动力之间的紧张与张力成为中国电视的标志特征。

市场因素与意识形态因素不是简单的此消彼长关系，在市场因素从无到有、力量逐步壮大的同时，意识形态传播效果不能仅以强化或弱化二字概括。在一些重大问题上，由于对受众和传播策略的关注，意识形态的客观宣传效果得到了增强，但同时官方意识形态又不得不放弃了许多空间,严肃的政治新闻与各个地方版的配对节目、粗制滥造的电视购物节目,共享、分割同一个荧屏,这种混乱反映出自由市场对官方意识形态的瓦解及实用主义与消费主义逻辑的移置。

作为国内含金量最高的电视剧时段,央视一套黄金时间的电视剧时段收视率波动很大。经典改编剧《水浒》(1998 年 1 月播出)收视率最高达 60%,而主旋律剧《黄克诚》(1999 年 4 月播出)只有 6.48%,这一事实颇令电视经营者和电视剧制作者们惋惜。经过不断的实践,近两年我们看到了一批带有一套黄金时间"央视特色"的电视剧,即粗糙的爱国/民族主义精神+男女情感纠葛杂糅的新型主旋律电视剧,爱国主义/意识形态的包装使它们得以进入黄金时间,情感纠葛却是帮助它们获得高收视率的法宝,于是,"黄金"价值重被发掘,而主流意识形态所期冀的引导和教育作用在何种层面获得了实现呢?

如前文所述,电视的"双重身份"所要解决的其实是市场、意识形态之间关系问题,以下将就由此引出的若干问题进行论述。

1. 市场·意识形态·平衡

当前的电视界中存在一种观点:市场是不可战胜的,在它面前一切都会不攻自破,就连官方意志也要向它做出让渡,个体没有反击它的必要,向市场妥协是一种光荣的失败。根据这一观点,迎合观众甚至迎合广告商的行为都在坦然中进行,节目在文化和意识形态方面的传播效果被暂且推后,只要收视率上升便是成功。

官方意志的不可违抗性是另一个颇为诡异的神话,"特色"论有很多种表述及发展空间。就当下而言,在市民阶层需求的多样化、传媒之间竞争的日益激烈等因素的作用下,政府出于自身合法性考虑,对社会表达空间已经具有相当的宽容度,因为违抗官方意识形态要求而受惩罚的事已经越来越少见。然而,不管是处于"边缘"还是处于"中心"的人,都想以体制外的身份自居。因此,关于官方意志不可违抗的神话与其说是政府借助行政权力所编织而成的,不如说是媒介从业者自己为了逃避媒介义务而树立起来的。

市场逻辑要求以受众为中心,官方意志要求以传者为中心,文化精英则要求媒介超越这二者,同时受众需求和官方意志都处于变动不居之中。如此看来,制媒者在从三者的挤压中获得的夹缝实在不大,能在如此有限的空间做出如此巨大的成绩(经济实力的倍速扩张、社会影响的不断增殖),似乎证明了当前的制媒者的确是我们社会中的精英。《焦点访谈》总主持人曾对这种看法表示不解:"我们现在不是生活在一个有巨大的反对力量存在的社会里,有一个岌岌可危的政府,(如果那样)我们找到了政府和老百姓的信息沟通渠道,说明我们很有本事。在目前的社会环境中,找到政府和老百姓共同感兴趣的事,把老百姓的意见和政府的解决办法联系起来,促进问题的解决,是理所当然也完全做得到的事情。"⑧

由于改革使利益格局发生了复杂的变化,大多数民众对于改革(改革是由政府发动的,对改革的认识一定程度上决定了对政府/政权甚至国家的感情和态度)的态度也十分矛盾。一方面,改革带来了现实利益(尤其是在初期),在理性上和公开的表达上,民众都采取支持改革的立场;另一方面改革带来的现实冲击和社会不公,又使他们多有怨言,表现为整体性的/公开的意识形态往往是支持改革的,而个体的/私下的意识形态却常常充满矛盾,当改革符合个体利益时,支持是无条件的,否则就要复杂多了:或者是理性上支持而情感和行动上不支持,或者干脆反对。然而,在道义、情感上,没有人怀疑国家利益和普通民众利益一损俱损、一荣俱荣的关系,虽然二者利益存在不同,但存异求同——寻找共同的对手,即既损害了国家利益又损害了人民利益的人或行为,却是行之有效而又简便易行的方式,加上电视对现实生活的干预,更多的是在象征或视觉层面(除了被直接曝光者,对于绝大多数观众来说,舆论监督仅仅是一些影像,并没有从根本上改善或触及他们的利益),从这个意义上说谋求平衡、契合点并非难事,很多这样的平衡和契合点甚至"天然地"蕴含着商业的潜质,"昔日权倾一时今日刀下鬼"、"黑帮淫窝之覆没"之类的报道,既是政府的反腐扫黄(验证政权合法性)的政绩,也可以正当、合法地满足种种窥视欲消费。"打擦边球"已经成为主流的表达方式。

平衡的难点在于将意识形态宣传"自然化",由于叙事可以建立一个封闭的逻辑系统,很多节目采用了故事化的叙述,但问题在于这种策略并不能掩盖双重身份带来的矛盾与冲突。在种种找到了契合点、获致了平衡的报道中,有一个制媒者所刻意回避的问题,那就是这种上下皆满意的效果,建立在将政府与民间对文本的理解一致基础之上。观众在解读电视过程中,并非完全是被动的接收者,当媒介生产者们以他们娴熟的平衡手法,从再就业角度报道下岗问题、从打黑专项斗争成绩的角度报道黑社会时,政府和民间可能按照各自立场各取所需地从中读取截然相反的意义。

2. 平民化·人文关怀·启蒙

如果我们将90年代以来兴起的电视栏目的口号和对它们的正向评价,作为一组关键词来考察,就会发现其中有一些共同之处,那便是对"平民化"、"人文关怀"的追求,其方式是"讲述老百姓自己的故事",其目的是为了"用心品味",进而发现"生活本来有滋有味"。

平民化是现时代整个社会文化语境的特征之一(晚近以来,这种语境在相当程度上是由电视来构建和强化的),也是改革开放过程中始终坚持使用的一种话语和逻辑。在利益关系调整和社会结构转型的过程中,普遍的利益受损心态使民众对平民主义的接受更为容易。

人文精神讲求终极关怀,究竟是否与世俗精神截然对立,是否排斥现实关怀,一直存在不同看法。电视界的普遍作法是强调对现实困境的解决,充分肯定每一个人存在的价值,在不以消解权威为目的的前提下,进行一些现代性的启蒙,提供多元化的价值观,帮助摆脱一元化的意识形态束缚。

在《焦点访谈》、《新闻调查》中,平民主要由农民代表,在《实话实说》中平民以市民现身,在《今日说法》中干脆由利益受损的原告来充任。多数情况下,这种平民化倾向是通过暴露改革/政权中损害平民利益的消极现象来体现的,因此带有一定的颠覆性。另一方面,在平民主义的话语中,人民群众被赋予了决定改革的关键地位。平民化联系着启蒙的诉求,后者在这里与其说是文化精英们的要求,不如说是官方意识形态的需求,而为数甚众的人群则是政权合法性的基础,这一论点在央视组织编写的有"史传"性质的"跨世纪丛书"中得到了证实:"中国电视现代化的根本标志之一在于,电视传播同样应当将人民高兴不高兴,赞成不赞成,答应不答应,拥护不拥护作为自己安身立命的根本所在","电视传播必须牢固地树立群体观点,始终不渝地洋溢着一种平民情结","重要情况让人民知道,重大问题经人民讨论,人民群众的要求要有地方提,委屈要有地方说"。⑨

然而,平民阶层并不一定代表历史的方向,或许应当对这种"平民"主义或种种平民伪装进行质疑,这里是否在有意无意偷换概念?平民的利益未必就等同于"人民"的利益,未必就是正义的、合理的。过于相信平民(用平民甚至村民的话来对基层官僚的话进行证伪)是极其危险的,出于各种现实的利益考虑,平民的实用主义立场有时可能导致与事实相悖的行为和结果,在另一些经典文本中,这些平民是需要启蒙和改造的。真正促使采用平民诉求的动机,可能是因为在数量上他们是绝对的多数,是真正的"大众",虽然他们的物质消费能力低,但对电视从整体说具有较强的消费能力。平民化的这种商业潜质对于培植社会民主、拓展文化空间等方面具有积极意义,但不应作为终极诉求赋予过高的道义合理性。

当复杂的现实问题无法解决时,不如暂且搁置;当弱势族群尚无力保护自己时,不如教会他们挽回损失的办法;当女性根本不可能要求男性让渡他们手中的权力时,不如披上甲胄"完善"自己——实用主义的现世关怀取代了遥不可见、空洞难辨的终极关怀,策略性的生存取代了理想/目标/方向明晰的系统发展,未被兑现的启蒙主义让位于后启蒙主义,后者在以亲切、体贴、关怀的面孔传授种种生活知识、生存之道时,彻底瓦解了平民的"非分"要求。

而"实用主义很多时候是放弃主体意志的第一步"⑩。

3. 多元化的陷阱

在大众日趋分裂为小众群体的今天,满足尽可能多的大众需求的媒介经营原则已不适用,多元化恐怕是一个能与大多数观众建立信任感的捷径。然而,多元化不仅用以证明反政府行为的正当性,还用以证明破坏社会秩序、实行性别歧视的合法性,盲目的多元化将导致原则/立场的缺失。使用多元化的逻辑可能陷入这样的困境:证明自己合法性的同时,也要给予对立意见合法性,对于反对派的宽容意味着妥协,从而就失去了应有的批判意识,在电视实践中对观众产生误导性。

多元化的实践会导致非意识形态化,对意识形态领域内的尖锐问题进行回避的同时,也丧失了对外部敌对意识形态的识别和抵御能力。因此,在转型期是否应当努力澄清一切不利于国家稳定的信息?央视制媒者是否有这样的责任?作为政治体制的保护者,制媒者努力达成对官方口径的消解,究竟是一种高尚追求还是一种人格分裂?有一点可以肯定,即多元但必须是完整和谐的价值体系,才是媒介与社会良性互动的前提。

注释:

① 最近十年中最高领导几乎每年都亲自参加全国宣传工作会议和到会讲话,并将对新闻工作的基本要求概括为三句话:坚持新闻工作的党性原则、实事求是、把握正确的舆论导向。宣传部门主管根据一系列讲话精神,提出具体要求,在不同时间、地点要求媒介负责人"守土有则";并以"几要几不要",形象地说明党所希望的媒介发挥作用的方向,如"要帮忙不要添乱"、"要唱响主旋律不要搞噪音"、"要注意社会效益,不要见利忘义"、"要遵守宣传纪律,不要各行其事"、"要'聚焦',不要'散光'"等。中宣部和各省宣传部成立了媒介审读组,发现问题,随时处理和通报。陈力丹《近十年中国新闻传播学研究的基本情况》,参见 http://www.cjr.com.cn/node2/node38/node58/node114/node588/index.html.

② 1993年12月,当时的广播电影电视部下发的一份文件中重申,省级电视台必须完整地转播《新闻联播》节目,包括《新闻联播》结束后的30秒广告节目,这次重申是基于部分省级台在《新闻联播》结束后抢在央视之前播出广告的行为而发出的。

③ 参见郑明椿《电视文化的本质与批判》,台湾扬智文化公司1997年。

④ 高鑫、贾秀清《电视文化身份的多维度审视》,《现代传播》2000年,第4期。

⑤ 刘宝顺主编《电视管理文集》,北京出版社1998年,第316页。

⑥ 喻国明《中国新闻人——我国新闻工作者职业意识与职业道德抽样调查总体报告》,参见 http://academic.mediachina.net/专家论坛.html.

⑦ 何清涟《当前中国社会结构演变的总体性分析》,《书屋》2000年第3期。

⑧ 孙克文主编《焦点外的时空》,生活·读书·新知三联书店1997年,第204页。

⑨ 杨伟光《跨世纪电视丛书·总序》,参见刘宝顺《电视管理文集》,北京出版社1998年,第11页。

⑩ 参见何良懋《解构传媒》,香港次文化堂1997年。

俞 虹

分众时代电视社会影响力分析

纵观当代传媒业,无论是纸质媒介还是电子媒介,在市场化运作的大背景下,首先考虑的就是目标受众群的定位,任何一个媒体都不可能通盘拥有市场,追求普泛的大众占有率。报刊日益细分化;电视从栏目化向频道专业化发展,收费电视正在步履匆匆地走入百姓家,这些无不昭示着大众传播已经进入分众传播的时代。

"分众传播"是在大众传播范畴里讨论的一种传播现象。分众意味着什么?仅仅是传播接受群体的"小众"与市场占有率的"多"与"少"吗?其实这只是受众作为传播诉求的表面起点与落点,并不能解释对传播本质的认知与追问:起点的目的与落点的效果究竟为何。任何传播活动都应是合目的性的有效传播,也就是说传播的起点与落点应该也必须有其必然的合目的性的逻辑关系。同时,它理应建立在社会价值体系之中,与国家发展和精神文明建设同质同构。所以,当收视率成为节目成败的关注点时,我们还需要了解收视率背后的延展问题:谁在看?看了以后的结果如何?本文就着眼于与此密切相关的分众传播中传播效果差异即社会影响力级差效应研究,以期我国电视传媒在传播先进文化、推进社会发展进步中,积极追求最有效的传播效果,努力实现最大化的社会影响力。

一 分众传播与传播分众

将"分众"与"传播"两词交错组合,要表达的不是一个并列的关系,而是用一种偏正的结构,以不同的立足点表示不同倾斜的观念——分众的传播与传播的分众。虽然不否认其内在密切的关联度,但是为了表述清楚论证对象及观点,区别与分解是必须的。

分众传播,立足于传媒,从传播者的角度,根据媒介的需要,进行节目、栏目、频道分类与受众定位,确立传播内容、节目形态、表达语态等等。简言之:我要说什么?说给谁?怎么说?要达到什么目的?一句话,根据媒介的需要进行分众的传播。

传播分众,立足于受众,从市场需求的角度,根据接受者不同的要求,进行市场细分化,对传播内容、节目形态、表达语态加以调试。简言之:你要看什么?爱看什么?怎么看?什么时候看?一句话,根据受众的需要进行传播的分众。

两个主语的差异,说明了我们研究着眼点的主体是传播者——给予者。因为在整个传播活动过程中,无论接收者对电视节目如何具有主动选择权,除非你选择"关闭"即不看,你都是要接收传播者给予你的信息,都要或多或少,或强或弱,留下记忆印痕,产生传播影响。由于电视传播是家居化的接受方式,传播影响力的形成由个人、家庭而转化、辐射形成社会影响力,因此,廓清影响的源头——传播者的观念是决定结果的关键因素。

强调传播者的目的,不是强化传者中心的媒介强权,也决不与当前以传者为中心向以受者为中心转变的传播理念相悖。恰恰相反,有效传播或曰传播影响力的形成,不可忽略的就是受众积极接受心理的生成。因此,传者要达到目的,首先要解答的就是:"我进行传播的目的是什么?我为什么要传播?"[①]这个如此简单的问题,也是著名传播学者威尔伯·施拉姆在探讨传播的作用时提出的。实现传播最佳效果的重要前提,就是传者和受者的需求接近乃至吻合。借用经济学的信息对称原理,即传者的"我想说什么"与受者的"我要听(看)什么"相近,形成双方信息对称时,"传"与"达"的信息通道即打开、畅通了,就能最大程度地实现有效到达率。反之,信息不对称,"想说的"与"要听(看)的",有距离甚至错位,传播效果必然要打折扣,甚至不到达。因此,传者要努力与受众建立良好的互动关系,深入研究并把握受众的接收心理、期待心理,将传播者需要给予的与受众想要接收的紧密结合。

传播目的的多元性,是分众传播的基础;"大众"存在的复杂性,多层次性,是传播分众的前提。中国电视走过了改革开放二十余年的历程,已经从初建时期以宣传党的方针政策为主要目的的几近单一的喉舌功能,完成了媒介功能本体意义的追求与实现,除承载着主导的宣传功能外,不可或缺地要以信息传播、教育服务、传承文化、娱乐生活等多元追求为目的。不同的传播功能定位,决定目标受众群的差异。

媒介传播将着眼点落于大众传播是顺理成章的。但"大众"的概念是宽泛、多元、不确定的,尤其在今天需要以"分众"视角进行大众传播的时候,"大众"一词有时是虚化的。人们看到,由传播者、媒介、接收者共同构成的信息通道中,接收者竟是如此庞大、复杂、难以捉摸,并且是随着时代社会的发展而变迁;他们似乎以无形的"上帝之手",成为了节目的杠杆,在一定程度上指挥、调整、把握着传播者。谁也不能无视、忽视、漠视"对谁传播",接收对象是传播者制作节目的心向仪。在频道化、市场化的今天,更是势在必行。

二 电视收视率与传播影响力

收视率,在电视人与广告经营者中是一个出现频率非常高的词汇。对于电视人而言,收视率几乎是评价一个节目、栏目、频道成败的重要标杆。目前,一些电视台出台的末位淘汰制,就是以收视率为主要依据的。收视率不仅展示着该节目、栏目、频道的受众关注度,更意味着它们的广告市场份额的可能占有度。电视人通过收视率的晴雨表,调整节目的生存发展取向;广告商通过收视率的高低,决定其广告资金投入的去向、额度。在我国,虽然我们不能说收视率已经对节目具有绝对的控制权,(尽管这在西方商业电视运作系统中早已是铁的定律),但是收视率对电视人和广告商的参考度、影响力、控制力是不容忽视的,并且越来越在相当程度上占据主导位置。

关注收视率,从本质上看是我国改革开放后,广播电视事业发展,传播观念变革、进步的具体体现。通过收视率,了解接收者的收视状况,评价程度和节目的实际传播效果,从而为传播者从宏观决策到微观调整、节目编排、反省自身提供重要的参考、评价依据。显然,收视率的调查不是以获得观众的收视情况为惟一目的,它的终极目标是指向传播实践的,是为电视媒体和节目市场服务的。

传播影响力就是传播内容到达后的效果及其再释放能力和结果,是接收者完成收视行为后,节目对个人与社会实际生成的影响力度。对于传播的影响研究历来是大众传播学者重要的关注点。关于影响研究"可以从史的角度看出三个明显的演变过程。总的说来,影响研究从最初的神奇的子弹理论发展到后来的有限的和有选择的理论再发展到当代的社会化和潜移默化的理论"②。魔弹理论强调了传播内容与效果顺应的因果关系,曾经被广为接受,影响着传播者。但是由于其中缺失对接受者的分类分析,不能令人信服地解释传播现实,让后来学者产生质疑。因此,当 19 世纪 40 年代后,有限的和有选择的影响论对受众同一化提出否定,并从接受者的个体差异和社会差异的视角进行传播影响研究时,便获得普遍认同。1958 年克莱勃尔的《大众媒体的影响》既是对魔弹论的终结也对有限和有选择的观点作了明确表达:"1. 媒体看起来并不像一般人过去和现在所想像的那么有力。一个人对媒体所传递的某种信息的注意与其观念、态度、行为之间并不存在简单的因果关系;2. 许多研究发现媒体所传递的信息的确在观众身上产生影响,但这种影响相对而言是轻微的;3. 这些信息在观众身上产生的影响的条件比起原先研究的要复杂得多。"③ 显然,有限的和有选择的影响论的理论价值在于:第一,颠覆了魔弹论对传媒影响绝对化的认识偏颇;第二,引导并建构了对传播影响复杂因素的分析与认识。今天的分众传播时代,传者定位的局限性、受众选择的自主性、市场竞争的开放性,都必然决定了传播影响的有限性,绝对不可能存在无限的魔弹效果。关键是传播者如何在有限影响中寻求最大化传播效果。

收视率与影响力的关系,表面上看收视群体指数高,看的人多,影响力就大;反之,收视群体小,看的人少,影响力就小。事实上,高收视率不等于强影响力,就像低收视率不等于弱影响力一样。二者之间不是简单的正比或反比关系。形成影响力的强弱由多种因素制约,有多种可能性,其中受众的差异就是很重要的因素。因此,当面对一串串收视率数据时,我们还需要探询一下:谁在看?在当今收视率如此左右着传媒人时,也许我们更需要对收视率有一个正确、客观、细化的认识。毋庸置疑,收视率是观众接收状况反馈的重要途径,但不是惟一的途径;是传播效果的检测手段,但不是惟一的手段;是电视节目综合评估体系中的一项重要指标,但不是惟一的指标;是电视节目市场中重要的参考数据,但不是惟一的数据。当我们已经开始拥有了满意度调查数据作为评价节目的另一个参照系时,我们应该还有这样一种关注:对收视对象细化的调查数据,以使传者决策对传播影响力的对应追求。

三 分众传播的几种影响力模式分析

传播影响力的形成图示如下:

媒介传播→个体接收→接受影响→影响再传播→社会影响力

在这个简化了的线性链接图示中,我们暂且将媒介传播视为常量或曰定数,那么后面全是变量即变数,显然其中最核心最关键的变数就是"个体接收"中的"个体"。也就是说当同一节目被不同个体接收时,就会产生不同的影响,这时影响内化于个人,然后以不同的方式进行再传播。这种再传播可能以人际传播的方式进行,或者由于个人职业的不同进入政治传播、组织传播、艺术传播甚至回归大众媒介形式,当然还有润物细无声的融合于个体行为的影响,无论如何社会影响力由此而形成。因此,在这个范畴下讨论,可以得出的结论是:传播所形成的社会影响力的强与弱、正与负和接收个体有着密不可分的关系。由此再思考,作为媒介传播者在追求最大化的社会影响力时,如何把握自身这个变量——怎样进行分众传播。

传播对受众个体与社会的影响,因接收者个体的差异而产生不同的影响效果。这种个体的差异不仅是年龄、性别等生理差异,更是由于学历、职业、收入等文化、经济、政治资源拥有不同而形成的社会阶层的差异。当然,对个体差异可有多种视角,本文选择和社会发展最切近、最基本的社会结构——阶层角度切入。

对于当代社会阶层的划分如何从传媒角度加以认识,笔者在《当代社会阶层变迁与电视传播价值取向》④一文中,以中国社会科学院重大课题成果《当代中国社会阶层研究报告》为基本参考,同样依据社会各阶层对组织资源、经济资源、文化资源这三种资源的拥有量和其所拥有的资源的重要程度,将当代中国社会各阶层结构大致划为三大块:强势集团——由拥有充分的组织资源的国家与社会高层管理者、拥有充分的文化资源或组织资源的大型企业经理人员、拥有充分的文化资源的高级专业人员、拥有充分的经济资源的大私营企业主构成;中间阶层——由拥有相当的或一定的组织资源、经济资源、文化资源的国家与社会管理者、经理人员、私营企业主、专业技术人员、办事人员、个体工商户、商业服务人员、产业人员、农业劳动者构成;弱势群体——由仅仅拥有很少量的或基本没有三种资源的商业服务业员工、产业工人、农业劳动者、城乡无业、失业、半失业者构成。

当传播内容到达不同的阶层时,所产生的效果也有所不同。首先由于"个体接收"的差异,获得的"接受影响"是不同的;其次,也是最关键的在于这种差异所形成的"影响再传播"——"二级传播"的能力与能量差异很大,随之所生成的社会影响力也截然不同。比如同看《焦点访谈·触目惊心假发票》,老百姓获得的是对这类事件的了解、警觉——个体层面;领导特别是相关职能部门的干部看后,考虑的就是如何让有关人员知道,研究制定堵漏对策,从而促进社会的文明进步——公众层面。

"二级传播"的提出可见于1948年纽约哥伦比亚大学出版的《人民的选择》一书。作者们认为:大众传播中的信息流动可能不像人们通常想像的那样直接。他们认为,这种信息流动可能是大众传媒的影响,首先抵达"观点领袖"(Opinion Leader),然后观点领袖把自己已读到和听到的信息传递给受其影响的同事们。这个假设被称做"二级传播"。这个观点产生的背景是基于对美国大选进程中决策过程的分析,积极意义在于揭示了"人们仍然被他人通过给——接受的方式所成功地说服,大众传媒影响的无意识性和潜力比所预想的要小","二级传播的看法意味着个人之间存在着相互联系的网络,大众传播通过这个网络得以传递"。⑤虽然这种阐述今天看来有其局限性,但是"二级传播"假设的提出给予我们的启示却是很鲜明的:大众传媒自身的影响力是有限的,要扩大传播,加强传播影响力,就必须依赖于接收者人际之间的网络和接收个体的资源占有进行二级传播,而在这种再传播过程中"观点领袖"具有特殊的影响价值意义。

对于"观点领袖"也被称为"意见领袖"的人,是能够通过个人产生社会影响效果的人。在《人民的选择》一书中,由于是基于对大选进程的分析,所以他们的研究结论基本可以概括为:其一,"观点领袖对选举更感兴趣";其二,"观点领袖会在社会的各个阶层中发现";其三,"与其他人比较,发现观点领袖相当多地接触到收音机、报纸和杂志,即一般的传播媒介"。在今天,对"观点领袖"的认识,尽管我们同样认为他们可以存在于各个阶层,也必然要作为大众媒介的积极广泛的接收者,但是他们还应该具备思想含量、人格魅力、话语空间等诸方面的优势,才可能在再传播中生发更大效力。所以,拥有组织权力、经济实力、文化资源的意见领袖们当然更具有再传播的先天优势。

以下是从不同阶层的角度分析传播社会影响力的可能模式:

1. 强势集团——小众——"意见领袖"群体——权威影响力

强势集团作为一个国家的主流集团,他们是权力、资本、知识的拥有者。虽然人数少,但属精英阶层,对社会有巨大的主导影响力,在相当程度上控制着国家的发展和走向。他们具有极强的话语权,对新闻媒体有控制权和影响力。作为话语优势群体,当他们接收了电视媒介传播内容,一旦产生触动,获得观念性的影响后,这时他们自身所具有的强释放能力,就会体现在公众传播领域和政策制定范畴,从而生成更大面积的、权威性的影响力。因此,一定意义上说这个阶层整体上具有"意见领袖"特征,他们所产生的社会影响力决不是单纯的收视率指数可以体现的。比如:央视《焦点访谈》节目是一个不仅百姓爱看同时也是被主流阶层非常关注的节目。徐匡迪在担任上海市长时,《焦点访谈》节目是他每天必看的节目,他认为需要从中了解情况,比照工作中可能存在的问题,并去解决。再如,央视《对话》,目标收视群体始终锁定为关注经济改革动态并具有决策能力的社会精英人士。节目制作者以开放的视野,开放的思维,开放的心态,"通过对嘉宾的选择、主体的设计和形式的创新,特别是对目前经济改革前沿事件和任务的挖掘"⑥,追求并实现对先进文化、创新理念、前沿思考的传达,由目标受众群中获得巨大的社会影响力。如果单看《对话》的收视率从2000年7月开播至今,它的收视率都不是在高线,据今年1月-9月三个季度索福瑞收视率调查数据显示:《对话》平均收视率:每个季度均为0.2;收视份额:第一季度为0.9,第二季度为0.8,第三季度为 1.4。但是不容置疑的是《对话》确实影响了有影响力的人,这既是栏目人的追求,也是栏目获得的实际传播效果,它所产生的先进文化观念的传播价值是不可低估的。

2. 中间阶层——中众——"意见领袖"散体——活跃影响力

中间阶层通常具有三高特征:"高学历"、"高收入"、"高消费",往往以知性、时尚、前卫、优雅情调引领着一个社会的审美、消费潮流。他们思维敏锐,视野开阔,锐意创新,许多具有国际教育与从业背景,在岗职业的知识技术含量高,社交圈广,话语空间大,故而其中不乏"意见领袖"人物。扩大与发展这个阶层是一个国家现代化程度的需要与重要体现。在传播范畴里关照中间阶层,显然这是个被传者和受者共同关注甚至偏爱的对象。因为反映这个阶层的价值观念、审美取向、生活状态不仅是传者的需要,也符合后现代时代的受众接收心理——消解紧张、追求理想图景的需要。中间阶层在观看电视节目后,获得接受影响进行再传播的形式是丰富多样的,这是由他们的职业和人群生存状态决定的。这种再传播可以是社交场合的人际传播方式,也可以是课堂、论坛、职场演讲方式,甚至不排除在电视媒体之外的其他媒体上再传播。因此,他们的再传播特征是:扩散力强,观念开放,形式多样,有感染力、示范力,易于接受,具有活跃的社会影响力。这种活跃的影响力必然反作用于社会,作用于接受再传播个体的观念和行为,最终在国家的现代化发展和全面建设小康社会的进程中起到积极的推动作用。比如中央电视台 10 套教育科技频道的节目,《讲述》、《百家讲坛》、《探索发现》、《读书时间》、《走近科技》等等,都是教育科技界及许多白领阶层喜爱的节目。

3. 弱势群体——大众——"意见领袖"散体——泛化影响力

弱势群体在中国依然占有极大的数量比例,是中国社会阶层金字塔结构的底座。他们受教育程度低,收入低,生活消费低,有的还在最低生活保证线下,需要国家补助。改善与提高这个群体的生存条件、生活质量以及文化素质,与整个国家的现代化进程密切相关。媒体的关注和导向无疑对营造社会对弱势群体整体的人文关怀氛围能起到积极的催化作用。这个阶层是电视接收者中最大的群体。根据央视—索福瑞媒介研究有限公司 2002 年在我国 69 个城市(包括拉萨)目标观众均为四岁及以上的电视居民人口进行的收视状况调查中的观众构成情况显示:从职业看:学生与无业人员47.8％,工人18.6％;从受教育程度看:未受过正规教育、小学23.2％,初中35.8％,高中28.8％;从家庭收入(人民币元/月平均收入)看:低于900元25.7％,901—1400元26.9％。如除去其中4—14岁10.4％的低龄人群,低学历、低收入人员仍是目前我国电视观众的主要构成。电视是他们生活中主要的休闲娱乐方式和信息文化知识获得的途径。弱势群体受文化和职业局限,话语空间也有限,接收影响后的再传播,往往是口口传播的人际交流方式,影响范围有限,影响力泛化不均,有时力度未必微弱。因为面对面的线性的人际传播影响往往更直接,更深入。央视《半边天·张越访谈·我是刘小样》,通过张越对陕西农民刘小样的采访,反映出了改革开放后中国农村的发展变化,尤其当代农民的心路历程。刘小样以她极富哲理的思考,流畅地表达了新一代农民的追求与愿望。她说她在读电视。当她把自己从电视中读到的感悟传达给她的女儿、身边的女友时,她就承担起弱势群体中意见领袖的角色。

四　结　语

传播的目的在于有效到达率和社会影响力的最大化的实现。当收视率成为传播者自我评价的重要标尺时,我们引入对收视对象及其接收后的行为意向讨论,从中获得判断:收视率与影响力并非成正比关系;受者的差异决定社会影响力的强弱。虽然市场与收视率决定了传播分众的事实,但是媒介的主体意识应该也能够保证传播者能动地把握分众传播,寻求最佳的契合对应点。因此当我们进行分众传播定位与策划研究时,应该将收视率、收视对象与社会影响力放在一个平台上考虑。需要指出的是:并非获得最大化的社会影响力就是将传播更多地指向强势群体。传播影响力的构成一定是合力的结果。一味追求权威影响力,失去大众关注的传播活动,也将是无效之功。中国传媒在国家振兴、民族复兴,全面实现小康社会的宏伟蓝图中,承载着历史的重任,如何将"三个代表"精神融于整个传播活动的血脉中,不着一字,尽得风流,是需要我们在传播活动中去探求最接近本体、最具有价值意义的规律。从这个意义上说,本文从当代社会阶层结构角度解剖收视率背后与社会影响力形成的相关因素,不失为一个探讨的视角。

注释:

① [美]维尔伯·施拉姆、威廉·波特《传播学概论》,新华出版社 1984 年,第 23 页。
② 常昌富《大众传播学:影响研究范式》,中国社会科学出版社 2000 年,第 7 页。
③ 转引自常昌富《大众传播学:影响研究范式》。
④ 《现代传播》,2002 年 第 6 期。
⑤ 伊莱休·卡茨《二次传播:对一种假设的最新报告》,《大众传播学:影响研究范式》,中国社会科学出版社 2000 年,第 27 页。
⑥ 《中国中央电视台频道栏目选介》,中国广播电视出版社 2003 年,第 141 页。

后　　记

　　受出版社委托编这样一部《媒介哲学》,其意义并不仅仅在于展示中国学者对后现代媒体世界的反思,而更多的是对自我问题史和当代问题史的清理。近些年,面对大众文化的播撒,网络世界的勃发,影视传媒的中心主义,广告媒体的经济权力话语,人文话语和知识分子的处境变得相当尴尬。

　　知识分子离不开传媒,甚至可以说,正是印刷媒体的出现,才使得知识分子可以冲破中世纪神学和贵族权力的控制,成为自由思想的精英。如今,在这个媒体平台遍及世界的时代,知识分子还不能消亡,起码,这个媒体平台上运行的语言、叙事、话语、思想还应该以知识分子为基点。尽管有的知识分子已经"突围"而进入大众话语狂欢中,但这仅仅是个体的选择,并不成为整个知识分子群体的"集体逃亡"的写照。在我看来,知识分子不仅在于其专业成就,而且在于其独立精神、人间情怀、反思立场和超迈精神。知识分子可以用传媒来传播自己的思想,同这个平台进行充分有效的合作(罗素、海德格尔、伽达默尔、哈贝马斯、德里达等同广播电视传媒都成功地合作)。如知识分子在现代社会曾经同出版商、报人、广播电台打交道一样,在后现代社会知识分子除了在大学讲堂上讲授思想学术,还可以接受电视采访,在各种媒体讲演,在网络上解答网友的问题,甚至在数据库中成为今日大学远程教育的良师。

　　知识分子不可能拒绝传媒。说到底大众传媒是中性的,低俗或者错误的东西可以在上面大行其道,高妙而健康的思想也可以有自己的广泛受众。因此,学者与传媒如果出于经济炒作和政治动机而合作,那么可能是一种"合谋",并不可取。而学者与传媒如果是传播独到的思想、重要的理念、战斗的檄文和对重大事件的文化态度,那么,传媒就将成为社会的良知和价值公正的表征。大众传媒时代的到来标志着社会的进化,使得社会各阶层都能减少信息垄断而正当地获得自己关注的重要信息。同时,人们还能从知识分子具有世界眼光和人文视野的言说中,看到他们为大多数人说话和为民族的根本利益着想的学人良知与道义情怀。

当然,一味地在媒体上播撒一些欲望化、世俗化、消费化观念的知识分子也并不少见,这必然引起大众和知识分子的关注和批评。在这世俗化浪潮的扩展下,精英文化的高雅终于抵挡不住世俗功利文化,传媒在强有力的经济权力和政治权力话语怂恿下,变得可以替代知识分子的思想而直接成为大众消费欲望的推动者。人的异化现象严重,盲目从众趋时的倾向成为社会心理主流。因此,知识分子除了运用传媒传播思想以外,还有一个重要的职能就是对这个传媒平台加以修理和维护——以坚持不懈的批判精神,对大众传媒出现的问题进行哲学层面的追问和人类文化前景的透视。社会学家默顿说:"知识分子与政治的蜜月往往是短暂、粗鲁和别扭的。"这意味着,知识分子不仅要注意学术与政治的关系,还需注意与传媒从业人员在血统上的亲缘性,以使自己保持清醒的学术眼光疏离"传媒的炼金术"。只有这样,知识分子才不是畅销书写手,才不是变体的广告商,才能够具有比普通受众更强的文化病毒免疫力,才能使批判声音在传媒上正常发出并产生共鸣。只有知识分子和传媒的关系破除了"合谋"以后的正当性,知识分子的媒体言说才具有哲学意义上的批判精神和价值分量。

今日世界的"数字化生存"绝非技术问题,而是更多地承载社会公共伦理和文化良知——传媒哲学的反思就是对"媒体伦理"和"媒体精神"的反思。电视论坛可以最快最广地传播学者思想风采,网络可以建立学者思想库而成为"网络思想史",使得思想的自由表达远远超过纸介媒体,众多媒体访谈可以使受众在第一时间了解学术大师和知识精英对世界重大事件的基本看法,并可以通过各种媒体方式反馈自己的意见。无论如何,思想的多元局面比一元专断更加合理更加人性化,媒体带来的宽松自由的公共领域对话和真实互动"主体间性"交流平台,使媒体信息生产同日常生活相比,更能对受众思想和精神文化生活产生广泛而深刻的影响,并有可能形成公众舆论和干预社会政治与文化进程。

在多元文化中,知识分子对媒体操纵者和媒体集团垄断者的警惕并非多余,因为,如果跨国传媒集团垄断了越来越多的传播渠道,这种趋势对一个国家的政治和文化生活将会产生怎样的严重后果?会使得第一世界和第三世界之间的文化鸿沟撕裂到怎样的程度?会使得东西方文化对话成为怎样的不对等局面?在我看来,知识分子在传媒时代的哲学思考刚刚开始,然而,这种媒体哲学的思考,是这个时代学术良知尚存的标志。

最后感谢金惠敏先生,他促使我在教务繁重中编成此书。感谢收入本书的学者们,他们在我发出约稿信以后,不仅很快撰文并授权出版,而且回信多次对论文加以润色和修正。这种学术共鸣和知识友谊,令我在漫天飞雪中感到一种由衷的温暖。

王岳川
2003年冬日于北京大学